VOUS.COM

Catalogage avant publication de Bibliothèque et Archives nationales du Québec et Bibliothèque et Archives Canada

Poulin, Pierre-Luc, 1962-
    VOUS.COM : soyez vu, entendu et reconnu sur le Web !
    Comprend des références bibliographiques.
    ISBN 978-2-89436-441-3
    1. Marketing sur Internet. 2. Médias sociaux. I. Titre.
HF5415.1265.P68 2014   658.8'72   C2013-942351-6

Nous reconnaissons l'aide financière du gouvernement du Canada par l'entremise du Fonds du livre du Canada (FLC) pour nos activités d'édition.

Nous remercions la Société de développement des entreprises culturelles du Québec (SODEC) pour son appui à notre programme de publication.

Gouvernement du Québec – Programme de crédit d'impôt pour l'édition de livres – Gestion SODEC.

Infographie de la couverture : Marjorie Patry
Mise en pages : Josée Larrivée
Révision linguistique : Amélie Lapierre
Correction d'épreuves : Michèle Blais

Éditeur : Les Éditions Le Dauphin Blanc inc.
         Complexe Lebourgneuf, bureau 125
         825, boulevard Lebourgneuf
         Québec (Québec) G2J 0B9 CANADA
         Tél. : 418 845-4045   Téléc. : 418 845-1933
         Courriel : info@dauphinblanc.com
         Site web : www.dauphinblanc.com

ISBN format papier : 978-2-89436-441-3
ISBN format numérique pdf : 978-2-89436-480-2
ISBN format numérique epub : 978-2-89436-481-9
ISBN format numérique mobi : 978-2-89436-482-6

Dépôt légal : 1e trimestre 2014
         Bibliothèque nationale du Québec
         Bibliothèque et Archives Canada
Données de catalogage disponibles auprès de Bibliothèque et Archives nationales du Québec.

Imprimé au Canada

Limites de responsabilité

L'auteur et la maison d'édition ne revendiquent ni ne garantissent l'exactitude, le caractère applicable et approprié ou l'exhaustivité du contenu de ce programme. Ils déclinent toute responsabilité, expresse ou implicite, quelle qu'elle soit.

Pierre-Luc Poulin

VOUS.COM

SOYEZ VU, ENTENDU ET RECONNU SUR LE WEB !

Le Dauphin Blanc

Ouvrages publiés par l'auteur :

La Rose parmi les pissenlits, ADA, 1995
Le Banquier philosophe, Dauphin Blanc, 2002
Les 7 clefs du Banquier philosophe, Livre-audio, Coffragants, 2002
SOIS ton meilleur ACTIF !, Dauphin Blanc, 2003
Cupidon à Wall Street, Un Monde Différent, 2005
Le Banquier qui avait laissé tomber les chiffres, Dauphin Blanc, 2013

TABLE DES MATIÈRES

À Francine.

INTRODUCTION

D'ALEXANDER GRAHAM BELL... À BELL

« Venez, Watson, j'ai besoin de vous ! »
– Alexander Graham Bell, 10 mars 1876

Avant d'entamer le sujet de ce livre, je vous propose de regarder le chemin qui a été parcouru afin d'envisager le chemin qui s'ouvre à nous. Je vous présente donc une série d'événements qui ont tous un point en commun : ils ont changé les façons de communiquer et d'échanger. Cette trentaine de découvertes, de créations, d'inventions et de nouveaux moyens de communication cités ci-dessous ont eu et continueront d'avoir un impact sur nos vies dans les années à venir. Vous remarquerez l'accélération des 10 dernières années en ce qui concerne les inventions et les découvertes qui bouleversent nos modes de communication.

Note : Si vous désirez une version plus étoffée de cette liste, s'il vous plaît, consultez l'Annexe I. J'y ai ajouté des éléments intéressants entourant les événements historiques suivants :

1876 : première parole prononcée au téléphone

1900 : première transmission de la voix humaine par les ondes radio

1952 : première station de télévision au Canada

1965 : premier courriel envoyé

1981 : lancement de l'IBM PC

1993 : premier navigateur Web

1994 : Amazon est fondé

1995 : eBay est fondé

1996 : Expedia est fondé

1998 : Google est fondé

1999 : le terme *WiFi* est utilisé pour la première fois ; Netlfix rend disponible la location de film en flux continu ; lancement du premier BlackBerry

2000 : éclatement de la bulle technologique en Bourse ; PayPal est fondé

2001 : Wikipédia est fondé ; lancement du iPod et de iTunes

2002 : lancement du premier réseau 3G en Norvège

2003 : LinkedIn et Skype sont fondés ; lancement du logiciel libre WordPress

2004 : Facebook est fondé

2005 : YouTube est fondé

2006 : Twitter et Wix sont fondés

2007 : lancement du iPhone et du Apple TV

2010 : lancement du iPad ; Instagram et Pinterest sont fondés

2011 : lancement de Siri, l'assistant personnel à reconnaissance vocale

2013 : taux de branchement de 81 % pour l'ensemble des foyers québécois ; lancement de Google Hangouts

2014 : lancement prévu de la lunette Google (Google Glass)

OUF !

Chaque semaine, je rencontre des gens d'affaires, des propriétaires de petites entreprises ou des travailleurs autonomes. Leur réaction est presque toujours la même par rapport à la rapidité avec laquelle les technologies évoluent: «Ouf!»

Et ils ont raison.

Il s'en est passé des choses depuis le fameux «Watson, j'ai besoin de vous!». Aujourd'hui, parions que monsieur Bell enverrait un texto (*SMS*) à Watson parce que communiquer avec un téléphone, c'est trop long! «*LOL*[1]», comme on dit maintenant.

En relisant la liste ci-dessus, vous vous rendrez compte que vous avez raison de vous sentir un tantinet dépassé par tous les changements technologiques qui se produisent depuis un peu plus d'une décennie. Vous aussi, vous avez raison de dire «Ouf!».

Ces changements nous touchent et nous bouleversent, car ils chamboulent un aspect inhérent à la condition humaine: la façon de communiquer. Nous n'intervenons plus uniquement en face à face ou de vive voix au téléphone. Nous textons, nous bloguons, nous publions des photos, des vidéos, des balados (*podcast*), nous «aimons» des pages sur Facebook, nous «suivons» des vedettes sur Twitter, nous faisons partie du cercle des connaissances de nos contacts sur LinkedIn, nous comparons les prix de notre prochain voyage en ligne sur Expedia ou nous demandons l'opinion de nos amis en ce qui concerne telle marque ou tel achat. Nous recevons des textos pendant que nous sommes en train de dîner tranquillement avec nos amis. Nous maintenons plusieurs conversations en même temps.

---

1. Le sigle *LOL* correspond aux expressions *laughing out loud* («*rire tout haut*») et *lot of laugh* («rire beaucoup»). En français, le sigle *MDR* correspond à l'expression *mort de rire*. (Source: OQLF)

Internet et les médias sociaux font partie de l'«air du temps». Les annonceurs nous renvoient à leur page Facebook et nous demandent de les «aimer[2]». Les Bell, Rogers et Vidéotron de ce monde nous font des offres alléchantes afin de nous vendre le dernier nec-plus-ultra-rapide-et-branché-téléphone-intelligent qui nous reliera à Internet et à tous nos amis.

> En période de changements, ceux qui ont soif d'apprendre héritent d'un monde à découvrir tandis que ceux qui croient avoir tout appris ont tout le bagage nécessaire… pour traiter avec un monde qui n'existe plus[3].
>
> – ERIC HOFFER, PHILOSOPHE AMÉRICAIN

---

2. Certains vont même jusqu'à demander de les *liker*, ce qui est un anglicisme assez à la mode.

3. (Traduction libre de cette citation: «*In times of change, learners inherit the earth, while the learned find themselves beautifully equipped to deal with a world that no longer exists.*»). De toutes les citations que j'ai recueillies pour ce livre, elle est, à ce jour, celle que je préfère.

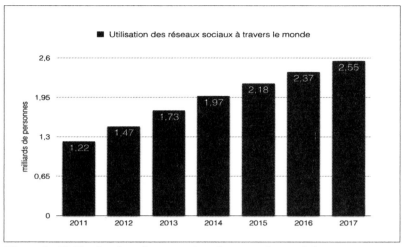

Figure 1 – Utilisation des réseaux sociaux à travers le monde[4]

Une récente étude a dévoilé à quel point les réseaux sociaux sont devenus populaires à travers le monde. eMarketer prévoyait qu'en 2013, une personne sur quatre utiliserait les réseaux sociaux, ce qui équivaut à 1,73 milliard d'utilisateurs par rapport à 1,47 milliard répertoriés en 2012. On prévoit que ce chiffre atteindra 2,55 milliards d'ici 2017, la barrière des 2 milliards devant être franchie quelque part en 2015. Selon cette estimation, ce sera donc une personne sur trois qui sera connectée à un réseau social en 2017.

Une personne sur trois, c'est beaucoup ! On peut arrêter de parler à ce moment de « phénomène » et de « mode » et commencer à parler de nouveau « mode de vie ». Les médias sociaux ont passé le stade initial de la nouveauté et s'installent dans notre vie comme nouveau mode de partage de nos informations.

LA RÉSISTANCE AUX NOUVELLES TECHNOLOGIES

Évidemment, comme pour toute forme de technologie, certaines personnes ne souhaiteront pas y avoir recours. Ainsi, il y a des gens qui n'ont pas de télévision, d'autres qui n'ont pas de téléphone ou d'automobile. Faut-il mettre en cause l'invention de Henry Ford parce

---

4. Pour les besoins de l'étude, on considère qu'une personne utilise un média social si elle s'y rend au moins une fois par mois, peu importe avec quel appareil. Cette étude a été effectuée en avril 2013. Source : www.emarketer.com/Article/Social-Networking-Reaches-Nearly-One-Four-Around-World/1009976.

que des personnes préfèrent voyager à pied, en vélo ou en transport en commun ? Il y aura toujours du pour et du contre pour toute forme de technologie et il y aura toujours des gens qui trouveront que c'est une perte de temps, que ce n'est pas utile, etc.

En 1876, la Western Union écrivit ceci dans l'un de ses mémos internes : « Ce "téléphone" a beaucoup trop de défauts pour qu'il puisse un jour être considéré comme un outil de communication. Cet équipement n'a donc aucune valeur à nos yeux[5]. »

Vous souriez ? Remplacez le mot *téléphone* par *texto*, *Twitter*, *Facebook* ou tout autre réseau social à la mode et vous obtiendrez le fond de la pensée de plusieurs personnes qui accueillent avec suspicion la kyrielle des nouveautés technologiques des dernières années.

Sachez que je comprends bien cette résistance et que, quelquefois, j'ai des frissons dans le dos quand j'observe à quel point tout évolue rapidement. Il est tout à fait normal de résister lorsque l'on sent que tout bouge trop vite. On veut absolument éviter de faire des erreurs. Surtout, on veut éviter de gaspiller nos précieuses ressources : notre temps et notre argent.

Faites également attention à votre « propre sondage interne » : si vous n'aimez pas les médias sociaux et si vous n'y croyez pas, il y a de fortes chances que beaucoup de gens dans votre entourage pensent la même chose (nous avons souvent tendance à nous associer avec des gens qui pensent comme nous), mais ça ne veut pas dire que les médias sociaux ne sont pas populaires !

Le statu quo peut être une bonne stratégie, pour un moment, mais arrive un temps où il faut agir, sinon, particulièrement quand nous faisons des affaires, la compétition se charge de nous ramener à l'ordre.

---

5. Mémo interne de la Western Union, qui possédait alors le monopole du télégraphe (1876), en réponse à l'offre d'achat de l'invention d'Alexander Graham Bell. Deux ans plus tard, la Western Union offrit 25 millions de dollars pour acheter le brevet, mais sans succès.

POURQUOI CE LIVRE ET POURQUOI MAINTENANT ?

J'ai rencontré des dirigeants d'entreprises qui font des millions en chiffre d'affaires et dont le site archaïque date du début des années 2000. Les propriétaires ne voyaient absolument pas la nécessité d'être même présents sur le Web ! Pour eux, tout se faisait de visu, de gré à gré, de personne à personne, jusqu'au moment où leur marché cible s'est transformé.

Auparavant, ils comptaient sur une vingtaine de gros clients pour leur donner du travail. Sur un horizon de cinq ans, force leur a été d'admettre que ces gros clients seront peut-être appelés à disparaître et qu'ils seraient mieux de développer de nouveaux marchés, de nouveaux horizons.

Maintenant, leur site ne convient plus et ils se demandent si les médias sociaux peuvent leur être utiles. Ils sont *en mode* rattrapage… et panique !

C'est souvent ainsi : on ne bouge que lorsqu'on est vraiment obligé de le faire. Un petit pourcentage des entrepreneurs veulent vraiment changer pour changer. La plupart du temps, ce sera *en mode* réactif pour répondre à une menace de la compétition, pour conquérir de nouveaux marchés, pour se démarquer.

Il se peut que vous ne vouliez pas être sur le Web pour toutes sortes d'autres raisons, qui sont probablement toutes très bonnes, mais il y a encore un problème : vos clients sont sur le Web ! Ils parlent peut-être de vous et de vos produits et vous n'en avez aucune idée.

Sans dévoiler de nom, j'ai fait des recherches pour l'un de mes clients et je me suis rendu compte qu'au moins cinq de ses clients avaient publié quelque chose de très positif à propos de son produit. L'un d'eux avait même créé une vidéo promotionnelle ! Un autre en avait fait une mention élogieuse dans son bulletin mensuel. La réaction de mon client ? « Je ne le savais pas. Ça fait longtemps qu'ils ont écrit ça ? » Ça faisait plus de deux ans. Et il n'avait jamais fait de suivi auprès d'eux, ne leur avait jamais envoyé un petit mot de remerciement pour la belle publicité gratuite de son produit qui se vend plus de 50 000 $.

Dans certains cas, les médias sociaux et le Web seront utilisés pour un tout autre but que celui de développer des marchés. Il servira alors à séduire des employés potentiels, ces jeunes talentueux dont le CV est sur LinkedIn et qui vérifient l'«empreinte sociale» des entreprises qui «courtisent» leurs loyaux services.

Même s'il est plus confortable à court terme de ne pas vous investir trop dans ces «nouvelles» choses, Internet et les médias sociaux, même si vous avez peut-être peur d'y perdre votre temps ou votre argent, les conséquences de ne pas agir immédiatement me semblent plus négatives que la tranquille passivité.

QUI SUIS-JE ET QUELLES SONT LES RAISONS QUI M'ONT POUSSÉ À ÉCRIRE CE LIVRE?

Je suis d'origine beauceronne, de mère enseignante et de père *patenteux* ouverts au nouveau. Je suis né entre le moment où la première chaîne de télévision est apparue au Canada et le moment où le premier courriel a été envoyé.

J'ai travaillé (oh, surprise!) dans l'entreprise familiale tout au cours de ma jeunesse jusqu'à la fin de mes études universitaires. Lors de mon premier cours de programmation (optionnel dans le programme du baccalauréat en administration des affaires), je devais utiliser des cartons poinçonnés afin d'entrer mes données dans l'ordinateur central. Ouf!

Vingt-cinq ans plus tard, je me retrouvais formateur professionnel dans le domaine financier[6]. Je savais que ce qui me passionnait par-dessus tout était l'enseignement et le *coaching*, mais j'avais fait le tour de mon domaine et je cherchais de nouveaux défis.

En 2006, un mardi soir d'août, pour être plus exact, tout a changé. Un ami m'a invité à une présentation qui visait à démontrer comment faire de l'argent sur Internet grâce aux annonces Google AdSense. À partir de ce moment, j'ai découvert le Web sous un autre angle: celui

---

6. Pour obtenir plus de détails sur mon parcours, consultez mon profil LinkedIn au www. linkedin.com/in/pierrelucpoulin.

du marketing, de la communication et de la vidéo. C'était la « tempête parfaite ».

Google.ca a été mon point de départ pour toutes mes questions. J'ai bien envisagé de retourner sur les bancs d'école, mais je me serais senti coincé. Puis l'horaire, les contraintes, le programme... Ouf !

J'ai commencé à lire, à observer, à écouter, à assister à des conférences en direct (*streaming*) sur ce nouveau monde en devenir. Je me suis abonné à des dizaines d'infolettres de *leaders* du marketing Internet. J'ai passé des centaines d'heures à m'imprégner de ce nouveau monde, de ce nouveau mode et, pendant tout ce temps, je ressentais toujours ce goût, ce besoin de communiquer ce que j'apprenais. Je suis même allé en Californie afin de suivre des cours de haut niveau avec ces nouveaux *leaders* du marketing Web. Au printemps 2011, j'étais en banlieue de San Francisco en compagnie de 749 personnes provenant de 42 pays à travers le monde. Le présentateur[7] demanda : « Qui, dans la salle, ne savait même pas qui j'étais il y a un an ? » Toutes les mains se sont levées. Pourtant, nous étions tous là afin d'apprendre ses « trucs » et ses techniques de marketing.

Je me disais sans cesse : « Mais, il faut que les gens connaissent ça ! Ça n'a pas de bon sens, c'est trop génial ! » Donc, ayant grandi dans l'entreprise familiale, connaissant le monde de la PME et étant travailleur autonome moi-même, je ne cessais d'avoir en tête les *challenges* de tous les jours des entrepreneurs et des travailleurs autonomes quant à tous ces changements.

Je me suis donc senti interpellé et j'ai alors commencé à écrire un cours. Le cours se voulait pour les autres, mais également pour moi, car j'apprends mieux lorsque j'enseigne et que j'aide mon prochain. Ça m'oblige à toujours être un pas en avant.

---

7. Le présentateur nous a alors montré une lettre du *New York Times* : il venait de terminer la semaine en première place des livres à succès, et ce, sans avoir fait une entrevue à la télé, à la radio ou avec la presse écrite. Il n'a fait qu'être présent sur Internet grâce à ses capsules vidéo !

LE DOUTE ET LA VALIDATION

J'avais beau « savoir que je savais », j'avais encore un petit peu le syndrome de l'imposteur, n'ayant pas fait d'études officielles en la matière. C'est alors qu'une occasion opportune s'est présentée à moi. J'ai rencontré par hasard un chargé d'enseignement de l'Université Laval lors d'un CA d'un organisme à but non lucratif dont nous étions membres.

Lorsque nous avons échangé à propos de nos professions respectives, il me fit part de ses réserves concernant les médias sociaux. La conversation s'anima rapidement et il se rendit vite compte de mon enthousiasme ! Il m'offrit alors la possibilité de parler à son groupe d'étudiants qui terminaient leur programme en entrepreneuriat.

Pendant un bref moment, j'ai hésité puis j'ai décidé de passer par-dessus mon « syndrome ». Après tout, mon objectif de départ a toujours été d'être utile, de rendre service, d'aider et de partager avec enthousiasme ce que j'avais appris et ce que j'apprenais encore.

J'étais anxieux à l'idée de faire face à des étudiants. À vrai dire, j'avais peur d'avoir l'air fou, de me faire coincer par des questions auxquelles je n'avais pas vraiment de réponses. J'ai tourné ce désavantage en avantage. J'ai décidé de faire un cours 2.0 : j'ai demandé à l'enseignant de compiler à l'avance toutes les questions que les étudiants avaient en regard des médias sociaux afin de faire mon plan de cours en conséquence et de répondre directement aux besoins exprimés. À ce jour, j'ai accumulé plus de 150 questions. Je suis retourné à plusieurs reprises dans les classes de cet enseignant. Les commentaires et les *feedbacks* ont été excellents… et je me suis rendu compte que l'autodidacte que j'étais avait sa place, finalement. Ouf !

Et pour les 150 questions ? J'ai intégré quelques-unes d'entre elles dans ce livre. Elles étaient fort pertinentes !

LES OBJECTIFS QUE JE DÉSIRE ATTEINDRE GRÂCE À CE LIVRE

- Vous aider à comprendre les enjeux.

- Vous aider à savoir où vous vous situez et vers où vous voulez vous diriger.

- Vous donner le goût de commencer !

- Vous aider à mettre en place un plan stratégique.

- Vous fournir un modèle conceptuel en cinq étapes auquel vous pouvez revenir lorsque vous devenez confus.

- Vous permettre de créer votre plan exécutif qui tient sur une seule feuille 8,5/11 po (22 x 28 cm).

- Vous fournir toute une panoplie d'outils qui vous aideront à établir votre présence sur le Web, afin que vous soyez vu, entendu et reconnu !

PREMIÈRE PARTIE

UN GUIDE STRATÉGIQUE

UN GUIDE STRATÉGIQUE EN CINQ ÉTAPES

Un bon joueur de hockey doit bien s'alimenter et s'entraîner avant de chausser ses patins. Il doit même écouter attentivement l'instructeur afin de bien comprendre le plan de *match* et son rôle dans l'équipe. Oui, ses habiletés individuelles sont importantes, mais elles doivent être utilisées en synergie avec les autres membres de son équipe si tous veulent espérer bien performer et se rendre loin en séries !

Ainsi, votre stratégie de marketing sur le Web et via les médias sociaux doit faire partie d'un plan d'ensemble. Trop souvent, des gens talentueux d'une organisation prennent le taureau par les cornes et ouvrent des comptes de médias sociaux à gauche et à droite et commencent à participer à des conversations. Même si c'est un excellent moyen d'apprentissage et qu'ils démontrent de l'enthousiasme et le courage de foncer, ce n'est pas la façon idéale de procéder.

Je vous propose un modèle en cinq étapes afin d'aborder votre parcours 2.0 de manière harmonieuse et congruente :

Stratégie

Afin de préciser vos buts quant à votre présence sur le Web, voici quelques questions simples auxquelles répondre :

- 🖱 Pourquoi désirez-vous être présent sur le Web et les médias sociaux ?
- 🖱 Quels sont vos objectifs ?
- 🖱 Quelles sont les ressources disponibles ?
- 🖱 Qui sera responsable de la réalisation de ce projet ?
- 🖱 Quelles seront les actions que vous privilégierez dès le départ ?
- 🖱 Quand tout cela devrait-il être en place ?

Message

- ⌐ De quoi parlerez-vous ?

- ⌐ Quelle sera votre voix sociale, quel sera votre ton ?

- ⌐ Quelles seront vos sources « d'inspiration » ?

- ⌐ Qui rédigera vos communications et vos réponses aux commentaires ?

- ⌐ Les fautes d'orthographe seront-elles permises ?

- ⌐ Et que dire des points d'exclamation, des *LOL* et des binettes (« émoticônes », *bonhommes sourires*, etc.) ? Les utiliserez-vous ?

Création

Introduction de la chaîne de l'économie de l'attention :

Attention -> Considération -> Préférence -> Action -> Fidélité et Référence

- ⌐ Comment créer un message qui aura une influence sur le public ?

- ⌐ Comment les FAQ[8] et *SAQ*[9] peuvent-elles vous aider à créer du contenu rapidement ?

- ⌐ Actuellement, avez-vous une médiathèque ?

- ⌐ Et, bien entendu, avez-vous quelques trucs de rédaction pour vos messages ?

---

8. « Foire aux questions » ou, en anglais, *Frequently Asked Questions* (« Questions répétitives ou fréquentes »).

9. *Should be Asked Questions* (« Questions qui devraient être posées »).

Diffusion

À cette étape, nous aborderons des notions comme le marketing par permission, les influenceurs, le rythme à adopter, l'intégration à 360°, la publicité et l'affiliation. En ce qui concerne les différents médias sociaux et autres moyens de diffusion, ils seront abordés plus en détail dans la deuxième partie.

Résultats

Votre message a-t-il eu de l'impact? Il faut analyser, mesurer, comparer, calculer le RCI[10]. C'est également à cette étape où nous faisons de la surveillance pour la réputation en ligne (*online reputation*, *e-reputation*) et la réflexion afin de nous assurer que nous avançons dans la bonne direction.

---

10. « Rendement du capital investi ».

CHAPITRE 1

STRATÉGIE

La stratégie n'est pas la partie la plus populaire de ma formation et de mon *coaching* en *pratique privée*, mais je crois que c'est la plus importante. C'est la raison pour laquelle j'ai décidé de l'inclure au début de ce livre. Avant de passer trop rapidement cette section, sachez que la rédaction de votre document stratégique vous aidera notamment à faire ce qui suit :

Éclaircir votre vision

Le fait de devoir mettre en mots ce que vous voulez accomplir vous obligera à être plus concentré et plus précis et à mieux définir vos alignements, vos attentes et vos questions.

Partager vos choix et vos objectifs

Les chances sont fortes que vous travailliez dans une petite entreprise ou que vous soyez à votre propre compte. Il est fort probable qu'au cours des prochaines semaines ou de la prochaine année, il y ait des changements de personnel autour de vous. Peut-être que vous engagerez une nouvelle ressource, que l'un de vos employés tombera en congé parental, que votre entreprise prendra de l'expansion et que vous aurez à engager du nouveau personnel de soutien. Lorsque vous voudrez partager vos objectifs et votre vision du marketing Internet, votre document stratégique vous servira de base. S'il est bien rédigé, il deviendra peut-être une lecture obligatoire pour vos employés du département du marketing !

Déléguer vos responsabilités

Dans une PME, tout peut arriver. Il se peut que vous soyez demandé ailleurs dans l'entreprise et que vous deviez déléguer vos responsabilités à une autre personne. Si vous avez mis par écrit (même si c'est de manière très brève) vos réflexions et vos objectifs, vous pourrez plus « facilement » déléguer vos tâches et responsabilités si les enjeux de votre poste ou de votre fonction sont bien compris.

Je ne crois pas qu'il existe un seul plan parfait ou une unique recette magique qui fera que les résultats seront garantis. Chaque entreprise est différente. Votre document évoluera au fil des ans et probablement rapidement au fil des prochains mois si vous n'en êtes qu'au début du processus.

Je ne suis pas un « fanatique » des plans. Au contraire, j'aime souvent mieux y aller « à l'oreille », mais il y a une chose que j'ai apprise au fil du temps : le fait d'écrire, de coucher sur papier ses idées est un formidable moyen de prendre conscience de ce qui est là et de ce qui manque. De plus, cela laisse une trace d'où vous en êtes en ce qui concerne vos réflexions. Vous pourrez ainsi, dans le futur, vous relire et constater à quel point vous avez évolué. Je vous promets que vous sourirez en vous disant : « Wow ! J'en ai fait du chemin en six mois ! »

Par contre, si vous disposez de peu de temps ou si le fait d'écrire un long document n'est pas votre tasse de thé, je vous ai indiqué à la fin de chaque étape comment créer un *sommaire exécutif* qui ne devrait vous prendre qu'une feuille 8,5/11 po (22 x 28 cm). Vous aurez à réfléchir attentivement aux mots et aux idées que vous utiliserez, mais vous apprécierez pouvoir vous y référer tout au long de votre parcours. À vous de choisir quelle forme vous sied le mieux.

POURQUOI

Le marketing sur les médias sociaux et même sur Internet en général a comme point de départ vous, votre entreprise, sa mission, ses valeurs. Le message que vous véhiculerez et la manière dont vous interagirez avec les différents membres des communautés sont intimement liés à l'identité de votre organisation, à votre culture d'entreprise.

Le but de cette section n'est pas de vous faire *découvrir* votre mission ni vos valeurs, mais plutôt de vous faire réaliser qu'elles sont le point de départ de votre présence en ligne. Vous pourrez extraire un grand *Pourquoi* de votre mission et de vos valeurs.

Peut-être que vous avez écrit cette mission sur votre site ou qu'elle est dans un document que vous avez rédigé il y a déjà un bout de temps lors d'un séminaire ou du passage d'une firme de consultants dans votre secteur. Peut-être même que le mot *mission* vous fait un peu sourire, car, dans le fond, toutes les entreprises ne visent-elles pas la même chose : faire de l'argent ?

De fait, on pourrait penser ainsi, mais la réalité est que les profits sont le résultat d'un processus et non une raison d'être. C'est la raison d'être de votre entreprise qui fait en sorte que vous et vos employés êtes motivés le matin en entrant au bureau… ou non !

Pourquoi investir dans Internet et les médias sociaux ? Votre réponse sera la « colle » qui tiendra ensemble tous les éléments de votre stratégie. Une raison forte entraînera des ressources, un suivi et ultimement, des résultats. Voici trois réponses à trois « Pourquoi être en ligne ». Dites-moi si vous remarquez un thème ou une émotion commune entre elles :

1. Parce que les méthodes de marketing traditionnel donnent moins de résultats et que les gens sont de plus en plus difficiles à joindre.

2. Parce que lorsque le monde est en mouvement et que l'on reste immobile, on a l'impression de reculer.

3. Parce que, franchement, on ne peut pas faire autrement.

Ce ne sont pas de mauvaises raisons. Elles forment une *certaine* base de la réalité, mais il est difficile de demeurer motivé à moyen et à long terme avec des réponses de ce genre. Elles présentent un brin de résignation. Laissez-moi vous suggérer d'autres réponses positives à quelques «Pourquoi être en ligne» axées sur l'avenir :

4. Parce que l'on peut mieux communiquer avec une nouvelle génération d'acheteurs qui est continuellement sur Google et YouTube à la recherche de fournisseurs.

5. Parce que l'entreprise est jeune et dynamique et que l'on veut être au cœur de la prochaine révolution.

6. Parce que l'on embrasse le changement et tout ce que cela comporte : on s'adapte.

7. Parce que les messages, les images, les vidéos et les produits de l'entreprise pourront facilement voyager à travers le monde, et ce, jour et nuit.

8. Parce que l'on veut faire partie des *leaders* de tendances et parce que l'entreprise sera à l'avant-scène des nouvelles technologies.

Si vous relisez les réponses 1 à 3 et que vous les comparez aux réponses 4 à 8, les chances sont que vous remarquerez une *énergie* différente simplement en lisant les mots utilisés.

Lors de mes mandats de consultation, j'ai reçu différentes réponses à ces questions : même après avoir lu mes notes et m'avoir entendu leur vanter les mérites des médias sociaux, certaines personnes me disaient que, même si les raisons de la deuxième liste apparaissaient plus nobles à «poursuivre» et qu'elles *savaient* que c'étaient les réponses que je recherchais, leurs vraies motivations se situaient plutôt dans la première catégorie, celle qui sonne comme «pas vraiment le choix !». À ce moment, je souris et compris. Le chemin allait être plus long, mais, au moins, nous étions au début de quelque chose.

Et vous, quelles seront vos raisons ? Où voyez-vous votre entreprise dans cinq ans ? Vos réponses, qu'elles soient claires ou non, teinteront toutes vos actions. Étant donné qu'il s'agit de vous, de votre entreprise et de ses valeurs, il n'y a pas de bonnes ou de mauvaises réponses. Par contre, plus claires seront vos réponses, plus il sera aisé d'aligner les bonnes ressources techniques, financières et humaines.

Sommaire exécutif

Écrivez le mot *Pourquoi* en haut de votre feuille et répondez en moins de trois phrases claires.

🖱 💻 🖱

OBJECTIFS

Voici une question d'un étudiant au programme d'entrepreneuriat de l'Université Laval : « De quelle manière peut-on mesurer le RCI des efforts déployés sur Twitter ? » Cet étudiant a de l'avenir !

Plusieurs entrepreneurs se lancent sur Internet et dans les médias sociaux sans avoir pris vraiment le temps de mettre leurs objectifs par écrit. Votre objectif est-il d'atteindre un niveau de RCI mesurable sur Twitter ?

Donc, il vous faut formaliser ce que vous voulez accomplir. Logiquement, vos objectifs seront en lien avec votre Pourquoi.

Si vos objectifs ne sont pas clairs pour l'instant, ce n'est pas grave. Écrivez, même vaguement, ce que vous aimeriez qu'il se produise. Vous y reviendrez un peu plus tard et vous pourrez raffiner vos buts. Tout est dans la *réflexion* à ce stade-ci.

La mise en œuvre et le développement de stratégies et d'objectifs font partie d'un processus dynamique. Vous avez le droit de modifier tout ça en chemin : c'est vous, le patron !

Le simple fait de vous rendre compte que vos objectifs ne sont pas clairs est un constat qui a de l'importance en soi. Vous ne pouvez atteindre ce que vous ne voyez pas, ce que vous ne visez pas. Par contre, vous courez assurément plus la chance d'atteindre ce que vous pouvez visualiser avec clarté et certitude. Vos décisions, vos gestes, vos pensées iront en ce sens. Ce sera inconscient, mais vous réussirez.

Vous ne savez pas par où débuter ? Voici une liste de 22 objectifs possibles. Bon, je ne dis pas que vous devrez avoir 22 objectifs différents à atteindre lors de votre premier trimestre de présence en ligne ! Ce serait irréaliste et vous viseriez un peu haut. Pour chacun de ces éléments, vous pouvez viser une augmentation en pourcentage ou un nombre défini. Cela va de soi que si vous ne connaissez pas vos statistiques à ce moment-ci, la première étape serait de vérifier si vous avez accès à ce genre d'information ! Nous aborderons cet aspect plus en détail dans la section « Résultats ».

Lors de la lecture de cette liste, certains objectifs vous paraîtront plus intéressants que d'autres, car ils cadrent avec votre Pourquoi, votre mission et vos valeurs. Prenez-les en note :

1. Nombre de visites sur le site (si vous n'avez pas installé Google Analytics, vous devrez le faire !).

2. Nombre de visites ainsi que le temps des visites sur le blogue de l'entreprise (indique que les gens sont attachés à la marque et apprécient l'opinion de votre organisation).

3. Nombre de commentaires publiés par vos visiteurs.

4. Nouveaux clients directement en lien avec la présence Web (par exemple, ils ont trouvé l'entreprise grâce à LinkedIn ou à Google et ont visité le site).

5. Ventes effectuées directement via le site sans intervention humaine (boutique en ligne).

6. Clients potentiels acquis directement sur le Web (individus s'inscrivant à l'infolettre ou suivant l'entreprise sur l'un ou l'autre des médias sociaux ; ils ne sont pas encore clients, mais ils pourraient le devenir).

7. Ventes facilitées indirectement grâce au contenu numérique aisément accessible (comme mentionné par les clients lors de la finalisation d'une vente).

8. Nombre de commentaires positifs reçus par rapport aux commentaires négatifs.

9. Nombre de personnes qui suivent l'entreprise sur LinkedIn.

10. Nombre de personnes qui suivent l'entreprise sur Facebook.

11. Nombre de personnes qui suivent l'entreprise sur Twitter.

12. Nombre de visionnements de vos vidéos (YouTube ou autres).

13. Nombre de mentions du nom de l'entreprise lors d'une recherche sur Google.

14. Nombre de *feedbacks* obtenus en rapport avec la création du contenu sur tous les différents médias sociaux combinés.

15. Nombre d'articles rédigés cette année.

16. Nombre de vidéos produites.

17. Nombre de mises à jour sur Facebook, Twitter ou LinkedIn.

18. Engagement du personnel de ventes et de marketing (enthousiasme et créativité).

19. Indice de satisfaction de la clientèle (comme mesuré par le sondage à l'interne ou une firme indépendante).

20. Commentaires des clients (en général).

21. Culture d'entreprise (climat général).

22. Image jeune et dynamique facilitant le recrutement de nouveaux employés.

Je sais que « culture d'entreprise » et « image jeune et dynamique facilitant le recrutement de nouveaux employés » ne sont pas des objectifs directement mesurables par des chiffres et des pourcentages.

Il n'en demeure pas moins que si vous prenez le temps d'y réfléchir et d'en prendre conscience, il y a de fortes chances que vous soyez en mesure de donner une note, subjective, j'en conviens, qui indiquerait que le climat général est passé de « Bon » ou « Passable » à « Très bon », « Mieux » ou « Excellent », par exemple.

De la même façon que le Pourquoi vous donne une énergie, un enthousiasme, une raison d'être, vos *objectifs* vous aideront à affiner votre *focus* au cours de l'intégration de votre apprentissage de votre présence en ligne.

Sommaire exécutif

Écrivez le mot *Objectifs* tout juste en bas du paragraphe précédent et listez de trois à cinq objectifs.

BUDGET

Créer un blogue, ouvrir un compte YouTube, mettre en place une page professionnelle sur Facebook, c'est gratuit. Il n'y a aucun *coût* associé à ces activités. Par contre, vous devrez investir du temps et vous en occuper ou une personne de votre organisation devra le faire à votre place. Afin de vous aider à « faire votre budget », voici les points à considérer avant de le préparer :

Vos objectifs

Vos objectifs joueront un rôle crucial dans l'établissement de votre budget. Si votre objectif est de vous familiariser avec le monde du 2.0, de vous amuser et d'apprendre, votre budget d'heures et de dollars sera assez différent de celui de l'entreprise qui désire conquérir de nouveaux clients et de nouveaux marchés !

→ Objectifs ambitieux = Budget plus élevé

Votre marché cible

Quel est votre marché cible ? Quelles sont les meilleures méthodes de communication afin de le joindre ? Quel est le degré de difficulté pour atteindre votre marché cible ? Quel est son niveau de loyauté par rapport à votre entreprise, à votre marque ?

Si votre client cible est un acheteur institutionnel qui a le potentiel de vous accorder des contrats à hauteur de plusieurs centaines de milliers de dollars par année, votre budget ne sera pas le même que s'il doit faire dégriffer son chat, engager un artiste graphique ou trouver quel est le meilleur restaurant à cette heure-ci, un mercredi soir. L'importance des contrats et leur incidence sur votre chiffre d'affaires sont à considérer lors de l'établissement de votre budget marketing.

→ Marché cible difficile à atteindre + client cible important ($) = Budget plus élevé

Votre compétion

Votre entreprise évolue-t-elle dans un marché très compétitif ? Êtes-vous un *leader* de marché ou espérez-vous le devenir ? Vous battez-vous pour des parts de marché ? Comment sont vos principaux compétiteurs ? Sont-ils agressifs ? Désirez-vous répliquer à vos compétiteurs et dépenser autant qu'eux, car vous ne voulez pas vous laisser dépasser ? La venue d'une nouvelle compétition peut changer votre regard en ce qui concerne votre budget marketing.

→ Compétition agressive + volonté de prendre ou de maintenir des parts de marché = Budget plus élevé

Vos habitudes

Quel est le budget avec lequel vous êtes à l'aise actuellement ? Si vous êtes en général satisfait des sommes et des résultats de vos efforts marketing, commencer avec le budget que vous aviez l'an passé semble une bonne option. Par contre, il se peut que vous désiriez changer l'« allocation » des sommes.

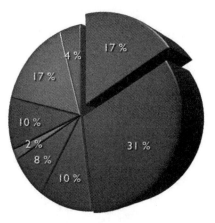

Médias sociaux 2%
TV/Radio 4%
Internet (site) 8%
Journaux/Magazines 10%
Vidéos (création) 10%
Dépliants/Prospectus 17%
Temps (salaire) Interne 17%
Expositions/Kiosques 31%

Figure 2 – Exemple de répartition d'un budget marketing

Voici un exemple de répartition d'un budget marketing selon neuf types de dépenses, dont le temps des employés utilisé sur les médias sociaux et la création vidéo. Bienvenue en 2014 !

Vous n'aurez qu'à changer la répartition des sommes impliquées : un peu moins d'annonces dans les journaux ou à la radio et un peu plus d'efforts sur les médias sociaux et sur le site Web. En fin de compte, vous dépenserez sensiblement le même budget, mais dans des activités différentes.

Cette méthode fonctionne bien lorsque votre entreprise ne traverse pas d'importants changements dans son activité. Si vous développez une nouvelle identité (marque) ou lancez un nouveau produit ou même une nouvelle division, alors les budgets antérieurs ne sont peut-être pas le meilleur endroit pour débuter.

Vos ventes et vos revenus

Plusieurs entreprises fixent leur budget marketing en allouant un pourcentage fixe à leurs ventes. Ce pourcentage varie de 1 à 10 %. Cette méthode implique qu'il y a un lien direct entre les dépenses de marketing et les ventes, ce qui n'est pas toujours le cas. Par exemple, il se peut que vous lanciez un nouveau produit ou une nouvelle marque et que vos efforts marketing soient très importants et que les ventes des premiers mois soient décevantes. Le lien n'est pas toujours direct.

Schonfeld & Associates ont compilé, dans une étude[11] très précise, les détails des dépenses de marketing et de publicité de différentes industries. En voici un échantillon :

1. Parfum : 19,8 %
2. Production cinématographique : 13,6 %
3. Livre et édition : 12,4 %
4. Service personnel : 7,2 %
5. Équipement audio-vidéo pour la maison : 7,1 %
6. Marché d'alimentation : 5,5 %
7. Agent immobilier : 4,5 %
8. Conseiller en investissement : 2 %
9. Automobile neuve : 1,7 %
10. Machinerie de transformation du métal : 0,6 %

Comme vous pouvez le constater, il n'existe pas un « chiffre magique ». Le montant attribué au marketing varie beaucoup d'un domaine à l'autre. Ce montant sera également influencé par votre « style » en tant qu'entrepreneur : si vous êtes plus agressif et orienté vers la croissance, cela va de soi que vous accorderez une place plus importante à l'investissement en publicité et marketing. Par contre, si vous êtes de nature plus conservatrice et désirez simplement croître de manière raisonnable et pas trop rapidement, vos efforts en cette matière seront plus modérés, comme votre style.

Temps (salaire) interne

Si vous décidez de faire le maximum du travail à l'interne et que l'une de vos ressources ou vous-même investissez 3, 6 ou 12 h par semaine dans votre présence sur le Web, le temps que vous passez ou que votre employé passe sur le Web fait, bien entendu, partie du budget. Ce n'est pas la même chose que faire un chèque à une entreprise externe, mais il s'agit tout de même d'un montant qui doit

---

11. www.wensmedia.com/files/6413/5588/3939/ADtoSalesRatios2011.pdf.

être considéré dans vos calculs. Ainsi, il arrive que des entreprises décident d'être moins présentes dans les journaux, les magazines ou à la radio. Les sommes ainsi récupérées servent alors à compenser le temps des employés. Petite note en passant : pour la première fois, en 2010, le budget de la publicité sur Internet a dépassé celui des médias écrits (magazines, journaux).

Un dernier conseil : ne tirez pas vos conclusions trop rapidement. Il peut s'écouler de deux à trois ans avant que vous ne puissiez mesurer les résultats de vos efforts. Le marketing est un investissement à long terme et non une dépense.

Sommaire exécutif

Écrivez le mot *Budget* tout juste en bas du paragraphe précédent et indiquez le montant (en pourcentage ou en chiffre) que vous aimeriez investir au cours de la prochaine année dans votre marketing Internet. Puis, indiquez le nombre d'heures qui devraient y être consacrées.

QUI

Il est primordial que la cohésion soit de la partie. Ainsi, entre les activités telles que les salons ou les expositions, les nouveaux clients, les nouvelles brochures d'entreprise, la nouvelle image, etc., il importe que tout soit coordonné avec les médias sociaux. Qui sera responsable de cette coordination ?

Qui sont les personnes de votre organisation qui seront autorisées à intervenir dans les médias sociaux ? Y a-t-il d'autres employés qui auront à écrire des textes ou à faire des interventions dans la prochaine année ? Et les employés qui ne font pas partie de la direction, seront-ils invités à contribuer ?

Le mot *interventions* fait référence au fait d'écrire, de répondre ou de communiquer de quelque manière que ce soit au nom de votre entreprise. Les rôles sont encore à définir, mais, parmi eux, nous avons la création de contenu (blogue), la mise en ligne d'articles (*posting*), l'optimisation de différentes plateformes et la veille stratégique. Avoir un bon français est important afin de laisser une bonne image. Savoir comment réagir aux différents commentaires qui pourraient être émis est également un atout.

Vos employés et futurs employés

Que vous le vouliez ou non, vos employés ont des comptes LinkedIn, Facebook et Twitter. Ils ont le droit d'y écrire ce qu'ils veulent, mais quelles en sont les conséquences ? Êtes-vous au courant des différentes activités Web de vos employés ? Il se peut que vous soyez surpris par l'enthousiasme de certains !

J'ai récemment été invité dans une entreprise familiale pour faire une intervention. L'un des sujets délicats à traiter était le fait que les enfants des propriétaires, voulant bien faire, intervenaient via Twitter ou Facebook quant à des commentaires de clients en rapport avec leur restaurant. Étant donné la nature familiale de l'entreprise, il était difficile pour l'un des oncles de convaincre les neveux et nièces des dangers d'être trop « exubérants », voire, à la limite, déplacés, dans les propos tenus sur les comptes de l'entreprise.

Le phénomène étant nouveau[12], il n'y a pas vraiment de supervision ni même de règles établies dans la plupart des entreprises. Les dirigeants se fient habituellement au bon jugement de tout un chacun. Mais, comme on le sait pour le Code de la route et bien d'autres règles

---

12. « *Perdre son emploi en 140 caractères* : Maxime Roberge, ancien animateur radiophonique à l'émission du matin, *Tout l'monde debout*, au Saguenay (Rock Détente 96,9 FM) est, comme l'a cité Dominic Arpin dans son blogue, le premier professionnel de la communication connu au Québec à avoir perdu son emploi à cause de Twitter. Après avoir *tweeté* des propos très disgracieux et inacceptables sur les artistes Cœur de Pirate et Yann Perreau sur son compte personnel lors du gala de l'ADISC au mois de novembre dernier, Maxime Roberge a été congédié malgré ses excuses publiques et la dissociation de ses remarques par rapport à son employeur, Astral Média. » Source : http://memyselfandinternet.wordpress.com/2011/02/23/votre-reputation-ne-tient-qua-un-fil/.
Note : La station lui a redonné son emploi quelques jours plus tard, mais disons qu'il a eu une bonne frousse.

dans notre société, il n'est pas possible à long terme de ne se fier qu'au bon jugement. Il faut établir des principes et des règles et les rendre accessibles aux employés et compréhensibles.

Pour les nouveaux employés, il serait opportun de leur faire signer l'adhésion à une politique concernant leurs interventions sur les réseaux sociaux au nom de votre entreprise et des dommages que cela pourrait faire à l'entreprise si les commentaires étaient inappropriés.

Je crois qu'à moyen terme, il serait bon de prévoir une ou deux séances d'éducation en ce sens. D'un côté, pour éviter les gaffes, mais d'un autre, pour encourager les bons coups et la synergie. Pourquoi pas ? La force d'une équipe sera toujours supérieure à la somme de ses individus.

Sommaire exécutif

Écrivez le mot *Qui* tout juste en bas du paragraphe précédent et indiquez le nom de la personne qui sera responsable des activités sur les réseaux sociaux, puis ajoutez au moins trois autres noms de personnes ressources (internes ou externes) qui épauleront la personne responsable désignée. Ce sera votre équipe championne !

QUOI

« Selon vous, quel est le meilleur réseau social auquel nous devrions être inscrits et sur lequel nous devrions être actifs ? Quel est le pire réseau social ? Quel est le réseau social le plus prometteur pour les jeunes entreprises ? Est-il nécessaire de publier sur tous les sites de réseaux sociaux afin d'avoir une bonne visibilité ? Y a-t-il des réseaux sociaux à éviter ? Est-ce essentiel d'avoir un compte Twitter ? Qu'apporte-t-il de plus que Facebook ou LinkedIn ? Un profil Twitter, Facebook, LinkedIn, Foursquare, Flickr, Google+, Flipboard, Pinterest,

Instagram, etc., pour une entreprise de fabrication de vis et de boulons, pourquoi ? Quels sont les avantages[13] ? »

Comme vous pouvez le constater, la section « Quoi » est très populaire auprès des étudiants ! Ils ont toujours beaucoup de questions à ce sujet et aimeraient connaître LE réseau qui ferait la différence. Hum. La réponse n'est pas aussi blanche ou noire qu'ils le voudraient. Surtout, avant de publier sur « tous les sites » de médias sociaux, il faut s'assurer d'avoir une base solide grâce au trio suivants :

site Web | blogue | marketing par courriel (*email marketing*).

En effet, tous les efforts que vous déploierez dans les médias sociaux et toutes les conversations, les relations, les communications amèneront invariablement du trafic à votre site et à votre blogue et contribueront à l'accroissement de votre base de données en matière de courriels.

Votre site Web, votre blogue et les adresses électroniques de vos clients et clients potentiels sont les seuls éléments que vous contrôlez à 100 %. Vous contrôlez votre image, votre hébergement, le contenu, tout. Sur les sites de médias sociaux, vous êtes *en mode* « locataire » et vous ne savez jamais comment ces entreprises feront évoluer leur site et leur offre. Par contre, vous avez une meilleure prise sur votre site et votre blogue, c'est la raison pour laquelle ils devraient faire partie de vos priorités dès le départ.

En ce qui concerne les médias sociaux, je ne vous conseille pas d'être présent sur chacun d'eux. Ce serait improductif et virtuellement impossible. Par contre, je vous suggère un amalgame de cinq réseaux qui, à mon avis, sont des incontournables :

LinkedIn | Google+ | Facebook | Twitter | YouTube.

Chacun d'eux possède une qualité unique et la synergie créée par les cinq vous sera profitable à moyen terme. Nous les verrons plus en détail dans la prochaine section, mais voici un survol :

---

13. Source : Questions des étudiants de l'Université Laval au baccalauréat en entrepreneurship de 2012 à 2013.

LinkedIn est un réseau professionnel de gens dans les affaires qui désirent établir des relations profitables. Pas de place dans ce réseau pour des vidéos amusantes, des blagues douteuses ou des photos de voyage. LinkedIn est un réseau sérieux qui continue à prendre de l'ampleur. Il vous aidera à élargir vos contacts lorsque vous effectuerez de la prospection.

Google+ est le compétiteur direct de Facebook. Étant donné la prééminence de Google dans le monde du Web, il est fort peu probable que ce réseau disparaisse. Il est également bien intégré dans Google Adresses qui relie votre entreprise au service de cartes géographiques du géant.

YouTube permet de partager des vidéos, mais saviez-vous qu'il est également le deuxième plus important moteur de recherche ? Concevoir des vidéos et les partager grâce à YouTube est une stratégie que vous ne pouvez ignorer.

Twitter vous permet de partager vos nouvelles au quotidien, mais il vous permet surtout d'effectuer des recherches afin de trouver des « influenceurs ». Ce réseau peut s'avérer un capharnaüm si vous ne l'utilisez pas correctement. Par contre, il constitue un atout stratégique important pour votre entreprise et ne saurait être mis de côté.

Facebook compte plus de 1 milliard d'abonnés. Tout le monde ou presque est connecté à Facebook. Même une entreprise ne transigeant qu'avec d'autres entreprises peut trouver des avantages à ce réseau, mais ce ne sont pas ceux que vous pensez.

Un trio que vous contrôlez et une grappe de cinq réseaux que vous ne pouvez pas vraiment ignorer sont les huit éléments de vos médias de départ.

Sommaire exécutif

Écrivez le mot *Quoi* tout juste en bas du paragraphe précédent et indiquez les différents moyens de diffusion auxquels vous désirez que votre entreprise souscrive au cours de la prochaine année.

⌐🖳⌐

QUAND

Quand = Plan d'actions stratégiques

Ce plan retombe sur les épaules du coordonnateur du projet, de la personne qui sera responsable. Les actions stratégiques à entreprendre sont de quatre natures :

S'informer davantage avant d'agir

Vous savez qu'il vous manque des informations. Vous devez donc aller chercher ces informations, soit par vos propres ressources et vos propres recherches soit par une personne ressource que vous aurez identifiée à la section « Qui ».

Déléguer les tâches à l'interne

Si vous êtes travailleur autonome, ce n'est pas une possibilité ! Par contre, dans ce cas, vous pouvez porter différents « chapeaux » et vous fixer des jours et des heures précises afin de porter un chapeau plutôt qu'un autre. Si vous faites partie d'une plus grande organisation, il y a fort à parier que vous serez plus d'un individu à participer au projet. Il est donc important que le coordonnateur établisse un plan d'action avec les autres employés ainsi qu'un suivi de la livraison de leur projet.

Déléguer les tâches à l'externe

Si vous n'avez pas l'expertise requise pour certains éléments et que vous ne désirez pas l'acquérir, il faut alors envisager de déléguer une partie de vos tâches à une ou à des firmes externes. Les mêmes règles s'appliquent que pour la délégation interne, sauf qu'il vous faudra obtenir une soumission (ou une simple évaluation) ainsi qu'une approbation de votre budget.

Effectuer la tâche qui est à faire !

Si vous avez la bonne information, que vous ne pouvez déléguer ni à l'interne ni à l'externe, il ne reste qu'une solution possible : effectuer la tâche. « Ouf ! » vous direz-vous peut-être. Un conseil ? Divisez vos actions en petits morceaux. Ne prenez pas de trop grosses bouchées. Chaque fois que je me suis rendu compte que je butais sur certaines actions à entreprendre, j'ai pris conscience que les actions avaient été mal définies, trop généralement décrites. « Refaire le site Web » n'est pas vraiment une bonne action à indiquer sur une liste. Trop gros, trop vaste. Le vertige peut vous prendre juste à lire cette tâche. Il faut la diviser en plus petits morceaux. « Téléphoner à mon concepteur de site et prendre rendez-vous pour évaluer combien ça me coûterait de refaire mon site » est une action qui demande moins d'énergie et qui est plus mesurable.

Sommaire exécutif

Écrivez le mot *Actions* tout juste en bas du paragraphe précédent et listez SEPT ACTIONS que vous désirez accomplir au cours des prochains X jours. Je vous laisse le choix du nombre de jours… :)

CHAPITRE 2

MESSAGE

« Comment se différencier des autres entreprises sur les réseaux sociaux ? Qu'est-ce qui rend un fil plus intéressant qu'un autre ? Combien d'énergie devrais-je déployer pour produire mon propre contenu (texte, audio, vidéo) à partager plutôt que de me contenter de republier des contenus existants ? Comment faire sentir aux clients, visiteurs et fans qu'ils participent au projet ? Comment faire pour qu'ils se sentent impliqués[14] ? »

Qu'en pensez-vous ? Suffit-il d'écrire sur n'importe quel site de réseau social, n'importe quel blogue et, *bingo !*, votre message sera lu et aura un impact ?

Poser la question de cette manière, c'est un peu y répondre ! Même si les moyens sont gratuits et en surabondance, il n'en demeure pas moins que certaines règles de communication doivent être prises en compte si vous voulez réussir vos interventions sur le Web. Votre message devra se frayer un chemin à travers les milliers d'autres messages que vos clients potentiels auront à lire.

---

14. Source : Questions des étudiants en entrepreneuriat de l'Université Laval.

Ces futurs entrepreneurs posent les bonnes questions. On peut également noter que le reste du pouvoir est maintenant entre les mains des utilisateurs, des clients. Si nous ne sommes pas intéressants, il est vraiment facile de nous faire *zapper*. C'est ce qui fait peur à beaucoup d'entrepreneurs.

Commençons par la première question qui parle de se différencier des autres entreprises. On ne peut « viser à se différencier », car ainsi on sera toujours en train de vouloir faire le contraire de ce que les autres font. On sera un petit peu comme cet adolescent qui ne veut absolument pas être comme ses parents. Vouloir être différent est noble, mais la seule manière dont cette notion est soutenable à long terme est si elle mène à être soi, à être authentique. Il y a quelque chose de spécial dans chaque individu, dans chaque entreprise. Il suffit de le faire sortir, de le laisser émerger.

Souvent, cette différence vient du fondateur ou de l'équipe actuelle, de son assemblage unique de talents. Lorsque je visite les entreprises, elles ne « forcent » pas pour être différentes : elles SONT différentes. Point. C'est dans leur ADN. Il faut donc trouver le moyen de créer du contenu qui vous ressemble, qui est unique, comme vous.

Quant à la deuxième question à propos de ce qui rend un fil plus intéressant qu'un autre, je dirais que cela dépend du degré de spécificité avec lequel vous vous adressez à votre auditoire. Soyez spécifique et non pas générique. Le « générique » produit des banalités. Le « spécifique » produit de l'information très utile et de haute qualité. Ainsi, « il faut boire beaucoup d'eau lorsqu'il fait chaud » est banal. Par contre, « il vous faut consommer de 500 ml à 1 litre de liquide par heure lorsque vous faites du jogging, sinon vos performances en souffriront et votre temps de récupération après l'entraînement s'en trouvera rallongé » est une information qui s'adresse à moins de lecteurs, mais elle aura la chance d'être plus partagée, car elle est beaucoup plus précise et pointue.

La troisième question en lien avec la quantité d'énergie m'amène à préciser que vous créez du contenu chaque fois que vous répondez à une question de l'un de vos clients, chaque fois que vous rencontrez des gens intéressés à votre entreprise dans les cinq à sept, les salons d'affaires ou les autres événements et que vous vous emportez en parlant de votre entreprise, de l'expertise de vos gens à l'interne, des contrats que vous avez obtenus. Vous créez alors du contenu. Le défi consiste à prendre cette information et à la partager dans un format efficace. À ce sujet, je vous donne un bon truc à la section « Création ». Mais, pour répondre à la question plus directement, oui, il faut mettre de l'énergie, et la quantité est en lien direct avec votre Pourquoi, vos Objectifs et votre Bugdet.

La quatrième question qui aborde le fait de faire sentir aux visiteurs qu'ils participent entraîne quelques actions à accomplir. Il faut poser des questions, répondre aux questions, cliquer sur « J'aime » lorsqu'ils répondent, démontrer que leurs réponses sont entendues et prises en compte. Consultez-les AVANT le lancement d'un nouveau produit ou service. Dites quelque chose du genre : « Nous sommes sur le point de lancer tel nouveau service, mais avant de le faire, nous aimerions obtenir votre point de vue. Quel serait, selon vous, le PRINCIPAL élément qui ferait en sorte que vous aimeriez tel service ou tel produit ? » Cette dernière partie n'est pas nécessairement programmée dans l'ADN des entrepreneurs à l'heure actuelle, mais au cours des prochaines années, la capacité d'écouter, de sonder et de comprendre la clientèle cible sera un atout majeur !

Voici maintenant d'autres éléments à considérer en ce qui concerne votre message :

Activités bilingues ou non

Il faut vous poser les questions suivantes dès le départ, lors de l'ouverture de vos comptes de médias sociaux : « Est-ce que toutes les activités de l'entreprise se devront d'être bilingues ? Sinon, lesquelles "devront" l'être ? » Votre marché tolérera-t-il du français dans vos communications ou êtes-vous mieux de complètement séparer les plateformes de langues différentes ?

L'avantage est que ce sera plus facile à gérer si vos comptes sont séparés. L'inconvénient est que vos abonnements seront divisés en deux ou plus et que ce sera plus long avant d'atteindre un chiffre respectable sur le plan de vos « adeptes ».

Thèmes abordés

Tout au long de l'année, le contenu doit affluer en abondance et il doit varier de genre également si l'on ne veut pas que l'auditoire se lasse. Il faut varier son message, et ce, tant sur le plan des mots, des médias, du style que sur un plan plus fondamental. Voici une liste de différents thèmes ou de sujets en ligne que vous pourriez aborder :

- Produits et services actuels de votre entreprise : revenir sur leurs avantages concurrentiels, sur ce qui les distingue. Peut-être que cette année en est une charnière pour vous et que vous avez envie de mettre un nouveau produit de l'avant et que vous déciderez que ce sera l'année du produit-vedette. Par exemple, une microbrasserie (oui, c'est l'exemple de l'un de mes clients… je vous dis que je travaille dans des conditions «difficiles» parfois !) produit 18 sortes de bière et décide d'en présenter une par mois en phase avec les saisons et en prenant soin de créer de bons agencements bière et bouffe.

- Nouveautés dans votre entreprise : nouvelle division, nouveau produit, nouvel employé, nouveau magasin, nouveau logo, bref, tout ce qu'il y a de neuf !

- Votre expérience lors d'un salon, d'une exposition ou d'une mission commerciale : le contenu photo sera intéressant et le message est que vous êtes dynamique, que vous voyagez, que vous vous exposez, que vous avez du succès.

- Des recettes, si votre produit s'y prête : vous pouvez également interpréter le mot *recette* au sens plus large et être créatif dans vos conseils.

- Votre passage dans un média comme la télévision, une entrevue radio ou un reportage dans un journal ou un magazine.

- Nouveautés dans l'industrie : nouvelle loi, nouvelle norme, nouvelle technologie.

- Améliorations de vos produits et services : sans être un nouveau produit, un produit amélioré vaut la peine d'être mentionné.

✌ Témoignages de clients satisfaits, histoires à succès.

✌ Truc pour sauver de l'argent ou gagner plus d'argent grâce à vos produits et services.

✌ Études de cas. Qu'est-ce qui a bien fonctionné ? Quelles sont les erreurs à éviter ?

Règle du 80/20

Une fois les thèmes choisis, il est bien de se poser la question suivante : « Dans quelle proportion seront-ils abordés ? » Règle générale, vous voudrez créer 80 à 90 % de contenu « éditorial », c'est-à-dire sans promotion ou publicité de votre entreprise et 10 à 20 % de contenu plus directement marketing ou promotionnel.

Ainsi, vous ne serez pas toujours en train de parler uniquement de vous, de vos produits ou de votre entreprise, mais vous ne tomberez pas non plus dans le piège de ne jamais mentionner ce que vous faites !

Il est probable que les premiers messages soient assez faciles à rédiger, car vous avez sûrement beaucoup de « nouveau » à raconter, mais il peut arriver un moment où vous « frapperez un mur ». C'est ce qui est arrivé à l'une de mes clientes qui avait rédigé d'excellents articles au départ, mais qui s'est trouvée à court d'inspiration au bout de six mois.

Comment éviter cela ? Dressez une liste de sources d'information et d'inspiration. Prenez un temps de réflexion et demandez-vous à quel endroit vous chercherez la « meilleure » information. Idéalement, vous devriez avoir au moins une dizaine de sources différentes afin de vous donner des points de vue nouveaux et des histoires nouvelles à raconter. Voici une liste afin de vous aider à démarrer :

Sources

✌ Sites Web crédibles : le mot *crédibles* est très important ! Vous ne voulez pas véhiculer de fausses rumeurs ! De plus, lorsque vous citerez vos sources, vous serez d'une certaine manière jugé selon leur crédibilité et fiabilité.

- Veilles stratégiques sur Google : on verra plus en détail dans la section « Outil » comment les effectuer. Cependant, vous pouvez créer des alarmes très précises grâce à Google, ce qui vous permet d'être avisé lorsqu'un sujet chaud est d'actualité sur le Web.

- Revues et magazines spécialisés sont probablement l'une de vos meilleures sources de départ. D'ailleurs, vous devriez être abonné aux principales publications de votre secteur d'activité.

- Blogues d'autorités en la matière : allez sur Google et faites une recherche avancée pour des blogues qui traitent de votre sujet. Vous avez de fortes chances de tomber sur de bonnes sources.

- Comptes Twitter, YouTube ou Facebook de sites ou de publications qui ont autorité dans votre domaine. À ce niveau, je vous proposerai de très bons moyens de ne pas perdre le fil et d'avoir du plaisir à suivre vos sources importantes dans la section « Outil ».

- Les livres sont d'excellentes sources de contenu de haute qualité. Regardez dans votre bibliothèque, il y a des chances que vous possédiez des bouquins dont la sagesse mériterait d'être partagée.

- Représentants de votre entreprise : ils peuvent vous aider à identifier les clients qui sont très satisfaits et qui aimeraient partager leur histoire.

- Personnel du marketing et de la direction : votre patron ou les gens de la direction sont des sources, sinon ils peuvent vous orienter.

Qu'est-ce qui fait également partie de votre message ?

🖱 Le temps que vous prenez à répondre aux commentaires, téléphones et courriels indique à quel point vous êtes professionnel en ce qui concerne les nouveaux moyens de communication. Un temps de réponse trop long peut être très mal interprété, surtout s'il s'agit d'un commentaire négatif, mais également s'il s'agit d'un client potentiel…

🖱 Le ton que vous employez est important. En personne, nous sommes habitués à lire l'interaction sur le visage de notre interlocuteur. Au téléphone, nous avons généralement appris l'art de saisir les différentes nuances de tons de voix. Dans les courriels, les textos et les différents médias sociaux, il faut faire vraiment attention au ton que l'on prend, car les écrits restent et peuvent assurément être mal interprétés.

🖱 Parlant de ton… Utiliserez-vous les points d'exclamation, les sourires, « :) » ? Serez-vous *émotif* lors de vos communications ou serez-vous *corporatif*, sans vraiment d'âme ou d'émotion, ne vous en tenant qu'aux faits ? Vous souriez ? Lors d'une intervention avec une firme d'ingénieurs, cette question a été abordée très sérieusement et débattue. Ils ont décidé de bannir les « ! », « *LOL* », « ;) » et toute forme d'émoticônes de ce genre, les jugeant inappropriés dans leur champ d'expertise et le positionnement qu'ils désiraient avoir dans leur domaine.

🖱 Vos différents comptes sont-ils bien entretenus ou seulement ouverts et inactifs ? Si vous ouvrez plusieurs comptes pour ne plus jamais y revenir, cela aussi laisse une empreinte digitale qui ne fait pas très sérieux. Rien de dramatique, bien sûr.

🖱 Votre attitude vis-à-vis de la critique et de la compétition… Serez-vous réactif, agressif, calme, résilient ?

🖱 Votre histoire… D'où vous venez et où vous allez sont des informations qui font partie de votre message. Lorsque j'entends la passion avec laquelle les entrepreneurs me parlent de leurs innovations, de leurs produits et de tous les efforts qu'ils ont mis dans la recherche et le développement de leurs produits et services, je suis toujours touché et ému. Ma réponse est toujours la même : « Vos clients méritent de connaître votre histoire, de sentir votre passion. » Il s'agit d'une excellente base avec laquelle démarrer dans les médias sociaux.

- Le contenu « autre » est celui qui dit autre chose qu'« achetez-moi » et « achetez mes produits, ils sont les meilleurs ! » Le contenu autre fait vraiment partie de votre message et démontre votre vision et qui vous êtes. Il a la possibilité d'inspirer et d'être partagé. C'est surtout lui qui sera utile dans les médias sociaux.

- Votre engagement social… Les causes que vous appuyez démontrent en partie qui vous êtes et vos valeurs en tant qu'entreprise. L'engagement social permet de se rattacher à quelque chose de plus grand que soi, ce qui est toujours un très bon catalyseur d'idées et d'énergie.

- Votre approche passive ou active… Le fait d'avoir des comptes sur les différents réseaux sociaux permet d'aimer (donner son accord en cliquant) ; de commenter (écrire sur la nouvelle d'une autre entreprise) ; de *retwitter*, de retransmettre, de mentionner (donner de la crédibilité à du contenu autre que celui de votre entreprise).

Ces activités sont de la communication et du marketing. Elles re-présentent votre entreprise sans être de la création de contenu. Il est donc important d'avoir une politique en ce sens et de faire en sorte que les gens qui feront ces activités soient conscients de ce que cela implique. Il ne faut pas non plus avoir peur de se commettre et d'entrer dans la conversation. L'extrême prudence n'est pas nécessairement le chemin à suivre non plus.

CHAPITRE 3

CRÉATION

« Ce que nous vendons à Coca-Cola,
c'est du temps de cerveau humain disponible[15]... »
– PATRICK LELAY, PDG, TF1, JUILLET 2004

ATTENTION

« **...** du temps de cerveau humain disponible. » Prenez le temps de relire cette phrase deux ou trois fois. Vous vous rendrez compte qu'en tant qu'entrepreneur, c'est la ressource après laquelle vous courez[16]. Toujours. Vous cherchez à communiquer avec les clients potentiels afin de leur transmettre votre message.

Attention → Considération → Préférence → Choix/Action → Références/Fidélité

---

15. Source : http://fr.wikipedia.org/wiki/Temps_de_cerveau_humain_disponible.

16. En passant, « le temps de cerveau humain » se paie très cher. Au dernier Super Bowl, les annonceurs devaient payer 3 millions de dollars par tranche de 30 secondes. Cela équivaut à un tarif moyen de 360 millions de l'heure pour la transmission de leur message et c'est sans compter les coûts de production.

La chaîne de l'économie de l'**attention** va ainsi : vous obtenez l'attention de votre client ou d'un client potentiel et vous réussissez à obtenir qu'il vous « **considère** » lors de son prochain achat. Vous maintenez le contact, il vous **préfère** et vous **choisit** lorsqu'arrive le temps de faire un achat. Par la suite, vous conservez le contact afin qu'il vous soit **fidèle** et qu'idéalement, il vous **recommande** à ses amis et collègues. C'est si simple !

Le problème est que l'attention des gens qui ont le pouvoir de dépenser est rare et elle se raréfiera de plus en plus au cours des prochaines années. Auparavant, l'espace dans les pages publicitaires des journaux était limité. L'accès aux ondes radio et télévisuelles était limité. L'offre, quoique abondante, était limitée dans l'espace et le temps. L'information disponible et accessible par le commun des mortels était limitée et sous un certain contrôle.

Mais, comme vous le savez, ce n'est plus le cas : il n'y a plus de limites du côté de la création. Selon Eric Schmidt, président de Google, « il se crée plus d'informations en 2 jours que depuis le début de l'humanité jusqu'à 2003[17] ». Chaque minute sur Internet, 571 nouveaux sites sont créés, les utilisateurs de YouTube téléversent 48 h de vidéos, les utilisateurs de Facebook partagent 684 478 éléments de contenu. Chaque minute[18].

Cela entraîne une capacité d'attention qui a des limites et qui se sature plus facilement. Beaucoup de gens commencent même à souffrir de cette surabondance : ils font de l'*obésité informationnelle* !

Cela ne veut pas dire que vous ne devez pas créer des informations supplémentaires afin de sauver la planète ! Au contraire, il y aura toujours un besoin pour de l'information intéressante et de qualité. Comme les gens doivent continuer de s'alimenter, vos clients et

---

17. Source : http://techcrunch.com/2010/08/04/schmidt-data/.

18. Source : www.deonlineaccountant.com/wp-content/uploads/2012/08/DOMO-Data-in-One-Minute.jpg. Il s'agit d'une très belle illustration qui donne une bonne idée de ce qui se passe. Au fait, ce genre d'illustration est une autre tendance, soit celle d'illustrer de manière intéressante toutes ces statistiques qui sont actuellement disponibles.

vos clients potentiels doivent continuer de s'informer. Il en est de votre responsabilité de créer des produits d'informations qui seront «digestibles», bons pour leur santé émotionnelle et intellectuelle et qui ne leur coûteront pas trop cher en investissement de temps et d'attention.

🖰💻🖰

INFLUENCE

Les questions que beaucoup de gens se posent, spécialement les entrepreneurs, lorsque vient le temps de créer un message, sont les suivantes : «Comment puis-je faire pour que celui qui lit ou voit mon message agisse? Comment faire pour l'inciter à agir, à prendre le téléphone et à demander une soumission?» Évidemment, les réponses sont complexes. Les facteurs qui influencent les gens dans leurs décisions sont étudiés depuis des décennies. Je vous propose cinq pistes de réflexion tirées du livre *Influence* de Robert Cialdini[19].

Il explique que nous aimerions croire que nous prenons nos décisions sur des bases rationnelles, mais, dans les faits, nous utilisons très souvent des raccourcis afin de nous aider dans nos choix. J'ai trouvé ces notions intéressantes, surtout lorsqu'elles sont appliquées au marketing Internet et via les médias sociaux. Je vous les présente, mais si vous désirez aller plus en profondeur quant à chacune d'entre elles, je vous conseille de rechercher les différentes œuvres de monsieur Cialdini sur le Web, particulièrement sur YouTube où vous trouverez d'excellentes entrevues et conférences (bit.ly/VOUS-Cialdini).

---

19. Source : Robert Cialdini, *Influence : The Psychology of Persuasion*, 2007. Vous pouvez également visiter le site officiel de Robert Cialdini au www. InfluenceAtWork.com ou faire une recherche sur YouTube en inscrivant son nom et le mot *Influence*... Vous en aurez pour des heures !

Réciprocité

Si un ami vous invite à une fête, vous serez plus enclin à l'inviter au cours de la prochaine année. Si vous recevez un cadeau d'une certaine personne à votre fête, il y a de fortes chances que vous ressentiez l'«obligation» de lui en offrir un, d'égale valeur, quand ce sera son anniversaire. Si l'un de vos collègues vous fait une faveur, vous lui en «devez» une. Nous avons appris la réciprocité lorsque nous étions enfants et nous l'enseignons à notre tour à nos enfants. C'est un trait qui est commun à tous les êtres humains.

Comment pouvez-vous tirer parti de cette notion dans votre marketing Web? Donnez en premier. Un peu comme dans la notion «Donnez au suivant». Faites preuve de générosité. Cela ne veut pas dire de ne rien demander en retour! Ainsi, si vous créez un magnifique document de type livre blanc[20] afin d'aider vos clients à faire un choix éclairé lorsqu'ils feront l'achat de tel produit, vous pouvez leur faire parvenir, moyennant leur nom et adresse courriel. La valeur perçue de votre livre blanc sera la monnaie d'échange de leur adresse courriel. Même chose si vous offrez des informations «à l'avance, en priorité, sur invitation seulement». Plus la valeur perçue pour votre client est élevée, plus il accepte de vous donner de l'attention et de l'information en retour. De cette manière, vous savez qui est intéressé par l'achat de votre produit et vous pouvez effectuer un suivi par la suite.

---

20. «Livre blanc pour l'entreprise: tel qu'il est utilisé dans le monde de l'entreprise, un livre blanc est un recueil de quelques feuillets (de 6 à 30 pages environ) destiné à amener le public à prendre une décision par rapport à une solution préconisée par son diffuseur sous forme d'un produit ou d'un service... Le livre blanc est un document objectif qui présente, à un public ciblé (le plus souvent des décideurs, des *leaders* d'influence ou un marché potentiel plus vaste), des informations sur les innovations proposées par une entreprise ou un professionnel. Il est rédigé de manière à inciter les lecteurs à juger la valeur des informations qu'ils découvrent et à les orienter vers une décision qui est soit l'acte d'achat, de souscription ou d'adhésion... La rédaction et la diffusion d'un livre blanc n'appartiennent pas à une technique commerciale proprement dite. De nombreuses études de marketing menées sur le changement de comportement du public vis-à-vis de la publicité ont révélé une nette évolution dans la perception des messages publicitaires en général. Le public semble se lasser des arguments publicitaires qui deviennent de moins en moins efficaces.» Source: http://fr.wikipedia.org/wiki/Livre_blanc.

Rareté

Les gens ont tendance à désirer davantage ce qu'ils ne peuvent avoir. Si vous devez prendre rendez-vous avec n'importe quel spécialiste en général, et qu'il peut vous recevoir « n'importe quand » sans problème, vous vous direz sans doute qu'il ne doit pas être si bon que ça, car il semble avoir tout son temps ! Son temps est moins précieux, car il n'est pas rare. Par contre, si son assistante vous mentionne que la prochaine date disponible est dans quatre mois, et que les rendez-vous s'envolent rapidement, il se peut que vous vous dépêchiez de prendre rendez-vous et que vous lui demandiez avec insistance de vous mettre sur la liste d'appel au cas où il y aurait annulation. Par la suite, lorsque vous parlerez de votre spécialiste, vous direz : « J'ai été chanceux d'avoir un rendez-vous avec lui. Il est fermement occupé. C'est vraiment l'un des meilleurs dans son domaine. » La même chose peut être dite pour les diamants, les terrains sur le bord d'un lac tranquille, etc. Ce qui est rare vaut plus cher.

L'effet de rareté fonctionne très bien lorsque vous faites une promotion : vous offrez une valeur, mais vous restreignez le **temps** ou la **quantité**. Vous n'avez qu'à penser aux fameux soldes de l'Après-Noël (*Boxing Day*) et de l'effet presque hystérique que cette limitation (un jour seulement) provoque chez les gens.

Vous pouvez également offrir un produit **unique**, que personne d'autre ne possède sur le marché. Votre client aura alors l'impression d'être spécial, unique, différent. Ça pourra être un design différent, une couleur spéciale, une édition millésimée. Lorsque vous communiquez, tentez de créer cet effet de rareté. Ne dites que la vérité, mais soyez imaginatif !

Autorité

« Le mot autorité vient du latin *auctoritas*. [...] se rattache, par sa racine, au même groupe que *augere* (augmenter), *augure* (celui qui accroît l'autorité d'un acte par l'examen favorable des oiseaux), *augustus* (celui qui renforce par son charisme, celui qui est porteur de l'*auctoritas*). On ne doit pas oublier, non plus, ce qu'on appelle l'autorité naturelle pouvant se dégager d'une personne (et là encore l'aspect bénéfique est sous-jacent). Sur le plan professionnel, par exemple, on attribuera à une personne une autorité certaine si elle inspire, de par sa compétence et sa moralité, la confiance qui permettra d'obtenir le meilleur de chacun et la bonne entente entre les différents individus du groupe.»[21]

Parler du point de vue d'un expert est très efficace. Il y a de fortes chances que vous soyez un expert dans votre domaine. Vous avez acquis des compétences, de l'expérience, un point de vue, des opinions à partager. Ce que Cialdini a trouvé est que si vous désirez que le principe d'autorité fonctionne pour influencer, il faut que la personne en soit consciente avant que vous interveniez avec elle.

Comment prouver votre autorité? Affichez vos diplômes, vos certificats et les prix que vous avez gagnés au fil des ans. Mentionnez le nombre d'années d'expérience, le nombre de clients, le nombre d'installations que vous avez effectuées. Mettez en ligne des photos ou des vidéos de projets auxquels vous avez pris part. Soyez interviewé à la radio, dans les journaux ou à la télé en tant qu'expert. Rédigez un livre électronique (*e-book*) dans votre domaine d'expertise. Soignez votre image marketing afin de projeter l'image d'une entreprise gagnante.

Aimer

Une entreprise ou une personne que l'on aime a plus de chances de nous influencer. Cela tient de la vérité de La Palice! Toujours selon Cialdini, il y a trois facteurs qui font que les gens vous aiment:

1. Vous leur ressemblez, ils peuvent s'identifier à vous et au message que vous transmettez.

2. Vous leur faites des compliments sincères.

3. Vous coopérez avec eux dans un but commun.

---

21. Source: fr.wikipedia.org/wiki/Autorité.

Pensez-y un instant : vous rencontrez quelqu'un qui vous ressemble, qui vous fait de bons compliments qui vous font vous sentir bien et, en plus, il vous aide à faire de bonnes affaires, à sauver de l'argent et à faire plus de profits avec votre entreprise. C'est certain que vous aimerez cette personne !

Un professeur de l'université Waldorf a fait cette expérience avec ses étudiants en négociation d'affaires. Au premier groupe, il a simplement dit : « Le temps, c'est de l'argent ! Allez et négociez le meilleur contrat possible avec l'autre groupe. » Cinquante-cinq pour cent des étudiants ont réussi à signer des ententes favorables.

Au deuxième groupe, il a demandé d'échanger avec l'autre partie, de trouver des points communs, des similarités et ensuite de négocier. Quatre-vingt-dix pour cent des étudiants ont conclu des ententes qui valaient en moyenne dix-huit pour cent plus que celles des groupes précédents.

S'il y a une chose que vous pouvez faire plus facilement que jamais grâce à la technologie actuelle, c'est de trouver quels sont les champs d'intérêt des gens avec qui vous êtes dans les affaires. Lorsque les gens écrivent sur les médias sociaux, ils partagent leur passion. Si vous communiquez avec une personne qui a un profil LinkedIn, pourquoi ne pas aller y faire un tour et tenter de trouver des similarités ou des champs d'intérêt communs ?

L'autre jour, j'étais en communication avec un dirigeant d'une entreprise californienne avec qui je voulais faire affaire. Lors de notre conversation téléphonique, j'ai demandé à ce dirigeant pourquoi il avait fait des études en anthropologie en 2002-2003 et comment il se faisait qu'il était maintenant dans le domaine du marketing Web, des sites mobiles, pour être plus précis.

Silence au bout du fil.

« Vous… vous avez pris le temps de lire mon profil sur LinkedIn ?

– Mais bien sûr, ai-je répondu ! »

Il était silencieux, surpris, puis il a ri de bon cœur et m'a raconté qu'après avoir vu quel genre de voitures ses congénères conduisaient, il a décidé de changer de champ d'expertise! À partir de ce moment, notre échange devint plus chaleureux et ce fut un plaisir de faire affaire avec lui et son entreprise!

Demandez-vous comment se sont déroulées vos plus belles rencontres avec vos meilleurs clients et remarquez à quel point ils vous apprécient et les raisons qui font que vous êtes si apprécié. Trouvez les éléments qui vous sont naturels, que vous pouvez répéter régulièrement, et foncez!

Preuve sociale ou consensus

Le raccourci le plus rapide que nous ayons pour prendre nos décisions est la preuve sociale ou le consensus. Vous n'êtes pas certain de la voiture que vous devriez acheter? Les chances sont fortes pour que vous optiez pour une Honda Civic, la voiture la plus vendue au pays depuis 12 ans. Du moins, vous serez tenté par ce choix, car vous en avez tellement entendu parler en bien!

La *preuve sociale* ou le *consensus* sont d'autres mots pour décrire le fameux «bouche à oreille». Ce client satisfait qui recommande tel restaurant ou tel concessionnaire. Dernièrement, en regardant mon fil d'actualité Facebook, j'ai lu le message de l'une de mes amies: «Ma photographe est la MEILLEURE!» Puis, elle a publié une douzaine de photos d'elle avec son conjoint et ses deux enfants. Des dizaines de «J'aime» et de commentaires ont suivi. Je me suis même surpris à téléphoner à cette photographe, car j'avais des besoins en ce sens et je ne savais pas trop qui appeler.

La formidable force d'Internet et du Web social est le fait qu'ils permettent de décupler ce pouvoir de la preuve sociale. Il permet à tous vos clients de partager les histoires à succès qu'ils ont eues avec votre produit et votre entreprise. Je sais, vous pensez qu'ils permettent également de faire le contraire… Nous en reparlerons à la section «Résultats».

FOIRE AUX QUESTIONS (FAQ)

Un truc afin de créer 20 articles en un tournemain pour votre site, votre blogue, votre page Facebook, votre compte YouTube et compagnie : écrivez les 10 questions qui vous sont posées le plus souvent par vos clients et vos clients potentiels, le genre de questions que vous vous attendez que l'on vous pose dès que vous parlez de votre entreprise, de vos produits ou de vos services.

Prenez le temps de trouver les bons mots et limitez-vous à 10 questions courantes.

Voici des exemples de questions : « Quels sont vos délais de livraison ? Est-ce que vous vous déplacez dans notre région ? Quels sont les avantages que vous offrez par rapport à vos compétiteurs ? Pourquoi faire affaire avec votre entreprise plutôt qu'avec une autre ? Quelle est votre expertise dans votre domaine ? Quels sont les services que vous pouvez nous fournir exactement ? »

Maintenant, écrivez les 10 questions que les gens DEVRAIENT vous poser. Vous savez le genre de questions que les experts posent, le genre de questions que les clients qui ont eu des problèmes par le passé vous poseront, le genre de questions qui font « ressortir » les qualités uniques de votre offre de service ? Limitez-vous à 10 pour l'instant.

Vous avez maintenant en main du matériel afin d'alimenter vos différents réseaux pour la prochaine année, et même plus ! En effet, à partir de ces questions, vous pouvez créer de petits articles, des capsules vidéo, et même les mettre tous ensemble et en faire un livre blanc de l'acheteur averti. Bien entendu, vous pouvez également vous en servir pour la section « FAQ » de votre site Web.

Rappelez-vous qu'à l'ère du numérique, on ne dit pas : « Est-ce que je fais ceci ou cela ? » On dit : « Je fais ceci et cela. » Ce n'est pas parce que vous avez répondu à ces différentes questions sur votre site dans la section « FAQ » que, boum !, tout est fait et que vous n'avez plus jamais à l'écrire de nouveau.

Au contraire, les réponses à ces 20 questions vous aideront à positionner votre offre dans l'esprit de vos clients et clients potentiels.

Ce sont des réponses que vous donnez, à l'avance, aux différentes objections que les gens peuvent avoir en regard de votre offre.

Les formuler sous les 20 questions que vous devez absolument vous poser vous permet de créer du contenu intéressant et divertissant. Vous en aurez besoin lorsque vous voudrez animer vos différents médias sociaux et alimenter le contenu de votre blogue.

〜🖱️💻〜🖱️

MÉDIATHÈQUE

« Où a-t-on mis le logo déjà ? » « Tu te souviens de ces photos que Jules a prises lors de notre exposition à Chicago, elles sont où déjà ? » J'entends ce genre de questions, avec toutes ses variantes, chaque fois que j'interviens en entreprise !

Afin de facilement pouvoir créer des messages d'impact régulièrement, il faut être organisé. Il faut donc, dès le départ, créer une médiathèque ou, devrais-je plutôt écrire, une *multimédiathèque*.

Celle-ci deviendra le centre à partir duquel pourront être élaborés les différents messages de l'entreprise. Ainsi, pour chaque texte sur le blogue ou ailleurs, il pourra y avoir une photo appropriée (ou un dessin ou un logo) qui y sera attachée. Un système de base de données servira à gérer les éléments numériques de la bibliothèque.

La plupart des éléments qui suivront seront sous forme numérique. Une bonne idée serait de rassembler tout cela dans une bibliothèque de ressources médias. Donnez-lui le nom qui convient, mais sachez que, dans cette bibliothèque, vous pourrez retrouver tout ce qui vous sera utile dans les prochaines semaines. Ce sera une sorte de grenier, de coffre aux trésors, de caverne d'Ali Baba !

Photos ou images déjà en banque

Possédez-vous des photos qui pourraient servir pour le montage, comme des photos de vous en action, de votre lieu de travail, de vos clients ? Avez-vous une banque d'images dont vous aimez vous servir lorsque vous faites des présentations ? Avez-vous un logo ? Avez-vous de bonnes photos de vous, prises par un photographe professionnel, et qui vous montrent sous votre meilleur jour ? Classez les photos existantes qui permettront d'étayer les textes et vidéos de l'entreprise (produits, services, témoignages, photos professionnelles des dirigeants, réalisations de l'entreprise, nouvelles activités, etc.). On débute avec l'inventaire du passé et on continue à accumuler et à classer, sur une base régulière, les nouvelles photos qui seront prises en 2014 et après. À intégrer à la culture d'entreprise : prendre des photos et les compiler pour une utilisation intelligente dans le futur !

Graphiques et tableaux de statistiques

Peut-être avez-vous préparé des graphiques ou des tableaux à partir de statistiques que vous avez glanées à vos clients, grâce à l'utilisation de vos produits, afin de créer une présentation assistée par ordinateur ou par d'autres documents. Ce n'est pas parce que vous l'avez présenté une fois à un client ou à un client potentiel que ce tableau ou ce graphique devrait demeurer dans un dossier obscur. Assurez-vous de mettre la main sur tous vos éléments riches en statistiques et en données indépendantes et faites en sorte de les publier régulièrement sur vos différentes plateformes en les incluant dans votre médiathèque.

PowerPoint

En parlant de PowerPoint… si vous avez créé des présentations dans le passé, vous devriez également les classer dans votre médiathèque. Certains contenus comme vos textes à en-tête, le classement des différentes sections de votre présentation, vos textes d'accompagnement et même l'architecture de votre présentation et l'angle avec lequel vous avez abordé les sujets pourront vous aider à créer d'autres messages à l'avenir. Une idée : pourquoi ne pas revisiter vos présentations et vous demander si vous pourriez en tirer une capsule vidéo ? Nous verrons comment cela peut être possible dans la deuxième partie.

Site actuel

Si vous possédez un site, vous y avez inclus des images, des témoignages, des mots-clés, des liens et vous avez également créé des textes d'accompagnement. Tous ces éléments peuvent être réutilisés dans d'autres types de communications. Assurez-vous de les inclure dans vos dossiers.

Brochures, dépliants

Avez-vous investi des sommes importantes afin de créer de belles brochures ? Il y a sans doute des perles dans ces documents. Regardez-les avec un œil nouveau et demandez-vous comment vous pourriez convertir leur contenu en projet vidéo.

Coaching actuel

Peut-être enseignez-vous déjà certains éléments à vos clients ou à vos clients potentiels. Chaque fois que vous rencontrez quelqu'un dans une réunion de réseautage ou lors d'un cinq à sept, vous avez toujours des perles de sagesse et des conseils «pour débutant» que vous aimez prodiguer. Votre répertoire compte probablement une demi-douzaine ou une douzaine de ces «leçons» ou histoires que vous racontez régulièrement afin d'illustrer votre point. Elles ont déjà une structure, et la beauté, c'est que vous les connaissez par cœur ! Elles peuvent devenir une capsule vidéo que vos clients et clients potentiels pourront consulter et ainsi apprécier votre degré d'expertise…

Vidéos déjà tournées

Avez-vous des vidéos captées par vous ou un membre de votre entourage qui pourraient être intégrées dans votre nouveau projet vidéo ? Est-ce que vous avez accès à des vidéos qui viennent illustrer et soutenir vos idées et que vous pouvez utiliser sans contraintes (ce peut être une vidéo d'un produit que vous vendez ou une vidéo que vous avez visionnée sur Internet et que vous aimeriez partager et commenter à l'intérieur de votre projet vidéo)?

Une bonne idée afin de toujours avoir ces éléments à proximité et facilement partageables est de vous ouvrir un compte de stockage en ligne. Deux excellentes solutions s'offrent à vous:

1. Drop Box: vous obtenez 2 Go gratuitement et 500 Mo supplémentaires chaque fois que vous amenez un nouveau client (disponible au www.DropBox.com).

2. Google Drive: plus récent comme solution et très agressif par rapport à DropBox: 15 Go d'espace gratuit dès l'ouverture. Vous pouvez télécharger l'application sur votre ordinateur, votre téléphone intelligent, votre portable, etc. (disponible au www.drive.google.com – suivez les instructions).

🖰💻🖰

RÉDACTION

«Ce qui se conçoit bien s'exprime clairement,
et les mots pour le dire arrivent aisément.»

– NICOLAS BOILEAU

Un *Tweet* de 140 caractères, un billet (*post*) sur Facebook ou une description de vidéo sur YouTube sont des publications qui doivent être rédigées afin de livrer le bon message. Voici quelques éléments qui entrent en ligne de compte pour vous aider à appuyer votre démarche en ce sens. À noter que, même si ces concepts s'appliquent d'abord et avant tout à la rédaction écrite, ils sont également d'une grande aide lorsque vient le temps de concevoir une capsule vidéo. Surprenant, mais vrai!

Valeur

Oubliez-vous complètement. Pensez à la personne qui vous lit et donnez-lui le meilleur des conseils. Faites en sorte que son temps soit bien employé à vous lire. Soyez généreux. Cela se sentira dans le ton du texte et la qualité de vos propos. Soyez intéressant et créez de la valeur, constamment : ces règles s'appliquent, que ce soit pour vos communications via le courriel, le blogue ou les médias sociaux. Demandez-vous régulièrement ce que ça apportera à ceux qui liront ce que vous venez d'écrire et quelle sera la valeur ajoutée pour eux.

Je vous raconte une histoire. L'autre jour, j'ai lu le rapport annuel de l'entreprise Berkshire Hathaway de Warren Buffett. Lorsque le rapport annuel de ce gourou de la finance est publié annuellement, il fait de la vague dans tout le milieu financier. Afin de bien me positionner auprès de ma clientèle de planificateurs et de conseillers financiers, j'ai voulu écrire un article traitant de ce rapport annuel (aussi parce que je lis tout ce qui se fait sur Buffett depuis une dizaine d'années).

J'ai donc écrit un premier jet. Je l'ai fait lire à l'un de mes amis avec qui j'avais rendez-vous pour un café peu de temps après. Il l'a lu et m'a fait une drôle d'expression… que je connais trop bien. «Qu'est-ce qu'il y a ? Ce n'est pas bon ? lui demandai-je.

– Bien, je trouve ça long, et je ne sais pas trop où tu veux en venir et ce que ça me donne de lire ton article », me répond-il d'un jet. Boum ! Entre les gencives !

Je n'avais pas réussi à créer de l'intérêt, à ajouter de la valeur, et il se demandait ce que ça lui donnait, à LUI, de lire ce que je venais d'écrire. Inutile de vous dire que j'ai repris mon travail, raccourci mon texte, retiré mon article et j'ai rendu le tout avec une autre saveur.

«Ah, ça c'est mieux ! » m'écrivit-il le soir même ajoutant un " :) " à la fin de son courriel.

Faites sourire vos lecteurs. Inspirez-les. Mettez du « wow » dans vos textes. Ne soyez pas *plate* à lire. Vous n'aurez peut-être pas une deuxième occasion de leur demander de vous lire.

Titre

Le titre est un élément crucial de votre amorce. Certains vont jusqu'à affirmer que 90 % d'une communication publicitaire repose sur le titre[22]. Vous me direz que le but direct de la communication sur Internet n'est pas toujours de faire de la publicité, mais communiquer, c'est vendre, et vendre, c'est communiquer !

Même si votre intention n'est pas de vendre vos services directement, même si vous ne voulez pas « sonner » comme un vendeur, vous avez tout de même quelque chose à vendre, que ce soit une opinion, un texte que vous avez lu et que vous avez le goût de partager, une cause à laquelle vous adhérez et qui vous est chère, un ami qui participe à un cyclothon et pour lequel vous voulez amasser des sous ou, tout simplement, vous voulez qu'on vous réponde lorsque vous demandez quel est le meilleur restaurant afin d'inviter votre conjoint pour la Saint-Valentin.

Nous avons toujours quelque chose à « vendre » et l'utilisation des trucs des publicitaires est un bon moyen de nous inspirer ! Donc, 90 % de l'efficacité de notre message dépend de son titre ! Wow ! Il faut faire attention aux titres que nous allons utiliser dans nos courriels, nos *Tweets*, nos vidéos ou nos changements de statut sur Facebook !

Voici des idées de titres, tirées de l'excellent livre *1001 trucs publicitaires* de Luc Dupont[23] :

La promesse

Le titre qui fait une promesse au lecteur et qui lui indique qu'il trouvera une réponse à ce qu'il cherche est très puissant : c'est

---

22. Source : Luc Dupont, *1001 trucs publicitaires*, Transcontinental, p. 147.

23. Dupont, *op. cit.*, p. 150-170. Je n'ai pas inclus tous les styles de titres. Le livre de M. Dupont est écrit surtout pour ceux qui veulent vraiment faire de la publicité, alors que le but du présent livre est un peu plus large. N'empêche que *1001 trucs publicitaires* est une excellente source d'idées si vous voulez améliorer vos styles d'écriture d'articles. Je vous le recommande !

une promesse. Mais, vous souriez, car on vous a fait des promesses avant, non ? Et elles ne se sont pas toujours avérées réalistes, n'est-ce pas ? Pourtant, ce genre de titre continue à proliférer. Si vous en doutez, je vous invite à simplement jeter un coup d'œil autour de vous, que ce soit à la télé ou dans vos journaux favoris, et vous vous rendrez compte rapidement que ce style de titres a encore la cote.

Vous pouvez toutefois le modifier et ne pas faire une promesse que vous ne saurez tenir. Mais, sachez que chaque fois que vous promettrez quelque chose... vous attirerez plus l'attention, promis !

Les conseils pratiques

C'est mon type de titre préféré. On le retrouve abondamment dans les revues, les magazines et les blogues. Le « summum » est le *Sélection du Reader's Digest* qui trouve toujours une série de conseils pratiques à mettre à la une de sa publication.

Remarquez vos propres habitudes de lecture. En général, nous aimons les articles qui offrent des conseils pratiques. Nous n'aimons pas trop « perdre notre temps » et nous voulons toujours nous améliorer. Alors, un article qui me donne des trucs et des conseils ? Je suis partant !

Donc, si vous écrivez un article, un blogue, un courriel ou même un *Tweet* dans lesquels vous partagez des conseils pratiques, vous courez la chance de remplir un besoin de vos clients, de faire des heureux et d'augmenter votre lectorat.

Alors, un titre d'article, de blogue ou même de courriel qui tend vers les conseils pratiques est gagnant et il vous aidera à attirer plus de lecteurs.

« Lorsqu'ils ont le choix entre plusieurs types de communication, les gens préfèrent s'exposer à des messages contenant des renseignements utiles[24]. »

---

24. Dupont, *op. cit.* p.154.

La nouveauté

On aime la nouveauté ! On carbure au nouveau. Il y a quelque chose dans le nouveau, comme une promesse du meilleur, comme une idée confuse que nouveau est meilleur qu'ancien. On connaît l'ancien, le classique, on est satisfait, mais si on essayait le nouveau, peut-être qu'on serait mieux, non ? Le nouveau est valorisant, séduisant, fascinant.

Qu'est-ce qui peut bien être nouveau et que vous auriez à communiquer ?

Pensez à ce qu'il y a de nouveau dans ce que vous offrez. Soyez créatif dans votre quête du nouveau. Soyez novateur, ce sera nouveau ! Remarquez, dans les prochains jours, comment vous êtes attiré par ce qui est nouveau ou par ce qui parle du nouveau. Prenez en note vos idées sur le nouveau et soyez à l'aise de rédiger quelque chose de... nouveau.

Le témoignage

Le témoignage, c'est l'ultime expérience. Une personne a essayé le produit ou le service et raconte toute son histoire ! Ce peut être simplement une citation de ce qu'elle vous a dit ou la retranscription d'une lettre ou d'un courriel qu'elle vous a envoyé.

Commencer le titre d'un article ou d'une communication en annonçant un témoignage, ça peut être très efficace.

On ne croit pas toujours ce qu'une entreprise nous dit d'elle-même. On se méfie. Par contre, si on peut voir, entendre ou lire un client qui en dit du bien, on est instinctivement rassuré. Plus il y aura de témoignages différents, plus cela aura pour effet de nous calmer. On aime bien se servir de l'expérience des autres et non pas de servir d'expérience !

C'est également un drôle de paradoxe, le fait qu'on soit attiré par la nouveauté, mais qu'on aime bien être rassuré par le fait que d'autres avant nous l'ont essayée. Il s'agit d'une formule à ne pas négliger. Si vous avez réussi un très bon coup avec l'un de vos clients, que ce coup n'était pas de la chance, mais vraiment le résultat de vos compétences et de votre travail et qu'en plus le client est d'accord pour vous offrir un témoignage, profitez-en. Incluez-le sur votre site, votre blogue, vos pages qui vendent vos produits et services.

Bien entendu, assurez-vous d'avoir le OK de sa part !

La curiosité

«Des méthodes *secrètes* pour réussir à gagner de l'argent rapidement[25]». Le mot *secret* est puissant. Il déclenche en nous la curiosité ! Nous voulons savoir ! C'est quoi, ton secret ? Mais qu'est-ce que le secret ? Le secret du succès, de ceux qui sont riches, de ceux qui réussissent, etc. La curiosité en nous est un facteur très important.

Je me regarde aller quelquefois lorsque je suis sur Internet ou même lorsque je lis les journaux, lorsque je regarde la télé ou lorsque je suis avec des amis et, je l'avoue, je suis curieux ! J'aime savoir ce que je ne suis pas «censé» savoir.

J'aime sentir que j'ai accès à de l'information plus rare, plus privilégiée. Pas vous ? Nous sommes tous un peu curieux. Bien sûr, cela dépend des sujets et de nos champs d'intérêt, c'est évident. Mais, pour qu'un titre soit accrocheur, c'est toujours une très bonne idée d'y inclure un élément qui piquera la curiosité de vos lecteurs.

Remarquez de quelle façon les titres d'articles de journaux sont rédigés. Très souvent, vous constaterez qu'ils tentent de piquer votre curiosité pour vous inciter à lire, à aller plus avant. Même le téléjournal procède de cette manière lorsqu'il nous

---

25. Extrait d'un titre existant d'une vraie vidéo sur YouTube. De fait, je crois qu'il y en a plus d'une qui est ainsi nommée ! Essayez de *googler* ce titre et vous verrez le nombre de résultats. Par contre, méfiez-vous des résultats et soyez prudent quant à tous ceux qui veulent vous vendre la fortune facile !

livre les grands titres et tente de stimuler notre curiosité afin de nous garder rivés à notre siège jusqu'à la fin des nouvelles. Amusez-vous à le remarquer !

C'est à vous, la parole

« Votre voiture est-elle prête pour l'hiver ? » Ce genre de question renvoie directement à ma voiture et me force à me poser les questions : « Suis-je prêt ? » ou « Ma maison est-elle bien isolée ? » ou « Mes investissements sont-ils sécuritaires ? »

Le style de « c'est à vous, la parole » interpelle directement le lecteur en lui posant une question. Le *vous* est toujours de mise. La question est posée dans le but de créer une relation. Ce genre de titre a pour but de toucher directement les gens. Le *vous* est beaucoup plus puissant que le *je* ou le *moi*… Pensez au titre de ce livre, *VOUS.com* (*LOL* !). Généralement, ce genre de questions a comme objectif de créer un certain doute, une petite remise en question, et vous, bien entendu, vous arrivez avec de précieux conseils et, bien entendu, une solution.

Lisibilité

Vous avez trouvé un titre qui a de l'impact, vous avez réussi à attirer l'attention. Maintenant, il vous faut garder l'attention du lecteur, faire en sorte qu'il lise votre article jusqu'à la fin, si vous voulez que l'essentiel de votre message soit livré et compris. Voici donc quelques trucs qui ont pour but de vous guider dans votre prochaine carrière d'écrivain du Web :

Parlez aux gens simplement et directement

Un truc que j'utilise souvent est celui de penser que j'envoie un courriel à une personne en particulier. Ainsi, je ne m'adresse pas à une foule, mais à une personne. Je m'en sers actuellement. J'écris ceci, et je pense à vous qui êtes en train de lire ce passage. Est-ce que ce sera pertinent pour vous ? Les trucs sur cette page vous aideront-ils à mieux rédiger ?

Lorsque vous écrivez, adressez-vous au lecteur. Utilisez des phrases personnelles, *en mode* conversation. Racontez une histoire.

Vos lecteurs s'intéressent davantage aux gens qu'aux choses et aux idées. Amusez-vous à remarquer quand vous « décrochez » lorsque vous lisez un texte. Si l'auteur « part » dans des concepts trop ésotériques et dans les airs, à un moment donné, vous décrochez.

Par contre, lorsqu'il s'agit d'une histoire plus personnelle, qui raconte la vie ou un épisode de la vie de quelqu'un, vous serez naturellement plus intéressé.

Vous voulez être compris de tous, mais il ne faut pas prendre le lecteur pour un ignorant pour autant. Être simple ne veut pas dire de prendre un style trop élémentaire. Allez droit au but. Éliminez les mots qui ne sont pas nécessaires. Faites court. Vous ne voulez pas décourager votre lecteur en écrivant des éléments qui sont superflus.

Présentez votre point majeur au début de votre message

Votre premier paragraphe et votre première phrase se doivent d'être percutants. Proposez un avantage, une solution à un problème. Votre lecteur doit savoir à quoi s'en tenir dès le départ. Vous n'êtes pas en train d'écrire un roman, et votre lecteur n'a pas acheté votre livre pour lire une histoire de 354 pages. Faites court.

Jouez à la fois sur la raison et l'émotivité

Vous pouvez et vous devez présenter des faits, des statistiques, des points qui sont indéniables. C'est ce qui fait le professionnalisme d'un écrit. Par contre, si vos faits sont présentés froidement, sans aspect humain, sans émotion, votre texte tombera à plat, et il y a de fortes chances que vos lecteurs vous abandonnent avant la fin. Le yin et le yang. Le chaud et le froid. La raison et l'émotion. C'est ainsi !

Soyez bref : mots, phrases et paragraphes courts !

Les études sont formelles : plus les paragraphes sont longs, moins les gens les liront. Et je n'ai aucune difficulté à croire ces études ! Lorsque je reçois une lettre ou un courriel, si je vois un « gros » paragraphe, il y a une petite voix qui crie en dedans de moi : « Oh ! Non ! » Je ne sais pas de quel phénomène il s'agit, mais je sais que les paragraphes courts se lisent mieux et attirent plus le regard, l'attention et l'engagement.

Les mots courants sont très souvent courts. Et ce sont des mots simples. Voici quelques exemples[26] :

> Déçu vs désappointé ;
> Accord vs consensus ;
> Achat vs acquisition ;
> Trop vs excessivement.

« N'oubliez jamais que le vocabulaire de base d'un Québécois est évalué à environ 500 mots. À cela peut s'ajouter le vocabulaire spécialisé de chacun, suivant sa profession, son milieu social, sa religion, ses activités habituelles, sa culture et son style de vie […]. Des enquêtes de mémorisation de lecture effectuées aux États-Unis et en France révèlent que les phrases courtes sont mieux mémorisées que les phrases longues. En français, la phrase de 17 mots apparaît comme le maximum théorique admis

26. Dupont, *op. cit.* p.181.

pour une mémorisation correcte de votre message. Au-delà, il y aura perte d'information[27]. »

Encore une fois, monsieur Dupont fait référence au texte en fonction de la publicité. À la lumière de cette limite théorique de 17 mots, on peut donc apprécier la limite de Twitter qui est de 140 caractères ou d'environ 14 mots ! On peut donc se souvenir d'un *Tweet* facilement !

Soyez positif

Les journaux, les nouvelles, la radio nous bombardent d'informations dépressives et négatives. Vos textes n'ont pas besoin d'en rajouter. Soyez positif, optimiste et « souriant » autant que possible dans vos textes. Vous partagerez de la « bonne énergie ».

Attardez-vous à la typographie et à la mise en page

Évidemment, si vous participez à des médias sociaux et que vous écrivez sur Twitter ou Facebook, il est peu probable que vous vous attardiez… sauf que j'ai lu des articles publiés sur Facebook dont la mise en page était terne, sans image, comportant des paragraphes trop longs, des phrases trop longues.

C'est dommage, car les articles étaient généralement de bonne qualité, mais la mise en page faisait défaut et le désir de lire s'estompait très rapidement.

Visez une mise en page simple. Une mise en page claire attire. Une mise en page surchargée repousse. Puis, la prépondérance de l'image dans la mise en page attire plus l'attention que le texte. Soyez à l'aise avec l'espace blanc : il met du relief et invite le lecteur à se lancer dans le texte !

---

27. Dupont, *op. cit.* p.182.

Aujourd'hui, grâce à la puissance des ordinateurs et de leurs logiciels, il est possible pour tout le monde de créer des documents. Le danger, c'est d'en faire trop au détriment de la lisibilité et de l'efficacité du texte. Lorsque l'on écrit sur les différentes plateformes, quelquefois, nous n'avons pas le choix et nous devons nous conformer à la mise en page qui est suggérée. Par contre, quelques-uns des éléments ci-dessous pourront vous être utiles afin d'éviter certains pièges :

🖰 Choisissez la lettre foncée sur fond clair plutôt que le contraire.

🖰 N'ÉCRIVEZ PAS EN LETTRES MAJUSCULES, C'EST PLUS DIFFICILE À LIRE et on a toujours l'impression de se faire crier après ! Je remarque encore régulièrement des gens qui oublient cette règle élémentaire de politesse sur le Web.

🖰 *N'utilisez pas trop d'italique.*

🖰 N'abusez pas des points de suspension... et utilisez modérément les points d'exclamation... il ne faut pas... hum... trop en mettre... car ça... peut... devenir... fatigant !

🖰 Utilisez un intertitre toutes les 25 lignes.

Beaucoup de livres respectent cette « règle » des 25 lignes. C'est beaucoup plus facile de se replacer dans le contexte et ça a également comme conséquence que l'on peut se fixer des « petits buts » de lecture. On se dit : « OK, je lis encore jusqu'au prochain titre, puis j'arrête. » Cette façon de faire nous aide également à remettre les éléments en contexte.

Image

« On peut communiquer sans utiliser d'images, mais on ne peut pas utiliser une image sans communiquer. **»**

– PAUL ALMASY, PHOTOGRAPHE HONGROIS

Les images sont vos amies. Utilisez-les. L'un des énormes avantages de l'image est que la communication est instantanée. Si vous écrivez un texte, pour que son sens soit communiqué, il doit être lu, ce qui prend un certain temps. Une image, par contre, raconte son histoire instantanément. C'est la force, la puissance, l'impact d'une photo dans un texte. Une image peut émouvoir quasi instantanément, ce qui n'est pas le cas pour un texte.

Si vous avez déjà assisté à une présentation du président-fondateur d'Apple, Steve Jobs, vous aurez remarqué qu'il utilisait l'image de manière très efficace. Chaque transparent qu'il présentait était épuré et montrait une image qui livrait un message très fort, ou quelques mots qui se mémorisaient très bien. Il utilisait rarement deux ou trois transparents d'affilée sans les agrémenter d'images. Il était reconnu comme l'un des meilleurs communicateurs dans le monde des affaires, donc ce n'est pas une mauvaise idée du tout de s'en inspirer.

Cette tendance de la force de l'image est si puissante qu'elle donne lieu au phénomène du marketing par l'image (*picture marketing*) dont les *leaders* actuellement sont Pinterest, Instagram, Facebook et Tumblr. Au moment d'écrire ces lignes, Twitter s'apprête d'ailleurs à changer son fil de nouvelles afin de permettre l'affichage des photos liées aux *Tweets* afin de les rendre plus intéressants.

Avouez que c'est plus intéressant de lire un texte lorsqu'il y a des images. C'est plus vivant. On se sent interpellé. Donc, autant que possible, utilisez les images afin d'illustrer vos propos. L'image vend, interpelle, communique. Soyez-en donc très conscient lorsque viendra le temps de créer vos messages.

Vous désirez augmenter votre banque d'images professionnelles rapidement ? Vous pouvez toujours faire une recherche sur Google/ Images, mais je ne vous le conseille pas pour vos besoins commerciaux. Vous devriez songer à utiliser des images libres de droits, c'est-à-dire que moyennant une certaine somme, vous pourrez les utiliser en toute légalité sur votre site et dans vos communications. Voici quatre sites qui sauront remplir la grande majorité de vos besoins. Vous pourrez vous y procurer des photos libres de droits :

- Istockphoto.com ;
- Shutterstock.com ;
- Gettyimages.ca ;
- 123rf.com.

Couleur

En faisant des recherches sur la couleur, je me suis retrouvé sur un site qui ne parle… que de la couleur ! L'introduction à la couleur était tellement bien écrite que je n'ai pu m'empêcher de vous la reproduire telle quelle. De plus, la description de chacune des couleurs est si intéressante que je me permets d'en reproduire une partie ici. Si vous désirez consulter le site afin de vous donner des idées de coordination de couleurs, n'hésitez pas à visiter le www.code-couleur.com.

« Les couleurs sont omniprésentes autour de nous, elles nous insufflent des états d'esprit, des sentiments, elles nous donnent la force d'avancer ou nous enfoncent dans un mutisme profond. De plus, selon les pays, les cultures et les époques, les couleurs revêtent des significations différentes parfois aux antipodes de celles des cultures voisines ; comme le blanc associé en Occident à la pureté, alors qu'il est lié au deuil dans la plupart des pays asiatiques.

» Porteuse d'un sens et d'une symbolique, la couleur ne peut donc être choisie à la légère, d'autant plus sur une page Web qui sera vue par des milliers de personnes venues de tous horizons. Vous devrez tenir compte de l'ambiance que vous désirez créer, de l'information qui accompagne la couleur, du profil des visiteurs, etc.[28] »

Les couleurs, selon Code-Couleur.com :

Rouge[29] : «Le rouge est sûrement la couleur la plus fascinante et ambiguë qui soit. Elle joue sur les paradoxes, anime des sentiments passionnels en complète contradiction : amour/colère, sensualité/sexualité, courage/danger, ardeur/ interdiction... Cette couleur remue les sentiments sans aucun doute. Elle s'impose comme une couleur chaleureuse, énergique, pénétrante et d'une certaine manière rassurante et enveloppante. D'un autre côté, on l'associe au sang, à l'enfer et à la luxure. Cette couleur chaude ne laisse donc pas indifférent et c'est là toute sa force : elle remue les passions, qu'elles soient positives ou négatives. Le rouge est particulièrement bien assorti au marron. Il se marie également très bien avec le blanc et le noir. »

Signification positive : amour, passion, chaleur, sexualité, ardeur, triomphe

Signification négative : colère, interdiction, danger

Bleu[30] : «Comme le ciel bleu ou la mer qui ouvre les horizons, le bleu, et ses nuances (turquoise, cyan, etc.), est une couleur étroitement liée au rêve, à la sagesse et à la sérénité. C'est l'une des couleurs préférées des Occidentaux : en effet, elle est omniprésente autour de nous. Le bleu est l'écho de la vie, du voyage et des découvertes au sens propre et figuré (introspection personnelle). Comme l'eau qui désaltère, le bleu a un petit côté rafraîchissant et pur qui permet de retrouver un certain calme intérieur lié aux choses profondes. Le bleu est symbole

---

28. Source : www.code-couleur.com/signification/index.html.

29. Source : www.code-couleur.com/signification/rouge.html.

30. Source : www.code-couleur.com/signification/bleu.html.

de vérité, comme l'eau limpide qui ne peut rien cacher. Cette couleur plaît généralement à toutes les générations, il faut tout de même ne pas en abuser. Elle peut vite devenir étouffante si elle est trop présente. Il est conseillé de trancher du bleu foncé avec des teintes plus claires comme le blanc ou le beige. Le turquoise et les bleus clairs se marient à la perfection avec les nuances de marron. »

Signification positive : rêve, sagesse, sérénité, vérité, loyauté, fraîcheur

Signification négative : mélancolie

Jaune[31] : « Nulle couleur n'est plus joyeuse que le jaune. Couleur du soleil, de la fête et de la joie, elle permet d'égayer un univers et de le faire rayonner. Il est vrai que le jaune est une couleur chaleureuse et stimulante. Tout comme le soleil qui diffuse ses rassurants rayons porteurs de vie sur terre, le jaune est la couleur de la vie et du mouvement. Pourtant, derrière cet aspect joyeux, le jaune peut parfois se révéler négatif. Associé aux traîtres, à l'adultère et au mensonge, le jaune est une couleur qui mêle les contrastes. Le jaune pâle contrairement au jaune vif s'écarte de ce chemin régénérateur pour plutôt pointer la maladie, la morosité et la tristesse. Le jaune est également associé à la puissance, au pouvoir et à l'ego (c'était la couleur de l'empereur de Chine). On retiendra avant tout que le jaune est la couleur de l'ouverture et du contact social : on l'associe à l'amitié et à la fraternité ainsi qu'au savoir. Le jaune est le parfait compagnon des marron, blanc, noir et crème. »

Signification positive : fête, joie, chaleur, ego, puissance, connaissance, amitié

Signification négative : traîtrise, mensonge, tromperie

---

31. Source : www.code-couleur.com/signification/jaune.html.

Orange[32] : « Cette couleur ne porte pas ce nom pour rien (confère l'orange : le fruit). C'est une couleur tonifiante et piquante qui insuffle partout où elle passe une dose de bonne humeur. On l'associe souvent à la créativité et à la communication, car il est vrai qu'elle est porteuse d'optimisme et d'ouverture d'esprit. Très à la mode durant les *sixties* avec le mouvement hippie, mise de côté injustement à la fin du XXe siècle, l'orange recommence à avoir la cote ! Elle est, avec le jaune, la couleur de la bonne humeur et du dynamisme, il ne faut donc pas se priver de l'utiliser. Avec parcimonie, cependant ; c'est une couleur très vive qui doit être utilisée à petite dose ou nuancée avec des teintes proches comme le rouge ou le jaune. »

Signification positive : joie, créativité, communication, sécurité, optimisme

Signification négative : kitch

Vert[33] : « C'est sûrement la couleur la plus présente dans la nature. Associé à juste titre au monde végétal qui est son plus digne représentant, le vert est une couleur apaisante, rafraîchissante et même tonifiante. Dans la culture occidentale, on l'associe à l'espoir et à la chance. Cependant, cette couleur peut parfois être porteuse d'échec et d'infortune. Elle est notamment bannie des théâtres : Molière serait mort sur scène en portant un vêtement de cette couleur. Le vert est également associé aux hôpitaux et aux pharmacies qui l'ont repris dans leur logo. L'avantage de cette couleur, c'est qu'elle est généralement en adéquation avec toutes les autres, particulièrement avec les couleurs qui comme elles sont issues de la nature comme le marron, l'ocre, le crème ou le taupe. »

Signification positive : espérance, chance, stabilité, concentration

Signification négative : échec, infortune

---

32. Source : www.code-couleur.com/signification/orange.html.

33. Source : www.code-couleur.com/signification/vert.html.

Marron[34] : « Couleur de la terre par excellence, le marron est une couleur douce, rassurante et presque maternelle. Ni triste ni joyeuse, cette couleur neutre est l'une des plus répandues aussi bien dans le monde animal que végétal, ce qui explique qu'on se sente bien en sa présence. Elle est également synonyme de douceur, entre autres grâce à son représentant, le chocolat, qui a un goût rassurant et protecteur. Le marron est l'une des rares couleurs dont on ne se lasse pas. Même très utilisée, cette couleur passe généralement très bien. Comme toutes couleurs, il est suggéré de ne jamais l'employer seule ou à trop haute dose. En effet, sa neutralité peut à grande échelle lui conférer un petit côté fade et sans attrait particulier. Il se marie particulièrement bien avec le blanc, le jaune, les violets et les roses clairs (vieux rose). »

Signification positive : nature, douceur, neutralité

Signification négative : aucune

Noir[35] : « Tout comme le blanc, le noir n'est pas au sens strict du terme une couleur, cependant, on l'y associe d'un point de vue psychologique, le noir véhiculant tout comme une couleur une symbolique. Scientifiquement, le noir renvoie aux trous noirs et au néant. En optique, le noir absorbe toutes les longueurs d'onde et se caractérise donc par son absence apparente de couleur, à l'inverse du blanc qui s'obtient en renvoyant toutes les longueurs d'onde qu'il absorbe à parts égales. En Occident, le noir est associé au deuil, à la tristesse et au désespoir, à la peur et à la mort. Représenté par les tenues des prêtres et des religieuses, il fait également écho à l'autorité, à l'austérité et à la rigueur. Derrière ce côté sombre, le noir offre également un autre visage, associé à l'élégance et à la simplicité. Peut-être justement, car le noir se veut dans un second temps une couleur neutre, qui n'exprime pas à proprement parler de sentiments passionnés. Il est vrai que le noir est la couleur sombre

34. Source : www.code-couleur.com/signification/marron.html.

35. Source : www.code-couleur.com/signification/noir.html.

par excellence. Il se marie avec quasiment toutes les couleurs, et ne choquera que très peu, même lorsqu'il est employé à outrance. Comme avec le blanc, il faut cependant éviter de l'employer trop souvent seul. Le noir peut vite faire écho au vide et à la tristesse. Il est recommandé de toujours l'accompagner d'une couleur chaude ou d'une couleur pâle pour rehausser son style. »

Signification positive : élégance, simplicité, sobriété, rigueur, mystère

Signification négative : mort, deuil, tristesse, vide, obscurité

Blanc[36] : « Bien que le blanc ne soit pas à proprement parler une couleur, le grand public la classe dans cette catégorie. Peut-être justement, car le blanc est d'un point de vue optique la synthèse chromatique de toutes les longueurs d'onde visibles (couleurs), ce qui explique sans doute le sens qu'on lui accorde en Occident : celui de l'unité, de l'équilibre parfait. Depuis des générations, le blanc est lié au mariage, à la pureté, à la virginité et quelque part à la perfection et au divin (vêtement papal). On trouve très peu de blancs « naturels » dans la nature. Le blanc se prête à merveille à tous les contextes : il se marie à la perfection avec toutes les couleurs, et il est difficile de s'en lasser. Il faut cependant éviter de trop en user, en graphisme, il peut se révéler « vide » et fade lorsqu'il est trop présent. On le préfère donc accompagné d'autres couleurs ; d'ailleurs, il n'y a aucune restriction le concernant, il est assorti à toute la palette chromatique ! »

Signification positive : pureté, innocence, virginité, mariage

Signification négative : aucune

---

36. Source : www.code-couleur.com/signification/blanc.html.

Peut-on dire que couleur rime avec émotion ? À la lumière de ces brillantes descriptions, on pourrait être tenté d'affirmer que oui ! J'espère que vous avez autant apprécié toutes ces nuances à propos des couleurs que lorsque j'ai fait ma première visite sur ce site. Je ne « vois » plus les couleurs de la même façon ! Je fais plus attention, je suis plus attentif.

La conclusion ? Si vous devez refaire votre site, votre logo ou simplement créer un message, soyez judicieux dans vos choix… de couleurs !

Action

Concluez. Comme tout bon roman, tout bon film ou tout bon repas au restaurant, toute bonne chose a une fin. Il vous faut donc conclure votre article, votre courriel, votre *post* ou votre capsule vidéo.

Assurez-vous de demander une action concrète lors de la « terminaison » de votre article. Demandez aux gens de vous téléphoner. S'ils veulent une évaluation de leurs besoins, DEMANDEZ qu'ils vous écrivent, visitent votre site, répondent à un sondage, etc.

Il faut qu'il y ait une conclusion, un rappel des éléments clés et un appel à l'action. Ainsi, vous aurez complété un cycle. Ne supposez pas que votre client ou votre client potentiel saura quoi faire. Aidez-le !

L'une des meilleures manières d'engager les gens sur votre blogue est de terminer en leur posant une question. Que feraient-ils à votre place ? Que pensent-ils du sujet dont vous venez de traiter ? Quel est leur point de vue ?

Vous leur donnez ainsi une chance de s'exprimer et provoquez une réflexion. Peut-être vous feront-ils prendre conscience de l'un de leurs besoins ou d'un trait de caractère que vous n'aviez tout simplement pas pris en considération.

Les questions (et leurs réponses) sont des éléments très puissants et constituent la base de la fameuse révolution du Web 2.0.

⌖ 🖥 ⌖

CHAPITRE 4

DIFFUSION

« Il n'a jamais été aussi difficile pour un annonceur de rejoindre
son auditoire à cause de la fragmentation des médias.
Nous sommes au début d'une révolution
sans précédent de la publicité. »

– Yanik Deschênes, PDG,
Association des agences de publicité du Québec

Votre stratégie est établie, votre message est clair et vous avez créé des communications que vous avez le goût de partager avec le monde. Vous voilà maintenant rendu à l'étape de la diffusion. À ce stade-ci, je n'aborderai pas immédiatement les différents médias comme le site, le blogue, le courriel ou les différents médias sociaux. Nous aborderons plus spécifiquement chacun des médias dans la deuxième partie. Je vais plutôt me concentrer sur les six principes généraux qui ont trait à la diffusion, à savoir l'intégration à 360°, le rythme, la permission, les influenceurs, la publicité et l'affiliation.

Ensemble, ces six principes vous aideront à performer, peu importe la plateforme que vous utiliserez.

360°

En faisant Montréal-Québec, je me suis rendu compte que plusieurs industries affichent maintenant leur adresse de site Internet directement sur leur bâtisse dont le côté fait face à l'autoroute 20. Excellente initiative !

Parlez de votre monde numérique dans votre monde réel : à l'accueil de votre entreprise, indiquez sur quels réseaux vous êtes présent, peut-être même un code *QR*[37] ou à tout le moins l'adresse de votre site Web.

Vous pouvez également vous afficher sur vos camions de livraison, vos emballages, vos dépliants. Non seulement en ce qui concerne votre site, mais afin de promouvoir votre présence sur Facebook et compagnie. N'oubliez pas la signature automatisée de vos courriels, votre papier en-tête, vos factures, vos bons de commande, bref, toute votre papeterie.

Des pictogrammes sur votre site

Les gens qui visitent votre site voudront peut-être demeurer en contact avec vous, alors pourquoi ne pas leur donner la possibilité de le faire en incluant vos différents pictogrammes de médias sociaux directement sur votre site ? En retour, faites la promotion de votre site et de vos médias sociaux sur tous les différents médias dans lesquels vous serez actif. Soyez congruent et faites de l'intégration 360°.

Ainsi, vous vous assurez que vos clients et clients potentiels puissent facilement vous joindre selon la méthode avec laquelle ils sont le plus à l'aise. J'ai remarqué que de plus en plus d'entreprises

---

37. Le code *QR* (*Quick Response*) est un type de code en deux dimensions (2D) dont le contenu peut être lu rapidement. Un code 2D prend « la forme d'un ensemble composé de traits, de carrés, de points, de polygones ou d'autres figures géométriques dont on se sert pour livrer de l'information. [...] Certains types de codes à barres 2D sont destinés à être lus par l'appareil photo d'un terminal mobile capable d'interpréter les données ou de donner accès par Internet à une source d'information. » (Source : OQLF)

indiquent leur numéro de téléphone (technologie ancienne, mais toujours efficace !) en évidence tout en haut de la navigation de leur site. Ne soyez pas timide et ne vous cachez pas : même si nous sommes sur le Web, les gens aiment faire affaire avec des gens et il est toujours bon de sentir que l'on peut joindre une « vraie » personne.

⚲ 🖥 ⚲

RYTHME

« Personnellement, je trouve que certaines entreprises sont trop présentes sur les réseaux sociaux, [ce qui les rend] dérangeantes. Où est la limite ? Être présent sur les différents réseaux sociaux simplement pour être présent sur les réseaux sociaux sans jamais les utiliser (aucun feed[38]). Quels sont les enjeux et conséquences ? Y a-t-il un meilleur moment pour publier une notification ou un moyen plus efficace de le faire ? Combien de fois, au maximum (pour ne pas tanner les gens), pouvons-nous parler de notre projet sur Facebook, par exemple ? Taux d'activité : est-ce qu'une entreprise se doit d'être active sur une base régulière sur les différents réseaux sociaux (de façon quotidienne ou hebdomadaire, par exemple) ou peut-elle tout simplement intervenir lorsqu'elle a des nouveautés à partager ? En plus de créer une page Facebook, avons-nous avantage à publier très souvent sur notre page ou quelques fois par année suffit[39] ? »

Différents médias, différents rythmes

Tous les médias ne commandent pas le même rythme. Combien de fois publierez-vous sur votre blogue d'entreprise, votre compte Twitter, votre compte LinkedIn, votre compte Facebook, votre compte YouTube ?

---

38. Aucun *feed* pourrait être traduit par « aucune mise à jour de statut ».

39. Source : Questions des étudiants de l'Université Laval sur le sujet du rythme des publications.

Publier sur *Twitter* une seule fois par jour est jugé comme très peu. Ne le faites qu'une fois par semaine et vous serez «étiqueté» comme un utilisateur peu impliqué et presque silencieux !

Par contre, si vous faites plusieurs changements en une seule journée sur votre compte ou votre page Facebook, vous courez la chance d'ennuyer votre auditoire. Même chose pour LinkedIn.

La fréquence sera différente sur chacun de ces canaux. Ainsi, le blogue d'entreprise pourrait n'être mis à jour qu'une fois par mois ou aux deux semaines, mais Twitter pourrait être mis à jour chaque jour ou plusieurs fois par jour.

Voici une idée du rythme que vous pourriez avoir sur les principaux médias sociaux (à prendre avec un grain de sel. Le but de ce tableau est simplement de vous donner un exemple).

COMPTE/MOIS	JAN	FÉV	MAR	AVR	MAI	JUN	JUL	AOÛ	SEP	OCT	NOV	DÉC	TOTAL
Blogue	1	1	1	1	1	0	0	1	1	1	1		9
LinkedIn	3	3	4	2	4	2	1	1	3	4	4	3	34
Google+	4	5	5	5	6	2	2	3	4	4	5	6	51
Facebook	6	8	8	8	9	4	2	3	6	4	8	8	74
Twitter	12	16	16	16	18	8	4	6	12	8	16	16	148
Instagram	0	0	0	2	2	2	5	5	4	4	3	4	31
Pinterest	0	0	0	2	2	2	5	5	4	4	3	4	31
YouTube	1	0	0	1	0	0	0	1	1	1	0	0	5
Courriels	1	0	0	1	1	0	0	0	1	0	1	0	5
	28	33	34	38	43	20	19	25	36	30	41	41	388

Figure 3 – Répartition du nombre de publications

Voici un exemple d'une répartition du nombre de publications à effectuer selon chaque média pendant une année. On remarque que Twitter requiert une plus grande fréquence que le blogue d'entreprise ou la création de vidéos sur YouTube. Votre utilisation sera, bien entendu, bien différente. À titre indicatif seulement.

Vous avez devant vous neuf médias différents. Vous remarquez que le blogue est celui qui a le rythme le plus lent. En effet, l'écriture d'un article requiert plus de temps et de réflexion que le simple partage d'une idée, d'une image ou d'une vidéo.

Le changement de statut sur LinkedIn ne devrait pas être excessif non plus. LinkedIn est un environnement professionnel et il ne serait pas bien vu que vous changiez votre statut plusieurs fois par jour.

Une autre très mauvaise idée est celle de « lier » vos publications Twitter à celles de LinkedIn. Si, chaque fois que vous *twittez*, votre statut LinkedIn se met à jour, ce n'est pas une bonne idée ! Ces deux médias n'ont pas du tout le même rythme et vous risquez fortement d'être mal perçu sur LinkedIn.

Facebook est différent. Vous pouvez publier chaque jour, mais cela comporte certains désavantages. Nous les verrons plus loin.

Twitter est le média de fréquence par excellence. Ici, on parle d'une fréquence de plus ou moins un *Tweet* à l'heure ! Le média est très instantané et la « durée de vie » des *Tweets* est limitée.

Instagram et Pinterest sont assez nouveaux et ressemblent à Twitter dans leur approche. J'ai indiqué « 0 » pour les premiers mois, simplement pour vous faire réaliser que vous n'avez pas à tout faire en même temps !

L'effet « cascade »

En analysant ce tableau, vous pouvez également visualiser que l'effet cascade de la publication d'un blogue sera de 8. En effet, si vous désirez que votre article soit connu, vous l'annoncerez sur votre page Facebook, votre compte Twitter, votre compte LinkedIn, etc. Et si vous tournez une vidéo et que vous la téléversez sur YouTube, il sera alors de 9 !

Publication planifiée et non planifiée

Une publication peut être planifiée et non planifiée. Les idées derrière une publication planifiée ressemblent à celles-ci : « Tous les lundis matin, nous publierons un article sur… », « Tous les vendredis après-midi, nous publierons quelque chose d'humoristique et de bon goût afin de souhaiter une bonne fin de semaine à tous ! »,

« Les mercredis, aux deux semaines, nous présenterons l'un de nos produits. » L'avantage des publications planifiées est qu'elles apportent de la constance dans votre approche. La constance permet de bâtir la confiance et dégage du professionnalisme.

Une publication non planifiée survient lorsqu'une nouvelle touchant votre industrie fait la manchette, lorsque l'un de vos clients ou de vos clients potentiels intervient sur votre blogue ou sur l'un de vos comptes de média social, lorsque vous êtes en voyage d'affaires et que vous désirez faire part de vos découvertes à vos adeptes. L'avantage des publications non planifiées est qu'elles sont spontanées, sur le moment, donc en lien avec ce qui se passe actuellement. Elles ont plus de chances d'être empreintes d'émotions et de « vie ».

La solution, c'est un heureux mélange des deux, soit une base de planification afin de ne pas laisser aller vos médias et une dose de créativité et de spontanéité afin d'animer votre réseau.

La meilleure manière de bien gérer la constance passe par la bonne attribution des ressources, la planification et l'utilisation d'outils performants. À cet effet, je vous présenterai l'outil HootSuite dans la deuxième partie. Vous verrez qu'il est plus facile que vous ne le croyez de planifier vos différentes publications.

Meilleurs jours, meilleures heures

La question m'est souvent posée : « Y a-t-il un meilleur moment pour publier ? » Il existe différentes théories à ce sujet et mon premier conseil serait le suivant : « Testez-le ! » Variez vos heures et vos jours de publications et voyez comment répondent vos adeptes.

Mais, pour ceux qui aiment les études et les statistiques, en voici quelques-unes (les graphiques suivants sont disponibles grâce au site et aux recherches de Dan Zarrella[40]) :

---

40. Source : http://blog.kissmetrics.com/science-of-social-timing-1/ et http://danzarrella.com.

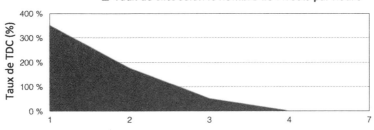

Figure 4 – Taux de clics selon le nombre de *Tweets* par heure

Les nombres en bas du graphique représentent les *Tweets* publiés par heure dans un seul compte. On constate que lorsque le nombre excède 1, cela n'augmente pas le taux de clics[41] (TDC), au contraire! Après 4 *Tweets* à l'heure, les personnes ne sont plus intéressées et ne cliquent tout simplement plus!

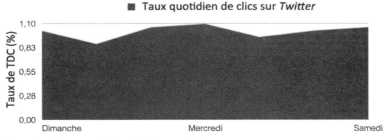

Figure 5 – Taux quotidien de clics sur Twitter

Ce graphique met en perspective les clics qui sont effectués selon les jours de la semaine. Conclusion? Les deux meilleures journées sont le mercredi et le samedi.

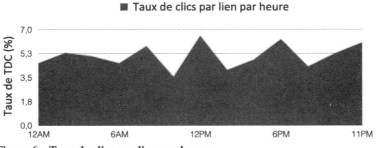

Figure 6 – Taux de clics par lien par heure

On constate que les meilleurs moments sont sur l'heure du midi et le soir, vers 18 h. Cela a un certain sens, non?

---

41. En anglais, *Click-through rate* (*CTR*).

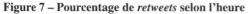
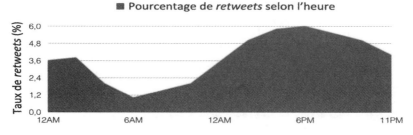

Figure 7 – Pourcentage de *retweets* selon l'heure

Les *retweets* sont l'équivalent des partages sur Facebook. Ici, on peut constater que le maximum est atteint vers 17 h et que ce pourcentage n'a cessé d'augmenter tout au long de la journée. La courbe diminue lentement jusqu'en fin de soirée.

Figure 8 – Nombre de partages selon le jour sur Facebook

Le partage sur Facebook se fait surtout les fins de semaine, en particulier le samedi, comme l'indique clairement ce graphique.

Figure 9 – Nombre de partages selon l'heure sur Facebook

La meilleure heure ? Midi et en soirée, vers 19 h.

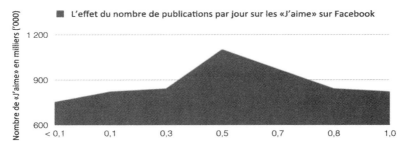

Figure 10 – L'effet du nombre de publications par jour sur les « J'aime » sur Facebook

On constate l'effet du nombre de publications par jour d'une page sur le nombre de « J'aime ». Le nombre idéal se situe à 0,5 par jour, donc une publication aux deux jours. Au-delà de ce rythme, il semble que les adeptes n'apprécient pas et retirent leurs « J'aime » ou ne les donnent pas aussi facilement !

Encore une fois, ces données sont à titre indicatif et issues d'une seule étude. À tout le moins, elles vous donnent une certaine idée. J'aime bien celles qui font la corrélation entre le nombre de « J'aime » sur Facebook et le nombre de publications. On voit assez clairement que si vous publiez trop souvent, le rendement diminue. Dans ce cas, plus n'est pas mieux !

La différence entre le courriel et les médias sociaux

Le courriel permet d'être plus personnel. C'est un peu comme une lettre que vous écrivez à quelqu'un. Il y a un petit côté officiel inhérent à l'envoi d'un courriel. Par contre, chaque fois que vous envoyez des courriels à une liste de clients et de clients potentiels, il y a toujours la probabilité que certains se désabonnent de votre liste ou que vos courriels soient interprétés comme du pourriel (si vous ne faites pas attention lors de vos envois massifs). Vous ne pouvez pas envoyer cinq courriels par semaine à votre liste. Vous recevrez des plaintes et votre taux de désabonnement augmentera. Vous êtes donc, d'une certaine manière, limité par vos courriels.

Du côté des médias sociaux, vous pouvez changer votre « statut » chaque heure, publier de l'information trois à quatre fois par jour, vous ne serez pas nécessairement bloqué ou vu comme un polluposteur. Par contre, comme nous venons de le voir grâce aux différents graphiques, il se peut que les gens se désintéressent et se désabonnent de vos publications ou cessent simplement de les lire.

Est-ce qu'on peut trop répéter ?

Vous vous doutez que la réponse est oui. Par contre, il ne faut pas aller dans le sens opposé. Ce n'est pas parce que vous avez annoncé une nouvelle sur votre page Facebook que vous ne pouvez pas l'annoncer également sur Twitter ou LinkedIn. Ce n'est pas de la répétition. Vous utilisez simplement différents médias pour diffuser votre message.

Également, vous pouvez revenir avec un message que vous avez déjà publié dans le passé. Ce n'est pas parce que vous en avez parlé une fois que tout le monde l'a vu. Mais, comme dans tout, il faut agir avec subtilité : changez les mots, le titre et l'image utilisés. Donnez un air de nouveau à du « réchauffé ».

〜🖰🖥〜🖰

PERMISSION

Dans un monde parfait, chaque entreprise aurait des centaines de représentants qui travailleraient jour et nuit à peu de frais dans l'unique but de rencontrer tous les clients actuels et potentiels. Ils utiliseraient les bonnes vieilles méthodes du téléphone et du rendez-vous en face à face. Ainsi, on serait assuré (ou presque) que chaque client potentiel recevrait le maximum d'attention et on maximiserait les ventes sur chaque territoire et dans chaque segment de marché… Si seulement c'était aussi facile !

Il y a bien les grosses entreprises pharmaceutiques qui peuvent se permettre des hordes de représentants afin de solliciter les inatteignables médecins, mais pour le commun des mortels, nous sommes ici dans Utopia. Il faut donc nous rabattre sur d'autres formes de communications : le publipostage (enveloppes et timbres), la radio, les journaux et la télévision. Ils coûtent de cher à très cher et sont de moins en moins efficaces. Après tout, qui, de nos jours, aime se faire interrompre afin qu'on lui présente de la publicité ? Si vous avez un enregistreur numérique, fortes sont les chances que vous enregistriez vos émissions et que lorsque vous les visionnez vous appuyez sur « avance rapide » lorsque vient le temps des annonces.

En ce qui concerne la radio, nous avons maintenant Sirius, la radio satellite, sans compter les innombrables radios sur le Web. Je me surprends à changer les postes lorsque j'écoute la radio traditionnelle et que celle-ci m'envahit avec ces pubs toujours plus fortes.

Encore une fois, servez-vous de votre propre exemple : aimez-vous être interrompu dans vos activités ? Le marketing par interruption coûte de plus en plus cher et ses effets sont de moins en moins efficaces. Nous avons appris avec le temps à filtrer ce genre de messages, de sorte que nous ne les voyons même plus ou, du moins, il faut que les publicitaires déploient des trésors d'ingéniosité pour réussir à capter notre attention.

Un nouveau concept

Les blogues, les balados, les vidéos sur YouTube, les courriels et les médias sociaux font partie des médias numériques, c'est-à-dire que leur contenu peut se promener librement sur le Web et être partagé avec plus de facilité à travers les membres d'une communauté. Ils font partie de ce que Seth Godin nomme le « marketing de permission ». Ce concept issu de son livre[42] publié en 1999 s'est tellement répandu qu'il fait maintenant partie de Wikipédia.

---

42. Seth Godin, *Permission Marketing : Les leçons d'Internet en marketing*, Maxima, 2000.

Permission : plus qu'une option, une stratégie !

La permission est cette idée que le client ou le client potentiel désire entendre parler de vous et de votre produit. Lorsqu'une personne clique sur « J'aime » sur la page Facebook d'une entreprise, elle s'abonne d'une certaine manière aux nouvelles publications de la page. Elle donne sa permission. Même chose pour Twitter ou tous les autres médias sociaux.

Un client ou un client potentiel qui vous remet sa carte professionnelle vous donne implicitement le droit de le joindre. Pas de le harceler, mais de le joindre. Il s'agit d'un code des affaires. Cette partie est facile. Un client s'attend à ce que vous communiquiez avec lui de temps à autre. Cependant, tout au long du processus, il y a des niveaux de permission que vous pouvez demander.

Si vous désirez offrir un bulletin mensuel ou bimensuel, il est bien de demander la permission. Vous pouvez le faire de deux façons. Premièrement, vous offrez un lien de désabonnement au bas de votre courriel. Un seul clic et votre souscripteur peut se désabonner facilement et sans tracas. Ainsi, « qui ne dit mot consent ». Donc, vous pouvez tenir pour acquis que s'il ne se désabonne pas, il vous donne la permission de continuer à le courrieller. Il s'agit d'une forme faible de permission, mais quand même. Deuxièmement, il existe la forme « forte ». Vous créez un formulaire de souscription à votre offre dans lequel votre client ou votre client potentiel doit entrer son courriel. Puis, il reçoit un courriel de confirmation contenant un lien sur lequel il doit cliquer à nouveau afin de confirmer son adresse. Le terme technique pour cette forme de permission est « option d'inclusion confirmée » (*double opt-in*). Il s'agit de la forme la plus forte de permission, car la personne s'inscrit d'elle-même et « confirme » par la suite.

Plus votre page d'accueil ou de présentation de votre offre sera précise et pointue, plus l'inscription aura de la valeur également.

Si vous avez un formulaire qui dit : « Si vous désirez être informé chaque jour ou plus souvent, si nécessaire, par courriel à propos de tous nos forfaits de vacances dans le Sud pour la saison hiver-printemps

2014, de Québec, qui sont soldés à moins de 1 000 $, veuillez entrer votre courriel ici.»

Vous conviendrez que les besoins de la personne qui entre son courriel sont assez clairs.

Par la suite, une fois la saison terminée, si vous faites une offre à cette personne de la tenir au courant d'autres forfaits, ou mieux, si vous lui envoyez un sondage pour lui demander quels seraient les forfaits qui l'intéresseraient, vous entrez de plain-pied dans le monde du marketing par permission.

⌲ 🖥 ⌲

INFLUENCEUR

Un influenceur en ligne (*e-influencer*) est considéré comme un *leader* d'opinion d'un créneau particulier sur Internet. Cette personne publie régulièrement du contenu via son ou ses blogues, ses comptes Twitter, LinkedIn ou Facebook ou même, dans certains cas, via sa liste de courriels qui est souvent très imposante.

Une personne est considérée comme influente lorsque ses écrits et opinions font en sorte que ceux qui la lisent cliqueront sur les liens qu'elle propose ou achètent les produits qu'elle recommande. Dans le monde de la télévision, Oprah est un exemple éclatant d'une influenceuse : lorsque Oprah recommande un livre à son émission, le lendemain, toutes les librairies du pays sont en rupture de stock !

Dans une moindre mesure, l'une de mes clientes a vécu un phénomène similaire : elle et son conjoint dirigent une ferme dans le domaine de l'agriculture biologique. Elle possède un site Internet, une page Facebook et un compte Twitter qu'elle utilise peu souvent. Un jour, elle reçoit une demande «d'entrevue» de la part d'un blogueur par l'entremise de son compte Twitter. Peu habituée à ce genre de contact ou de demande, elle accorde un rendez-vous à cet individu. Entre-temps, elle fait des recherches et se rend compte que ce blogueur dirige un site-blogue spécialisé dans le heavy métal. Je ne sais pas si vous savez en quoi consiste ce genre de musique, mais disons que l'association ne se fait pas intuitivement entre ce style et l'alimentation biologique !

Quelque temps plus tard, notre blogueur effectue sa visite à la ferme, prend quelques photos, tourne quelques séquences vidéo, pose des questions très pertinentes à ma cliente, la remercie et continue son bonhomme de chemin.

Peu de temps après, il publie son article. L'effet fut immédiat : le trafic du site de ma cliente augmenta en flèche et des commandes commencèrent à entrer par sa boutique en ligne. Ce qu'elle apprit un peu plus tard (en faisant des recherches plus sérieuses et approfondies) est que ce blogueur est réputé et suivi par plus de 10 000 personnes ! Ce n'est pas Oprah, mais dans son créneau de marché, en rapport avec ceux qui sont en affinité avec ses articles et ses opinions, cet individu est assurément un influenceur et a eu un impact direct et réel sur les ventes de cette ferme biologique.

Cette histoire illustre bien cette nouvelle réalité dans laquelle nous vivons : de plus en plus de gens prennent leurs « nouvelles » ou leurs informations par des sites, des blogues ou des publications rédigés par des individus qui ne sont pas nécessairement des journalistes professionnels engagés par les médias de masse que nous connaissons.

Imaginez une liste de 10 ou 20 influenceurs de cette qualité. Elle aurait plus de valeur qu'une liste de 1 000 personnes qui contient des clients potentiels que vous ne connaissez pas et que vous devrez convaincre de qui vous êtes.

Comment les trouver?

Tout d'abord, il faut commencer une liste d'influenceurs afin de les distinguer des contacts réguliers que vous avez. Le simple fait de créer cette liste vous ouvrira de nouvelles perspectives et vous fera vous poser les bonnes questions : « Où sont les influenceurs dans mon industrie ? » Au cours de cette étape (création de votre liste), n'angoissez pas avec le fait de trouver tous les influenceurs possibles ! Encore une fois, soyez patient, persévérant et donnez-vous le temps d'apprivoiser ce nouveau concept.

Également, ne vous en faites pas si vous n'êtes pas certain si telle ou telle personne doit être sur votre liste. Vous pourrez ajouter ou retirer des personnes au fil du temps.

Donnez-vous comme objectif de trouver de 10 à 20 influenceurs puis, à côté de leur nom, indiquez l'adresse de leur site, blogue, compte Twitter ou tout autre média social sur lequel ils sévissent. Vous pouvez utiliser Excel afin de créer un beau tableau !

Selon votre secteur d'activité, vous trouverez les influenceurs à l'œuvre dans les endroits suivants :

Les blogues

Évidemment, s'ils sont spécialisés et aiment écrire sur un sujet précis, ils auront probablement un blogue. Vous pouvez rechercher spécifiquement des blogues sur un sujet en particulier grâce à Google. Si l'option « Blogs » n'apparaît pas sur votre page d'accueil, allez simplement à l'onglet « Plus » et vous pourrez choisir « Blogs » et ainsi n'afficher que les sites qui comportent une section « Blogs ». Les résultats les plus populaires s'afficheront en premier.

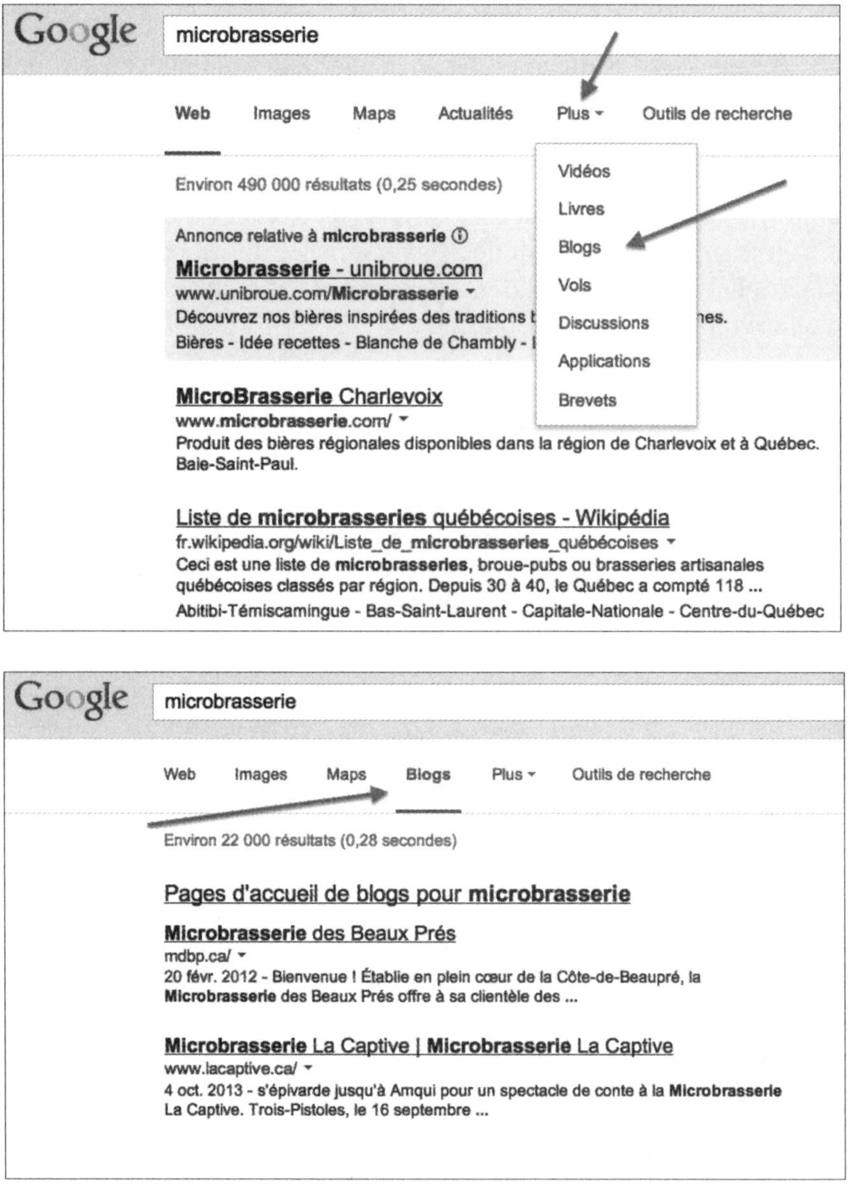

Figure 11 – Recherche de blogues

Il est possible de faire une recherche de blogues uniquement grâce à l'outil « *Plus* » de Google. Choisissez simplement « *Blogs* » dans le menu et faites votre recherche. Les résultats seront uniquement des sites-blogues, c'est-à-dire des sites sur lesquels des articles concernant le ou les mots-clés ont été publiés. Excellent moyen de trouver des gens passionnés d'un sujet précis.

Les groupes spécialisés sur LinkedIn

Ils seront souvent des contributeurs actifs et répondront régulièrement aux questions des autres membres ou ils seront les auteurs de questions très pertinentes sur des sujets très pointus. Vous trouverez plus de détails à la section concernant LinkedIn.

Les groupes spécialisés ou les pages Facebook

Si votre produit ou votre service est plus près des consommateurs que de l'industriel, alors il y a de fortes chances que vos influenceurs soient présents sur Facebook et qu'ils administrent des pages ou des groupes de discussion concernant des aspects de vos produits ou services ou qu'ils y participent.

Twitter

C'est le mode d'expression préféré des verbomoteurs, car, comme nous l'avons vu, Twitter permet de publier régulièrement du contenu. Ceux qui sont passionnés par un sujet seront presque assurément sur ce réseau. Nous verrons plus loin comment faire des recherches sur Twitter, mais sachez qu'il y a de fortes chances que plusieurs influenceurs de votre secteur y soient présents.

Évaluer les influenceurs

Les gens sur votre liste sont-ils vraiment influents ? Vous pouvez voir assez facilement le nombre de personnes qui les suivent sur leur compte de médias sociaux. Cela peut vous donner une idée de départ, mais ce n'est pas tout. Vous pouvez également faire appel à des sites qui vous fourniront une note « d'influence » (*influence-scoring websites*). Voici trois sites populaires à cet effet :

> - Klout.com ;
> - Kred.com ;
> - PeerIndex.net.

Encore une fois, prenez ces notes avec un grain de sel, comme il se doit. C'est un point de départ et non une finalité en soi. Si vous connaissez vos influenceurs, nul besoin de vous faire dire qui ils sont par un site tiers.

Développer et entretenir des relations avec les influenceurs

Vous n'avez pas besoin de parler beaucoup au début. Écoutez. De fait, l'écoute est l'un des plus puissants outils à votre disposition. Si vous voyez une façon de fournir de l'assistance à des influenceurs, faites-le. Lorsque vous fournissez une assistance, vous construisez de la crédibilité, de la confiance et vous augmentez votre « capital social » auprès des influenceurs. Voici quelques trucs :

- Faites la promotion de leur contenu, de leur cause ou de leurs produits, si cela est approprié.

- Donnez votre avis sur leur contenu sur les différents médias qu'ils utilisent.

- Contribuez à leurs pages Facebook et groupes sur LinkedIn.

- Entrez en contact avec eux lorsque approprié.

- Créez du contenu pour eux.

- Achetez leurs produits et services, si cela convient et est approprié.

- Envoyez-leur des références.

- S'ils écrivent un article ou commentent l'une de vos publications, manifestez de la gratitude à leur égard. Pas trop, mais pas d'indifférence non plus !

Les membres de votre courte liste d'influenceurs veulent faire croître leur influence, gagner plus d'argent et sauver du temps. Ils ne s'attendent pas à recevoir de l'argent de votre part, mais il est toujours approprié que les échanges, même s'ils ne sont pas financiers, comportent tout de même une certaine part de réciprocité.

Soyez prudent

Même s'il est très intéressant d'avoir des « Oprah » dans notre liste d'influenceurs, il ne faut jamais perdre de vue que de nos jours, tous les individus ont le potentiel de devenir des influenceurs, le Web étant devenu très social !

Vous ne devez pas consacrer tout votre temps disponible uniquement à la recherche des influenceurs qui « feront décoller » vos ventes en ligne. Le suivi de base avec vos clients potentiels, les relations que vous entretenez avec vos clients, les réponses que vous apportez à leurs questions, tout ceci fera en sorte que tous ceux qui entreront en contact avec votre marque auront le goût d'influencer leurs proches afin qu'ils fassent affaire avec vous.

Bien sûr, il y aura toujours des personnalités plus flamboyantes que d'autres, mais quelquefois, la braise est plus efficace que les flammèches !

🖱💻🖱

PUBLICITÉ

Une autre manière d'obtenir une diffusion rapide et abondante est la publicité.

Si vous êtes pressé par le temps, que votre site est nouveau et qu'il n'apparaît pas encore dans les premières pages de Google et que vous voulez absolument que votre trafic augmente, la publicité représente un moyen légitime pour arriver à vos fins.

Même si ce n'est pas le but de ce livre, j'ai cru bon de vous fournir une courte introduction aux différents principes et concepts en ce qui concerne la publicité sur le Web. Attention, il y a beaucoup d'acronymes !

CPC

Le CPC, c'est le coût par clic. Autrement dit, vous payez chaque fois qu'une personne clique sur un lien qui l'amène à votre site. Ce lien peut l'amener à votre page d'accueil ou à n'importe quelle page que vous jugerez adéquate. Ce lien pourra être affiché sur la page du moteur de recherche Google, sur un site qui accepte d'afficher des annonces ou même sur Facebook. Le concept est le même : s'il y a un clic « vérifié », il est porté à votre facture. On mentionne « vérifié », car toutes les entreprises qui mettent en marché la publicité par CPC veulent que les annonceurs en aient pour leur argent et ne paient pas pour des « *spams*-clics », c'est-à-dire des clics qui proviendraient d'utilisateurs douteux qui ressembleraient étrangement à des robots informatiques. C'est la raison pour laquelle toutes les entreprises sérieuses font en sorte d'éviter ce genre de pratique.

Le CPC peut être fixe ou variable. En général, si vous faites affaire directement avec le propriétaire d'un site, il vous vendra les clics à prix fixe. Si vous faites affaire avec des entreprises comme Google, Facebook ou LinkedIn où la demande pour certains mots-clés est grande, vous aurez alors à faire une enchère, c'est-à-dire identifier le montant maximum que vous êtes prêt à payer pour un clic pour tel mot-clé.

Comme vous vous en doutez, plus votre enchère sera élevée, plus grandes seront vos chances que votre annonce soit affichée. Le contraire étant également vrai !

CPM

Le CPM est le coût par mille. Il fait référence au coût par mille impressions de votre annonce. Donc, vous ne payez pas pour le nombre de clics, mais plutôt pour le nombre de fois que votre annonce a été affichée sur l'écran d'un internaute.

En ce qui a trait à la tarification, les mêmes principes que le CPM sont en vigueur : lorsque la publicité est vendue par les propriétaires de site, le tarif est fixe et lorsqu'elle est vendue via des sites d'annonces Web, les tarifs sont très souvent proposés aux enchères.

TDC

Le TDC est le taux de clics[43]. C'est une statistique en pourcentage qui vous communique avec quel succès votre campagne performe. Ainsi, une campagne avec un TDC de 2,5 % est meilleure que celle qui obtient seulement 0,8 %. En français ? Un TDC de 2,5 % équivaut à 25 clics sur 1 000 impressions et un TDC de 0,8 % équivaut à 8 clics sur 1 000 impressions.

Plus votre TDC est élevé, plus votre texte, vos images et votre proposition ont de l'impact et intéressent votre visiteur. On peut donc supposer qu'il y a de l'intérêt pour ce que vous proposez et que vous avez fait un bon travail sur le plan de la conception de votre annonce.

Si votre TDC est trop faible, certains annonceurs (Google, entre autres) refuseront d'afficher vos annonces ou vous demanderont de les améliorer, car elles ne sont pas assez efficaces. Google a développé un système assez sophistiqué à cet effet afin de vous permettre de diagnostiquer ce qui ne va pas et ainsi d'être plus efficace dans votre placement publicitaire. N'oubliez pas : Google ne fait de l'argent que **si** les internautes cliquent sur vos annonces et que vous continuez à annoncer Google. Si vous n'êtes pas satisfait des résultats, vous ne continuerez pas et son modèle d'affaires s'effritera.

TC

Le TC est le taux de conversion. Il s'agit du taux d'efficacité de votre annonce. Ainsi, lorsque vous accueillez des visiteurs sur votre site, vous téléphonent-ils, vous envoient-ils un courriel, achètent-ils l'un de vos produits ? Le taux de conversion mesure l'efficacité de votre campagne d'annonce.

---

43. « Rapport, exprimé en pourcentage, entre le nombre de clics publicitaires constatés et le nombre d'impressions ou pages vues constatées. » (Source : OQLF)

Bien entendu, il vous faudra suivre ces fameux clics tout au long de leur cheminement sur votre site, ce qui n'est pas évident. Vous pouvez également fonctionner par sondage et demander aux gens qui vous joignent où ils ont entendu parler de vous. Vous pouvez également, très simplement, analyser vos ventes et identifier s'il y a, ou non, une corrélation entre l'argent que vous avez investi et la progression de vos ventes. Simple, mais efficace et rapide !

RCI

Le RCI est le rendement du capital investi. Autrement dit, en avez-vous pour votre argent avec vos CPC ? Cela dépend de votre TDC et de votre TC ! Amusons-nous avec un exemple (basé sur la réalité d'un client). Vous obtenez 1 000 visites sur votre site. Ces visites vous coûtent en moyenne 0,75 $ par clic. Coût total des 1 000 visites : 750 $.

Nous réussissons à obtenir le nombre de ventes que vous avez effectuées sur votre boutique en ligne : 20. Donc, un TC de 2,0 % n'est pas très élevé, mais c'est quand même un certain taux de succès.

Étape suivante : quel était le montant de la vente moyenne ? Trente-cinq dollars dans le cas qui nous occupe. La marge de profit brute par vente est de 45 %. Vous dégagez donc 15,75 $ de bénéfice brut par vente (15,75 $ x 20 ventes = 283,50 $ par rapport à votre coût de campagne de 750 $). Votre RCI est négatif, car vous avez généré moins de bénéfices que cela vous en a coûté en publicité. Sous cet angle, votre campagne a été un échec.

Par contre, si, d'après votre expérience, un client satisfait commande en moyenne 4 fois par année et que votre horizon est de 5 ans, la valeur de chaque client acquis est de 315 $ (15,75 $ x 4 x 5). Si vous croyez conserver au moins 70 % des clients acquis par la publicité au cours des 5 prochaines années, vous avez donc fait une bonne affaire : votre coût de 750 $ a permis l'acquisition de 14 clients (20 x 70 %) qui ont chacun une valeur de 315 $, donc un total de 4 410 $. Votre RCI est très élevé !

Tout est une question de perspective. Allez-vous calculer vos résultats seulement sur la base des ventes ou sur l'acquisition de nouveaux clients avec lesquels vous bâtirez une relation ?

Un homme d'affaires de la Rive-Sud de Montréal m'a raconté que l'une de ses entreprises investissait en moyenne 1 000 $ par mois dans les annonces Google. Je lui ai demandé : « Et puis ? Ça donne des résultats ? » Il m'a répondu : « Eh bien, nous faisons 50 000 $ de chiffre d'affaires par mois et tous nos clients proviennent des annonces Google. Alors, oui, je dirais que ça donne d'excellents résultats ! »

Bannière

Vous pouvez tout simplement louer l'espace publicitaire de certains sites afin d'y afficher une bannière publicitaire sur laquelle les internautes intéressés peuvent cliquer. Ainsi, une association de commerçants ou une entreprise locale qui possède un site très populaire ou quiconque désire monnayer le trafic sur son site peut offrir à d'autres entreprises la possibilité d'afficher une bannière sur son site. Le tarif est habituellement mensuel et basé sur l'achalandage du site en question.

Dernièrement, j'ai été témoin qu'un salon funéraire avait décidé de rentabiliser la portion « avis de décès » de son site en y incorporant des annonces qui mettaient en vedette des fleuristes et des traiteurs. Leur prix de départ était de 75 $ pour 4 mois d'affichage sur leur site. Pour une entreprise de traiteur qui commence, cela peut représenter une belle occasion, à peu de frais, de se faire connaître.

Si vous souhaitez annoncer sur un site en particulier parce que vous croyez que sa clientèle est très semblable à la vôtre et que votre offre ne concurrence pas celle du site en question, pourquoi ne pas donner un coup de fil au propriétaire et lui demander s'il souhaite afficher une bannière ou au moins proposer un lien vers votre site ?

Google

Google est l'endroit où tous se tournent lorsque vient le temps d'annoncer sur Internet. Il est le géant, celui qui contrôle un haut pourcentage de cette industrie.

AdWords et AdSense

Google a mis en œuvre deux programmes complémentaires : AdWords et AdSense.

AdWords est le programme par lequel les entreprises décident d'investir une partie de leur budget publicitaire par les annonces que Google peut afficher. Elles paient un CPC ou un CPM à Google en échange d'une visibilité ou de clics.

AdSense est le programme par lequel les propriétaires de sites et de blogues peuvent monnayer leur trafic en acceptant d'afficher les annonces en provenance de Google. Ainsi, Google reverse 50 % de ses revenus publicitaires à ce qu'il nomme son réseau « display » ou « affichage ». Grâce à la force de ses algorithmes de recherche et d'indexation, Google « connaît » le contenu (grâce aux différents mots-clés présents sur le site) des sites qui font partie de son réseau et affiche les annonces de ses clients AdSense qui sont le plus en correspondance avec le contenu, créant ainsi une expérience plus intéressante pour l'annonceur et pour l'internaute.

Figure 12 – AdWords

Le portail d'accueil de Google AdWords se trouve à google.ca/AdWords. La plupart des instructions sont en français et l'aide y est abondante.

Budget

Lorsque vous adhérez au programme AdWords, vous avez la possibilité de déterminer votre budget journalier, mensuel et total. Ainsi, vous êtes certain de ne jamais dépasser votre limite : Google cesse d'afficher vos annonces lorsque votre cible maximum est atteinte.

Vous pouvez également moduler vos enchères en fonction des heures de la journée et des jours de la semaine. Vous pouvez décider de payer 80 % de moins pour les annonces s'affichant de 23 à 7 h ainsi que celles s'affichant lors des jours fériés, par exemple. L'outil à votre disposition est extrêmement puissant et explique en grande partie la raison pour laquelle Google atteint une valorisation boursière de plus de 200 milliards de dollars.

AdWords vous offre le choix d'avoir une campagne permanente ou selon une période prédéterminée. Ainsi, vous pouvez fixer la date de début et de fin de campagne.

Ciblage selon la géographie et les appareils

Comme vous vous en doutez, Google permet également de cibler votre clientèle selon le pays, la province et même la région, sans compter que vous pouvez décider de ne faire apparaître vos annonces que sur les pages en français ou autre langue de votre choix.

De plus, avec l'avènement des appareils mobiles, Google vous permet d'offrir plus ou moins pour les clics sur les appareils mobiles et de personnaliser vos textes et vos campagnes selon le type d'appareil que vous souhaitez joindre.

Réseau d'affichage ou de recherche

Le réseau « recherche », comme vous pouvez le constater à la figure 13, est la fameuse page Google que vous connaissez bien. Lorsque vous tapez une recherche dans la barre, les résultats qui apparaissent sont de deux natures : « référencement naturel[44] » et « publicité », comme démontré par les flèches.

« Une étude menée par l'Ifop pour l'agence AdWords Ad's up en juin 2013 précise que 52 % des internautes cliquent sur les liens *sponsorisés* lorsqu'ils effectuent une recherche sur Google. Trente-six pour cent des internautes ne font pas la distinction entre les résultats naturels et les liens *sponsorisés*[45]. »

---

44. Référencement naturel, référencement gratuit, optimisation pour les moteurs de recherche sont des synonymes. En anglais, *search engine optimization* (*SEO*).

45. Source : www.strategies.fr/actualites/medias/215472W/les-resultats-de-recherche-sponsorises-sont-privilegies-par-les-internautes.html.

On peut donc avancer que la publicité sur le réseau « recherche » peut être très intéressante pour vous. De plus, votre client clique sur votre annonce au moment même où il effectue sa recherche, donc au moment où il est psychologiquement prêt à aller de l'avant dans sa démarche.

Le réseau « display » ou « affichage », comme mentionné auparavant, est constitué de plusieurs milliers de sites et de blogues qui acceptent la publicité de Google en échange de 50 % des revenus. Lorsque l'internaute clique sur la publicité, son intention initiale n'est pas aussi forte que lorsqu'il est *en mode* recherche. Il est dans un état différent psychologiquement.

Pour cette raison, il est conseillé de faire une campagne par réseau : recherche ou affichage.

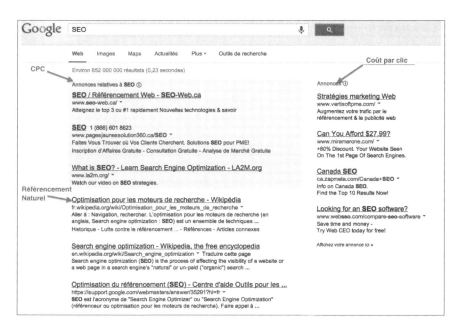

Figure 13 – Annonces par rapport au référencement naturel

Le carré ombragé ainsi que les sites situés dans la colonne de droite sont des annonces et chaque fois que vous cliquez sur l'une d'entre elles, l'annonceur doit débourser un montant d'argent à Google. Ce montant varie selon les termes, la concurrence et le positionnement. Le référencement naturel est situé tout juste en bas.

Autres

Google ne possède pas le monopole de la publicité sur Internet, vous vous en doutez bien. Plusieurs autres joueurs sont présents, dont deux qui sont des réseaux sociaux bien en vue :

- Facebook (lien direct : Facebook.com/advertising) ;

- LinkedIn (lien direct : LinkedIn.com/advertising).

Ces deux réseaux se distinguent de Google à un niveau très précis : la connaissance de leurs clients. Ainsi, sans avoir accès aux données personnelles des membres Facebook ou LinkedIn, vous pouvez tout de même demander à ce que votre campagne ne soit envoyée qu'aux hommes de 35 à 50 ans vivant dans la région de Montréal et travaillant pour une entreprise dans le domaine de la finance. Et ça peut aller encore plus loin, mais je vous laisse le plaisir de découvrir vous-même ! Vous ouvrir un compte et « simuler » une campagne, c'est gratuit. Rappelez-vous que vous ne payez qu'à l'utilisation et vous dictez votre budget en commençant. Donc, les chances de vraiment vous tromper et d'engouffrer des sommes énormes sont minuscules, voire inexistantes. L'accueil et l'interface de Facebook sont en français et, LinkedIn, après plusieurs années d'attente, a enfin francisé son interface.

Les principes de CPC, de CPM et de TDC s'appliquent aussi à ces plateformes.

Figure 14 – Publicités Facebook

Il s'agit de la page d'accueil de la publicité sur le site Facebook. La plupart des textes sont traduits en français et il est « relativement » aisé de créer une publicité sur le populaire site.

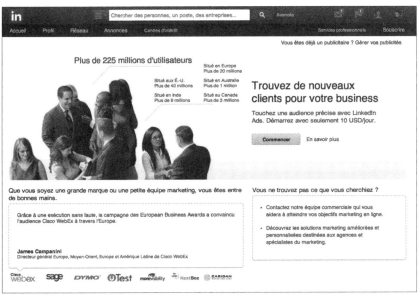

Figure 15 – Publicités LinkedIn

Il s'agit de la page d'accueil de la publicité sur le site LinkedIn. Quoique moins populaire que Facebook, LinkedIn possède l'avantage d'avoir une clientèle professionnelle qui est membre du site avec l'objectif de se connecter à d'autres professionnels et qui utilise le site dans un but de développement des affaires et non d'échanger des photos ou des vidéos à nature plus ludique.

AFFILIATION

Les programmes d'affiliation maximisent votre visibilité en ligne et peuvent vous fournir un flux de revenus supplémentaires en encourageant les propriétaires d'autres sites à commercialiser vos produits. Grâce à une solide solution logicielle de gestion de programme, vous pourrez attirer les éditeurs de contenu, entretenir des relations d'affiliation et construire des programmes d'affiliation à travers un portail facile à utiliser.

Les avantages du marketing par affiliation sont les suivants :

- Simple à implanter grâce aux nombreux systèmes de gestion déjà existants.

- Pas de changement à faire sur le plan de votre produit, de votre site ou de votre stratégie de mise en marché concernant votre produit.

- Les coûts mensuels de maintien du système peuvent être aussi minimes que 100 $.

- Vous encouragez toutes les personnes qui apprécient votre produit à le promouvoir en leur donnant des commissions sur les ventes qui sont générées par leur trafic. Vous devenez donc leur allié !

- Effet viral : vous utilisez le pouvoir du réseautage à votre avantage en offrant des récompenses financières non négligeables à ceux qui aiment et croient en votre produit, ce qui motivera certainement les plus ambitieux.

- Vous profitez du fait que plusieurs personnes travailleront maintenant à « vous » promouvoir et à vendre votre produit.

- Vous ne payez que les ventes générées par vos affiliés. Vous conservez tous les bénéfices des ventes que vous générez vous-même.

- Vous gardez le même prix de détail, la même stratégie.

Un bon programme d'affiliation vous permet de faire ce qui suit :

⊕ Recruter un nombre illimité d'affiliés.

⊕ Offrir deux niveaux de commission.

⊕ Personnaliser votre portail affilié.

⊕ Créer et gérer des programmes d'affiliation multiples.

⊕ Créer et gérer les ressources et les outils d'affiliation.

⊕ Produire rapidement et imprimer des rapports des commissions d'affiliation.

⊕ Distribuer des revenus d'affiliation par chèque ou PayPal.

⊕ Rester en contact avec les affiliés et même les motiver grâce à la fonction « courriels ».

Je vous propose deux sites afin de vous familiariser avec cette nouvelle notion :

- PostAffiliatepro.com ;
- Amember.com.

⊕💻⊕

CHAPITRE 5

RÉSULTATS

Nous en sommes à la cinquième et dernière étape : les résultats. C'est à ce moment que vous devez mesurer, comparer, analyser et ajuster le tir.

STATISTIQUES

Reprenez vos objectifs de départ. Quels étaient-ils ? Ont-ils été atteints ? Voyez-vous une progression ou une régression ? Qu'en est-il des objectifs « non mesurables » que vous vous êtes fixés ?

Reprenez votre *Sommaire exécutif* et vos objectifs un à un. Étaient-ils réalisables ou difficiles à mesurer ? Avez-vous toutes les données en main où vous manque-t-il des chiffres afin de vous aider ? S'il vous manque des chiffres, comment pourriez-vous les obtenir ? Qui pourrait vous aider à ce sujet ?

Le chiffre le plus important est et sera toujours celui des ventes

Tout ce que vous faites et ferez sera toujours en fonction de maintenir ou d'augmenter de façon importante vos ventes et la satisfaction de vos clients. Êtes-vous en mesure de vérifier quel pourcentage de vos ventes provient de vos efforts déployés sur le Web ?

Si c'est le cas, prenez ces chiffres en note et vérifiez si vous êtes en progression ou non.

Google Analytics pour votre site Web et votre blogue

En ce qui concerne le Web, votre principal outil sera Google Analytics. Si vous possédez déjà un site, vous devriez avoir un compte Analytics créé par votre webmestre. Si vous ne vous en souvenez pas, donnez-lui un coup de fil ou envoyez-lui un courriel et demandez-lui. Vous serez peut-être agréablement surpris d'apprendre qu'il l'avait créé pour vous au moment où il a construit le site, mais que vous n'y êtes jamais allé… Ça arrive !

Donc, si vous avez Analytics, vous avez de très nombreuses statistiques sur lesquelles vous pouvez poser des jugements :

- Nombre de visites et de visiteurs uniques : indique la popularité de votre site. Ce que vous voulez voir, c'est une tendance à la hausse ! Plus votre site est achalandé, plus vous courez la chance d'effectuer des ventes et cela démontre également l'intérêt des internautes pour votre contenu.

- Taux de rebond : signifie que l'internaute n'a vu qu'une seule page de votre site et est parti en cliquant sur « page précédente » ou en tapant une nouvelle URL. Le taux « normal » est de 50 %, c'est-à-dire qu'un internaute sur deux regarde votre site, lit ce qui l'intéresse et repart sans avoir interagi pour aller plus en profondeur. Chaque site est différent. Ici, il faut vérifier la tendance. Votre taux de rebond est-il stable, à la hausse ou à la baisse ? Si le taux dépasse 70 %, il y a un problème qui doit être corrigé.

- Nombre de pages par visite : indique combien de pages, en moyenne, le visiteur regarde lors de sa visite. Bien sûr, si votre site ne comporte que quatre ou cinq pages, le nombre ne peut pas être aussi élevé qu'un site-blogue qui contient des centaines d'articles ou de produits différents.

⁀ Nombre de minutes passées en moyenne sur le site : un peu dans le même sens que le nombre de pages, le nombre de minutes que votre internaute passe en moyenne sur votre site vous donne une indication de son intérêt en rapport avec vos produits ou le contenu de votre blogue. Moins de 30 secondes n'est assurément pas un bon score et plus de 3 minutes est un accomplissement ! Encore une fois, il faut surveiller la tendance de ce chiffre et non seulement le nombre absolu.

⁀ Visitez ce lien, bit.ly/VOUS-goaide, pour obtenir de l'aide en français sur Google Analytics.

Les premières fois que vous ferez votre analyse, ce sera difficile de « vraiment vous faire une tête », car vous n'aurez pas de comparatif avec l'année passée. Par contre, vous aurez au moins un point de départ, quelque chose sur lequel bâtir. Je vous suggère de faire imprimer les rapports ou, à tout le moins, de conserver les fichiers PDF qui seront produits par le système. Idéalement, vous vous créez un dossier sur votre ordinateur ou un cahier à anneaux si vous aimez encore le papier 8,5/11 po (22 x 28 cm). Il y a des habitudes comme ça…

Statistiques Facebook pour les pages professionnelles

Si vous êtes administrateur de votre page Facebook, vous aurez accès, à partir de votre page d'accueil, à un tableau de statistiques. Si vous n'y êtes pas allé récemment, ça vaut le détour ! Facebook a complètement « revampé » sa présentation et il y a beaucoup plus de souplesse qu'auparavant. Vous pouvez reculer de trois mois au MAXIMUM pour vos statistiques et la vue d'ensemble est actuellement limitée à une semaine. On dirait que Facebook veut que vous y reveniez souvent… Mais, si vous êtes sérieux sur le plan de votre présence sur Facebook, allez au moins faire un tour dans vos statistiques tous les mois et faites-les imprimer, car elles disparaîtront ou seront plus difficilement accessibles.

Les éléments sur lesquels vous pourrez vous concentrer sont les suivants :

⊸ Le nombre de « J'aime », leur croissance et leur décroissance.

⊸ La portée totale de vos publications (incluant les amis des amis).

⊸ Le nombre de visites sur votre page et dans ses différents onglets (photos, informations, articles, etc.).

⊸ L'engagement de vos *fans* : mentions, publications sur votre page, clics sur vos publications, partages.

⊸ Les heures et les jours pendant lesquels vos *fans* sont en ligne ! Ils ne vous disent pas lesquels, mais dans mon cas, je sais que le lundi et le jeudi, ils y sont tous et qu'ils dorment plus tard le samedi matin que le mardi matin ! Très drôle !

LinkedIn et Twitter

LinkedIn et Twitter vous offrent moins de statistiques détaillées que Google Analytics pour votre site et que Facebook pour votre page. Les éléments que vous pouvez en tirer sont les suivants :

⊸ Le nombre de vos contacts sur LinkedIn et Twitter.

⊸ Le nombre de messages ou de publications reçus et envoyés.

⊸ Le nombre de clients et de clients potentiels que vous avez joints grâce à ces méthodes au cours de la dernière période et leur efficacité selon votre perspective.

Toutes les autres données que vous aurez amassées au cours de la dernière période

Encore une fois, revenez à vos Objectifs, à votre Pourquoi et tentez d'identifier les éléments plus intangibles qui sont survenus à la suite de votre implication dans votre présence en ligne. Vous avez appris à maîtriser de nouveaux outils, de nouveaux médias. Vous avez produit du contenu, de la communication. Peut-être un blogueur vous a-t-il joint pour faire un article sur vous. Peut-être avez-vous eu une idée lorsque vous êtes tombé, par hasard, sur un article d'une personne qui vous suit sur Twitter.

RÉPUTATION EN LIGNE

« Quel impact peut avoir l'utilisation de réseaux sociaux (autant négativement que positivement) sur ma carrière ? Par exemple, sur Facebook, on retrouve des informations personnelles, des photos parfois indésirables qui ne nous mettent pas à notre avantage. Est-ce que ça pourrait me nuire ? Quel est le principal danger des réseaux sociaux ? J'ai essentiellement une question à propos des réseaux sociaux, à savoir "Quel est leur niveau de sécurité ?" L'information est-elle bien gardée ? Je suis prêt à admettre que les employeurs ont accès à nos profils (surtout Facebook), mais les consultent-ils vraiment ? Et si nos paramètres de confidentialité sont bien faits, avons-nous de quoi nous en faire ? Quel est le meilleur moyen de contrôler les publications faites sur notre compte[46] ? »

Comme vous pouvez le constater, les sujets de la réputation en ligne et de la sécurité tracassaient particulièrement les étudiants, et probablement qu'ils vous tracassent également.

Qu'est-ce que la réputation en ligne ?

La réputation en ligne, c'est la même chose que votre réputation actuelle, mais sur le Web. Ce sont tous les éléments qui vous concernent et qui laissent des traces : photos, vidéos, écrits, commentaires de clients satisfaits comme insatisfaits, anciens employés, etc.

Pourquoi est-ce important de s'en occuper ?

C'est important de vous en occuper pour la même raison que vous n'aimez pas que l'on ternisse votre réputation actuelle. Vous ne verrez

---

46. Source : Questions des étudiants en entrepreneuriat de l'Université Laval.

donc pas d'un bon œil que votre réputation Web soit «salie» par des commentaires inappropriés. Ceux-ci peuvent vous coûter des ventes ou votre emploi, comme c'est déjà arrivé par le passé à certaines personnalités publiques.

Je vous parle de réputation. Ce mot a une connotation négative, j'en conviens, mais il peut aussi être positif, et le fait de l'ignorer serait dommage! Imaginez un instant que l'on dise du bien de vous et que vous ne le sachiez pas. Ce serait dommage, car vous ne pourriez envoyer un mot de remerciement à cette personne et tenter de bonifier votre relation d'affaires.

En ce qui concerne la réputation, ce qui est pire qu'une mauvaise réputation est de ne pas être au courant que ce phénomène existe, nous empêchant ainsi de pouvoir y remédier soit en répondant à l'internaute ou en faisant amende honorable si un problème a réellement eu lieu.

Comment s'occuper de sa réputation en ligne?

Tout d'abord, voici une règle toute simple : si vous ne voulez pas que quelque chose circule, ne l'écrivez pas, ne le photographiez pas, ne le filmez pas et ne le téléversez pas, même si l'on vous dit que c'est sécuritaire. Un peu de paranoïa ne fait de mal à personne.

Les réseaux sociaux et les sites en général ne font pas «exprès» pour révéler vos informations, vos mots de passe, etc. Certains, peut-être, mais c'est un autre débat… Il y aura, malheureusement, toujours des voleurs, des fraudeurs, des arnaqueurs, des *hackers*. Dans cinq ans, dix ans ou vingt ans, ils auront changé de forme, mais l'esprit de cette facette du genre humain ne s'évaporera pas avec le temps, je le crains. Vous le savez, maintenant. Soyez donc prudent et vigilant dans vos propos et surtout dans vos écrits. Comme le dit le vieil adage (qui est de moins en moins vrai avec toutes les caméras autour de nous), «les paroles passent, les écrits restent».

Recherches régulières

Je sais que cela peut sembler un tantinet *narcissique*, mais vous devriez « googler » régulièrement le nom de votre entreprise et celui de vos principaux produits afin de vous assurer que rien de négatif n'apparaît en toute première page du moteur de recherche. Pour en être certain, parcourez les trois ou quatre premières pages de résultats dans le but d'y dénicher des articles à votre sujet.

Vous pouvez ajouter « critique » ou « *review* » à la fin de votre nom afin de faire ressortir les sites qui publient ce genre d'articles.

Créer une alerte Google

Toujours effectuer des recherches à votre sujet peut s'avérer exténuant et cela peut vous prendre du temps que vous ne souhaitez pas investir dans ce type d'activité. Qu'à cela ne tienne, Google a prévu le coup. Grâce à Google Alertes, vous pouvez être tenu au courant lorsque des articles, des blogues, des sites ou autres mentionnent votre nom, celui de votre entreprise ou de l'un de vos produits. Ce service est gratuit.

Vous devez simplement vous créer un compte Gmail (google.ca/gmail), puis, dans votre menu d'accueil, en haut, à droite (à moins que Gmail ne le change de place !), vous cliquez sur l'icône qui vous donne accès aux autres services Google. Si vous ne la trouvez pas dans le premier écran, cliquez sur « suite » et vous arriverez à un écran où seront affichées toutes les fonctionnalités de Google. Cliquez sur « Google Alertes » et suivez les instructions. Vous verrez apparaître en temps réel le résultat pour les mots-clés que vous aurez choisis. Il s'agit d'une fonction gratuite et très puissante. Malheureusement, elle est méconnue. Utilisez-la à votre avantage.

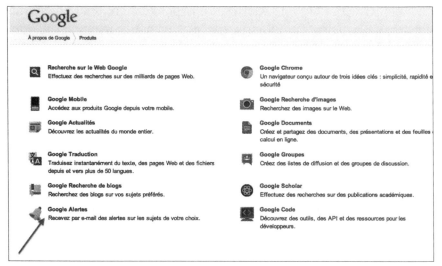

Figure 16 – Google Alertes

Lorsque vous êtes dans votre compte Google, vous pouvez accéder à une multitude d'outils, dont Google Alertes. Il vous suffit de cliquer sur le petit « quadrillé » qui vous mènera à un écran de choix. La petite cloche jaune vous indique l'application Google Alertes qui vous permettra de créer des alertes auprès de Google afin d'être informé des sites Internet qui mentionnent le mot en question.

Utilisation des sites spécialisés dans la réputation en ligne

Si vous désirez pousser plus loin les recherches sur votre réputation en ligne, vous aimerez alors les deux sites suivants :

- fr.Mention.net ;
- Brand.com.

Ils sont spécialisés dans la surveillance de réputation en ligne et vont plus loin que l'outil de Google, notamment dans les médias sociaux comme Facebook et Twitter. Bien entendu, ils offrent une partie de leurs services gracieusement, mais si vous le désirez, vous pouvez choisir des options plus sophistiquées en vous abonnant mensuellement à leur offre. À vous de voir.

Attitude à adopter

Beaucoup de gens sont nerveux à propos de ce qui peut s'écrire sur eux en ligne. Ce qu'il ne faut pas perdre de vue, par contre, c'est que toute cette information (admettons qu'elle soit négative) se perdra éventuellement dans le tsunami de nouvelles informations qui nous inondent chaque jour. Alors, le fait de réagir brusquement, émotivement, et de créer une tempête dans un verre d'eau n'est peut-être pas la bonne façon de faire.

Quelquefois, le silence sera de mise. D'autres circonstances vous demanderont d'intervenir, de donner votre point de vue, mais, avant tout, prenez le temps de bien écouter et de bien comprendre la situation ainsi que les récriminations. Respirez profondément si vous êtes émotif et consultez un collègue si vous n'êtes pas certain de la façon de répondre. Allez au bout des faits afin d'être certain de votre réaction et proposez, calmement, une solution.

Avant tout, n'effacez pas les propos, à moins qu'ils ne soient carrément injurieux et de très mauvais goût. Tout le monde comprend que tout ne peut pas être toujours positif à 100 % du temps pour une entreprise. Chaque personne qui a la moindre once de jugement comprend. Ce que ces personnes aimeront voir et analyser est comment ce conflit s'est réglé.

Après tout, si vous voulez vous faire connaître et être apprécié sur le Web, il faut, parfois, faire face à la musique lorsque l'occasion se présente. Nous avons appris dans notre vie à faire face à des individus en personne, au téléphone et en public. Nous y sommes «habitués» et préparés. En ce qui concerne le Web 2.0, c'est relativement nouveau et ce n'est pas tout le monde qui y est préparé. Soyez-en conscient avant de déléguer l'animation de vos comptes sociaux à une autre personne que vous…

RÉFLEXION

À la fin d'un cycle, idéalement d'un trimestre, il serait bon de discuter de ce qui a été fait, des résultats obtenus et de mesurer ainsi les attentes par rapport aux efforts (nombre d'heures investies, sommes d'argent dépensées) et le chemin qui reste à parcourir. Voici trois questions pour vous aider :

1. Sur une échelle de 1 à 10, comment évaluez-vous votre performance générale au cours de la dernière période ?

2. Quels sont les deux éléments dont vous êtes le plus fier ?

3. Quels sont les deux éléments que vous souhaiteriez améliorer ?

S'il y a lieu, la stratégie pourra être modifiée afin de mieux représenter l'expérience qui aura été acquise. Vous pourrez ajouter des éléments, en retrancher d'autres, ajuster vos attentes et vos objectifs, etc. La réflexion devra avoir, en filigrane, la mission, la vision ainsi que les grands engagements de l'entreprise eu égard à la communication et au service à la clientèle.

Il faudra également tenir compte des facteurs difficilement mesurables comme l'implication des employés, la satisfaction de la clientèle, les *feedbacks* officieux, la fierté et la culture de l'entreprise, etc.

DEUXIÈME PARTIE

LE GUIDE DE RESSOURCES

CHAPITRE 6

INTRODUCTION À VOTRE
GUIDE DE RESSOURCES

Cette deuxième partie sera consacrée, comme son nom l'indique, aux ressources dont vous aurez besoin afin d'accomplir les objectifs et le plan d'action que vous avez déterminés au cours de la première partie. La pratique (enfin !) après la théorie.

En effet, c'est bien d'écrire un *sommaire exécutif*, de se faire des plans, de se fixer des objectifs, mais arrive un temps où il faut mettre les choses en mouvement et établir sa présence en ligne. À cet effet, je suis toujours renversé de constater la quantité et la qualité de l'offre qui existe sur le Web.

Nous aborderons donc quatre grands thèmes : votre présence en ligne, la vidéo, les médias sociaux, le Web mobile. Ces quatre thèmes « couvrent » en grande partie tous les éléments qui vous seront utiles afin de commencer ou d'améliorer ce que vous faites actuellement sur le Web :

Votre présence en ligne[47]

Nous commençons avec Google et ses outils méconnus et utiles pour les entrepreneurs, puis nous abordons la question des noms de domaine. Côté site Web, je vous propose trois niveaux de solutions. Le premier, Flavors.me, s'adresse surtout aux « solopreneurs » et permet de créer un minisite Web en une demi-journée. Le second outil, Wix. com, fait partie des éditeurs WYSIWYG[48] qui vous permettent de vous créer un site Web complet. Puis, je vous propose la solution plus solide qu'est devenu WordPress. Je n'oublie pas de vous parler des boutiques en ligne et de l'importance de l'optimisation pour les moteurs de recherche. Il s'agit assurément d'une section importante et bourrée de trucs !

La vidéo

L'idée est de vous inspirer et de vous inciter à créer des vidéos. Avec l'avènement des téléphones intelligents et de leur excellente caméra, il n'a jamais été aussi facile de créer des vidéos d'entreprise afin de communiquer un message. Je vous donne des pistes de réflexion sur les différents modèles de vidéos ainsi que des trucs sur la plate-forme de partages vidéo par excellence : YouTube.

---

47. Selon Statistiques Canada, en 2012, 45 % des entreprises canadiennes avaient un site Web. Cette proportion augmente à 80% pour les entreprises de 10 employés ou plus. Si on le prend autrement, 1 entreprise de 10 employés sur 5 n'avait pas encore (en 2012) de site Web... Hum !

48. « Un WYSIWYG (prononcé [wiziwig] ou [wiziwig]) est une interface utilisateur qui permet de composer visuellement le résultat voulu, typiquement pour un logiciel de mise en page, un traitement de texte ou d'image. C'est une interface "intuitive" : l'utilisateur voit directement à l'écran à quoi ressemblera le résultat. WYSIWYG est l'acronyme de la locution anglaise "What you see is what you get", signifiant littéralement, en français, "ce que vous voyez est ce que vous obtenez" ou de façon plus concise "tel affichage, tel résultat" ou encore plus simplement "tel quel". » Source : http://fr.wikipedia.org/wiki/What_you_see_is_what_you_get.

Les médias sociaux

Nous ferons le tour des cinq principaux médias sociaux que vous connaissez déjà. Au début de cette section, je vous parle des éléments communs à tous les médias sociaux afin de ne pas répéter la même chose pour chacun d'entre eux. Force est d'admettre qu'il existe une sorte de langage et de comportement qui transcendent les frontières des différents sites et que, souvent, les différences sont plus esthétiques qu'autre chose. C'est un peu comme conduire une Ford au lieu d'une Honda : dans chacun des cas, le code de la route s'applique.

Le Web mobile

Nous terminons le guide de ressources sur le Web mobile qui est en train de révolutionner notre accès à Internet. Quatre-vingt-dix-huit pour cent des entreprises n'ont pas de site adapté aux appareils mobiles. Ça ne veut pas dire que les sites ne s'affichent pas, mais simplement que leur affichage est déficient, inélégant et inefficace.

CHAPITRE 7

VOTRE PRÉSENCE EN LIGNE

GOOGLE

Voici cinq outils Google qui vous seront utiles dès le départ si vous voulez bien commencer votre présence en ligne. Comme plusieurs services Google, ils sont gratuits.

Gmail

Gmail, comme son nom l'indique, est un service de courriel. Je vous conseille d'ouvrir une adresse Gmail spécifiquement consacrée à votre présence sur les différents médias sociaux et le Web en général. Au cours des prochaines semaines et des prochains mois, vous aurez à ouvrir plusieurs comptes afin d'obtenir des services qui faciliteront votre présence en ligne, et on vous demandera toujours une adresse courriel afin de vous identifier.

Plusieurs entrepreneurs utilisent leur adresse « info@ » ou « admin@ » ou même leur adresse personnelle.

Ce n'est pas une bonne idée.

Voici les avantages d'avoir une adresse dédiée à tous vos comptes :

⌐ Tous les messages reliés aux différentes inscriptions sont regroupés à un seul endroit et ils ne seront pas mélangés à travers toute votre autre correspondance. Lorsque vous prendrez le temps de faire votre marketing Internet, vous n'aurez qu'à commencer à ouvrir cette adresse à partir de laquelle toutes vos activités seront répertoriées.

⌐ Vous ne recevrez pas de pourriels. Vous n'aurez pas à vous inquiéter de « donner » votre adresse aux différents sites que je vous proposerai tout au long de cette section. Google possède le plus puissant filtre de pourriels sur le marché. J'ai personnellement sept adresses électroniques différentes et j'ai « donné » volontairement mon adresse à des centaines de sites afin de m'inscrire et de faire des tests depuis au moins sept ans. Pourtant, je n'ai jamais de pourriels dans ma boîte de messagerie. Ils sont tous captés à la source par Google qui fait un travail formidable à ce niveau.

⌐ Vous aurez accès aux autres services Google. Lorsque vous voudrez utiliser les autres services que Google offre, ce sera simple, vous n'aurez qu'à entrer toujours la même adresse courriel avec le même mot de passe et tous vos services seront intégrés et accessibles facilement.

⌐ Une adresse dédiée à votre présence en ligne devient l'adresse de la fonction médias sociaux et marketing Web. Vous pourrez ainsi facilement déléguer la gestion de cette messagerie à une personne de votre entreprise quand le temps sera venu.

Afin d'ouvrir votre compte Gmail, allez à Google.ca/gmail.

Cartes

Je vous suggère d'utiliser la fonction de recherche d'adresses géographiques « Cartes » (*Maps*, dans la version anglaise) de Google afin de trouver votre entreprise. Si vous êtes entrepreneur autonome et en démarrage, il se peut que vous ne soyez pas répertorié. Sautez donc au point suivant.

Si vous avez une entreprise et que vous êtes dans les Pages Jaunes, vous devriez normalement être en mesure de trouver votre inscription. Vérifiez toutes vos coordonnées sur votre fiche qui a été créée automatiquement. Si vous avez un téléphone intelligent, refaites la recherche avec votre appareil afin de bien saisir à quel point ce service sera utile pour les gens qui veulent faire affaire avec vous.

Le moteur de recherche Google est présent dans la très grande majorité des appareils mobiles intelligents et le résultat de cette recherche est souvent un premier point de contact de vos clients ou clients potentiels avec votre entreprise. Si vous n'aimez pas ce que Google a fait avec vos coordonnées d'entreprise ou si vous trouvez qu'il manque des renseignements, vous souhaiterez donc lire les prochains paragraphes !

Afin d'accéder directement à Google Cartes, rendez-vous à Google.ca/maps.

Adresses

Google Adresses est devenu les nouvelles « Pages Jaunes » du Web. Si vous avez une entreprise commerciale et que votre nom se retrouve dans le bottin, vous avez un compte Google Adresses par défaut. C'est à partir de ce compte que Google affiche vos informations dans « Cartes » lorsque les gens font des recherches.

Avez-vous « pris possession » de votre compte ? Seul vous ou votre entreprise pouvez le faire. En effet, si vous désirez modifier des informations sur Google Adresses, vous devrez prouver que vous êtes bel et bien propriétaire de l'entreprise. Le service automatisé de Google téléphonera au numéro commercial de votre entreprise et vous transmettra un code de six chiffres que vous devrez entrer dans le compte ou, si vous ne pouvez répondre au numéro indiqué, Google vous postera une carte postale avec les six chiffres en question.

Avoir le contrôle de votre compte vous permet de faire ce qui suit :

- Ajouter vos heures d'ouverture, votre territoire de livraison, votre numéro de télécopieur, votre adresse courriel et votre numéro sans frais.

- Mentionner le genre de paiements que vous acceptez et autres détails.

- Ajouter des photos de vos produits et de votre entreprise afin de vous mettre en valeur.

- Ajouter des vidéos (copier-coller un lien d'une vidéo de YouTube, rien de plus facile) afin de donner tout de suite une bonne impression à vos visiteurs.

- Être informé dès que des commentaires sont écrits concernant votre entreprise.

- Lier votre compte Google Adresses avec votre page d'entreprise sur Google+ afin de profiter d'une page d'accueil professionnelle et remplie de renseignements utiles, sans compter une meilleure indexation dans le moteur de recherche.

- Faire des ajustements sur votre position géographique. En effet, même si le service « Cartes » de Google est précis la plupart du temps, il n'est pas toujours parfait, surtout en région et lorsqu'il y a de nouveaux développements ou de nouvelles rues dans les parcs industriels. Je peux vous en parler : je suivais les instructions de mon application « Cartes » de Google sur mon iPhone pour me rendre chez un client et je me suis perdu. De fait, je suis arrivé en face d'un endroit très loin du parc industriel. Lorsque, finalement, je suis arrivé chez le manufacturier, je lui ai exposé le problème. Il a baissé la tête et m'a avoué que je n'étais pas la première personne à qui ça arrivait. Devinez quel a été mon premier élément de *coaching* ? Quinze minutes plus tard, l'entrepreneur avait repositionné le petit indicateur rouge sur la carte et, maintenant, tous les visiteurs qui voudront visiter son entreprise de Notre-Dame-du-Lac pourront le faire sans surprise.

Visitez le service Adresses à Google.ca/places.

Google.ca

Si vous ne l'avez jamais fait ou si cela fait un moment, je vous suggère de googler votre nom d'entreprise ainsi que vos principaux produits. Si les résultats sont nombreux et comportent plusieurs pages, vous devriez aller vérifier en profondeur, je dirais au moins jusqu'à la dixième page. Vous devriez normalement tomber sur votre site ou différents annuaires dans les premières pages.

Par leur nature, certains annuaires en ligne sont très bien indexés et vous donnent de la visibilité gratuitement. Si vous êtes inscrit dans un ou plusieurs annuaires, faites-en l'inventaire et allez voir votre fiche d'inscription afin de vérifier si les renseignements qu'elle comporte sont exacts. Ne vous en faites pas si vous ne vous êtes pas inscrit vous-même aux différents annuaires. Il s'agit d'une tactique de la part de leurs créateurs afin d'attirer du trafic à leur site. Ils se servent de différentes banques de données d'entreprises, manufacturières ou autres, et les ajoutent à leur site.

La plupart de ces sites voudront vous vendre des inscriptions, d'autres seront gratuits, ne dépendant que des annonces Google AdSense. S'il s'agit de sites gratuits, pourquoi ne pas profiter de l'occasion pour améliorer votre fiche, ajouter des photos, des descriptions, etc.? En ce qui les concerne, ils ne demandent pas mieux que de recevoir du trafic!

AdWords

Nous avons déjà discuté de Google AdWords comme méthode de diffusion de votre message. Ici, je vous demande de faire votre enquêteur: tapez les mots-clés importants pour vous dans la boîte de recherche Google et remarquez s'il y a des annonces Google qui apparaissent. S'il y en a, ce sont des compétiteurs qui annoncent et qui doivent payer par clic, comme nous l'avons vu.

Je vous suggère d'aller visiter leur site et de voir comment ils accueillent leurs clients potentiels. Quels sont les éléments qu'ils mettent de l'avant ? Prenez en note les bonnes idées, mais également les éléments irritants : vous vous en servirez adéquatement lorsque vous établirez votre présence en ligne grâce aux outils que nous verrons plus loin.

Les compétiteurs qui en sont rendus à annoncer et à payer pour les clics sont agressifs et ont fait, du moins en partie, leurs devoirs. Alors, je vous demande ceci : « Pourquoi ne pas en profiter ? »

VOTRE NOM DE DOMAINE

Vous en êtes au début d'un projet ? Vous avez une idée pour une nouvelle entreprise, un nouveau produit ? Vous vous demandez peut-être si votre idée est déjà prise. Visitez Namecheck.com. Il s'agit d'un service gratuit et rapide (moins de 5 s !) qui vous permet d'effectuer une recherche concernant la disponibilité de noms de domaine et de marques de commerce. Vous obtiendrez des résultats selon les 12 noms de domaines suivants : .com | .net | .ca | .org | .me | .co | .info | .tv | .us | .de | .uk | .eu et des 10 domaines qui devraient être disponibles d'ici la fin de 2015 : .web | .shop | .hotel | .site | .music | .film | .eco | .sport | .nyc | .berlin.

De plus, Namecheck vérifie le nom d'utilisateur désiré dans les 12 réseaux sociaux suivants : Facebook | Twitter | LinkedIn | Blogger | Tumblr | Foursquare | Technorati | Digg | Flickr | WordPress | eBay | Last.fm.

Le résumé est très visuel (une seule page Web avec tous les noms disponibles en vert et ceux qui sont déjà pris, en rouge) et vous donne un lien si vous désirez réserver l'un des prochains noms de domaine disponibles en 2015. À ce stade, les noms se terminant en « .web » sont les plus demandés, soyez averti !

Expiration et coût

Lors d'une rencontre chez un client, je fais une recherche sur Who.is afin de connaître la date exacte de l'expiration de son nom de domaine. Il m'est arrivé à plus d'une reprise d'annoncer à un entrepreneur que son nom de domaine expirait dans quelques semaines, et ce dernier n'était pas du tout au courant. (Je vous conseille d'aller faire un tour sur ce site et de vérifier vos propres coordonnées si vous avez déjà un nom de domaine.)

Je constate que son domaine est administré par Godaddy.com. Godaddy, c'est un peu le *Costco* de l'hébergement et des noms de domaine. Son énorme volume lui permet de concurrencer les prix de manière très agressive. Les « .com » sont vendus à 9,95 $ par année et souvent moins lorsqu'il y a une promotion.

Mon client venait tout juste de recevoir une facture de son fournisseur actuel : 50 $ pour le renouvellement annuel. Quarante dollars supplémentaires pour une opération qui prend au plus 2 minutes… et même moins, car je suggère de réserver votre nom de domaine principal pour au moins cinq ans. Non seulement cela vous évite d'avoir à le faire chaque année, mais les moteurs de recherche apprécient lorsqu'un domaine est réservé pour une longue période : cela démontre de la stabilité.

Un autre avantage au fait d'avoir de bons prix en ce qui concerne votre nom de domaine : vous pouvez réserver le « .ca », le « .net » ou autre variation à faible coût. De plus, si vous apprenez à devenir à l'aise avec le fait de réserver vous-même vos noms de domaine, lorsque vous aurez des idées de noms de produits ou de création d'une division pour votre entreprise, il vous sera facile d'aller directement sur le site de votre fournisseur et de réserver votre nom.

Le nom n'est pas l'hébergement. Ce sont deux choses distinctes. Vous pouvez avoir cinq noms différents (votrecompagnie.ca ; votre compagnie.com ; votrecompagnie.net, etc.) et les faire « pointer » vers le même site, donc cinq noms et un seul « hébergement ».

Sites compétiteurs : name.com ; namecheap.com.

Sites en français : hostpapa.ca/fr ; votresite.ca ; aztus.ca ; leserveur.ca.

FLAVORS.ME : VOTRE PRÉSENCE EN LIGNE EN MOINS D'UNE JOURNÉE

Si vous avez tenté de développer un site ou de le donner à forfait à une firme ou à un individu, vous êtes probablement passé par plusieurs phases : d'abord l'enthousiasme du projet, la discussion de toutes les possibilités et le rêve de créer un site « parfait ».

Puis, l'exécution, les délais, les coûts supplémentaires, le temps d'attente, les changements d'idées en cours de route, et j'en passe.

Un, deux ou trois ans plus tard, vous regardez votre site et vous trouvez qu'il n'est plus adéquat. Il lui manque quelque chose. Votre mission, votre entreprise, vous-même avez changé et le site n'a pas suivi votre évolution, il est demeuré figé dans le temps.

La personne ou l'entreprise qui l'a créé est-elle encore dans les affaires ? Oui ? Parfait. Non ? Oups ! Et vous vous demandez si vous devriez tout reprendre à zéro. Et peut-être êtes-vous frustré de ne pas trop savoir par où commencer, de vous faire parler un charabia incompréhensible.

Vous n'avez probablement jamais entendu parler de **Flavors.me**. Il s'agit d'un petit bijou de site et d'un secret bien gardé. Grâce à ce service, vous serez en mesure de créer une page Web, très design, en moins de 60 minutes. Voici quelques-unes de ses caractéristiques :

- ☝ **Accessibilité :** vous n'avez pas à être membre pour y accéder. Flavors.me vous aide à créer une vraie page Web, accessible de partout, en tout temps et en français.

- **Agrégateur :** Flavors.me agit en tant qu'agrégateur, c'est-à-dire qu'il n'est pas un site social et n'entre pas en compétition avec les sites sociaux. Il vous permet plutôt de promouvoir votre présence dans les différents médias sociaux à un seul endroit.

- **Coordonnées :** vous pouvez également ajouter vos coordonnées courantes comme votre téléphone, votre adresse courriel et votre adresse postale.

- **Design professionnel :** vous avez accès à un vaste choix de couleurs, de fontes et de modèles qui vous permettront de créer rapidement un site aux allures élégantes et raffinées.

- **Simple et rapide :** vous n'avez besoin d'aucune connaissance technique en html ou autre sorte de langage de programmation. Tout est clairement expliqué en français.

- **Intégré à Google :** les éléments d'information contenus sur le site seront « vus » par les robots de Google et indexés dans son moteur de recherche.

- **Statistiques :** vous avez accès à un tableau d'analyse de statistiques concernant les visites sur votre site.

- **Cartes professionnelles :** le service est directement lié à Moo.com, qui offre l'impression de cartes professionnelles. Les 200 premières cartes sont gratuites. Je les ai commandées et je peux vous assurer qu'elles sont de très bonne qualité !

- **Mobile :** votre site s'adaptera automatiquement aux appareils mobiles sans que vous ayez à faire quoi que ce soit. De plus, si vous commandez vos cartes professionnelles, Flavors.me imprimera un code *QR* à l'arrière que les appareils mobiles pourront *scanner* afin d'arriver directement sur votre site. Assez *cool* !

- **Version pro peu coûteuse :** la version gratuite est efficace et peut être utilisée telle quelle. Si vous décidez d'y aller pour la version pro à 20 $, vous ne risquez pas votre chemise non plus et vous pourrez faire « pointer » votre nom de domaine vers ce minisite et vous aurez une « vraie » adresse : « VotreNom.com » au lieu de « Flavors.me/votrenom ».

Ce site est, à mon avis, le meilleur choix lorsque vous débutez, que vous n'avez que peu d'expérience et de moyens. Excellent pour une deuxième carrière, lorsque vous avez un projet et que vous n'êtes pas encore certain et que vous ne voulez pas investir des milliers de dollars sans vraiment savoir si cela sera profitable. Je l'ai recommandé à ma fille qui amorce une carrière de travailleuse autonome dans le domaine de l'accompagnement à la naissance (une future sage-femme !) et elle a réussi à se créer une très belle présence en ligne en moins d'une journée et à donner un *look* très professionnel à sa nouvelle carrière. Papa était fier.

Site compétiteur : **About.me**. Au moment d'écrire ces lignes, il était un peu plus cher et non disponible en français. Mais les choses évoluent tellement vite ! Je vous suggère de vérifier les deux et de choisir celui qui vous plaît le plus.

ET SI CRÉER VOTRE SITE ÉTAIT FACILE ET AGRÉABLE ?

Il est possible de créer un site Web sans connaître le code html ou le CSS et ce genre de choses. Plusieurs sites offrent des services en ligne grâce auxquels vous pouvez créer facilement un site complet. Ils sont basés sur une technologie « glisser et déposer » qui ne nécessite ni codage html ni logiciel particulier, seulement une connexion Internet. Le gros avantage au départ est que vous n'avez pas à vous procurer de logiciels spécialisés. Ce genre de sites vous sera utile dans les situations suivantes :

- Vous commencez un nouveau projet et vous voulez tester le concept avec des clients potentiels sans avoir à débourser des tonnes d'argent et à prendre un temps fou.

⚪ Vous songez à engager un pro, mais vous avez le goût d'«expérimenter» avant d'aller de l'avant. Le fait d'expérimenter vos idées vous aidera à mieux comprendre ce que vous voulez et à vous faire une sorte de «maquette».

⚪ Vous désirez servir un micromarché bien précis et vous souhaitez avoir le contrôle sur votre contenu et la conception.

⚪ Vous êtes dans les affaires depuis des années, vous n'avez jamais eu de site Web, vous n'en avez pas «vraiment» besoin, selon vous, mais ce serait bien si... donc vous décidez de vous lancer et d'en créer un.

⚪ Vous aimeriez impliquer votre adolescent dans votre entreprise et vous croyez qu'il a des aptitudes avec Internet. Faire en sorte qu'il puisse vous aider à créer votre site serait un excellent point de départ selon vous. Souriez, car c'est exactement ce qui est arrivé à plus d'un de mes clients ! C'est toujours super de voir la lueur d'enthousiasme dans les yeux d'un jeune qui découvre ce genre de service et qui comprend rapidement ce qu'il peut faire. Attention, cependant : vous devrez bien l'encadrer et le guider !

⚪ Vous avez déjà un site Web d'entreprise qui a coûté une petite fortune il y a quatre ans et vous aimeriez y ajouter de nouveaux services, mais c'est compliqué et ça coûterait très cher... De tels sites vous aideront à évacuer votre frustration.

Un site comme **Wix.com** offre les avantages suivants :

⚪ **Simple :** interface WYSIWYG. Vous changez les couleurs et vous voyez directement l'effet. Vous cliquez et déplacez un objet et votre site est ajusté en conséquence.

⚪ **Facile :** les outils sont intuitifs. Les icônes sont facilement reconnaissables et une fois que vous comprenez les principes de base, votre capacité à créer augmentera rapidement.

- **Français :** Wix et Weebly ont tous les deux une interface en français. Ce sera plus facile pour vous si vous n'êtes pas à l'aise avec l'anglais.

- **Gratuit :** même principe que Flavors.me. Votre adresse sera « VotreNom.Wix.com/votresite » et des bandeaux indiquant que le site est propulsé par Wix s'afficheront en haut et en bas. Ils ne sont pas très envahissants et c'est ainsi que vous avez accès à un formidable outil pour 0 $. Dur à battre.

- **Design :** les modèles proposés sont très actuels, à la mode. On ne peut pas en dire autant de tous les sites compétiteurs du même genre…

- **Mobile :** vous pouvez créer un site Web et un site mobile ! Juste pour cette option, j'adore Wix ! Directement de l'éditeur Wix, vous cliquez et vous êtes prêt à optimiser votre site pour les iPhone et Android de ce monde, sans frais supplémentaires et sans avoir à apprendre un autre outil. De plus, il s'occupera de détecter le genre d'appareil et enverra le trafic sur votre site régulier ou votre site Web selon l'appareil utilisé. Vraiment génial et rare. À ce moment-ci, je n'ai pas encore trouvé de comparable.

- **Applications :** Wix a ouvert son outil aux développeurs d'applications, un peu de la même manière qu'Apple offre des applications sur ses iPhone. Cela a énormément dynamisé l'offre de services et des nouvelles applications ne cessent de faire leur place sur leur « App Market » chaque semaine.

Vous n'aimerez pas un site comme Wix si :

- Vous désirez pouvoir tout contrôler vous-même et avoir accès aux fichiers via FTP. Wix ne donne pas accès à ses fichiers sur ses serveurs. En ce sens, vous êtes un peu prisonnier de la plateforme et ne pouvez déménager ailleurs. Cet aspect négatif est normal : on vous fournit une formidable plateforme gratuitement. On vous demande donc de rester pour l'hébergement. Mais, ça peut en offusquer certains, soyez donc averti !

⫍ Vous voulez contrôler votre référencement et utiliser tous les trucs possibles afin d'être en première page de Google. Wix est indexé par les moteurs de recherche, mais des plateformes comme WordPress sont plus efficaces en matière d'optimisation pour les moteurs de recherche. Donc, si vous désirez performer grâce à des mots-clés populaires et compétitifs, Wix n'est pas pour vous. Par contre, si vous désirez simplement avoir une présence en ligne où vous pouvez afficher tous vos produits et services, cet outil est dur à battre en ce qui concerne l'interface utilisateur et la facilité d'utilisation.

⫍ Vous ne pouvez héberger ou exporter votre site chez un autre hébergeur. Vous devez demeurer avec Wix. C'est son modèle d'affaires : Wix vous fournit un outil de construction vraiment performant, vous permet de le tester gratuitement et, si vous aimez, vous demande d'héberger votre site chez eux en retour. Le coût est d'une centaine de dollars par année.

Malgré quelques points négatifs (rien n'est parfait), j'aime beaucoup ce genre de services. Je vous suggère d'aller y faire un tour et de vous créer un petit quelque chose.

Site compétiteurs : weebly.com ; squaresace.com ; votresite.ca ; jimdo.com.

WORDPRESS

WordPress, un système de gestion de contenu[49] (SGC) libre. Il est surtout utilisé comme moteur de blogue, mais il peut également servir comme base pour un « vrai » site Web classique.

WordPress est le choix logique des solutions en ligne lorsque vous désirez créer plus d'une page, que vous ne voulez pas être attaché à un fournisseur et que vous désirez avoir le plein contrôle de votre site.

---

49. En anglais, *content management system* (*CMS*).

Gratuit

WordPress étant un logiciel libre, il est gratuit à télécharger et à utiliser. Ses développeurs ont choisi cette façon de faire dès le départ. La conséquence ? Une extraordinaire communauté internationale travaille à l'amélioration du logiciel, sans frontières de pays ou de langue. Il s'agit d'un très beau projet de développement Web 2.0. En 2007, WordPress a d'ailleurs terminé premier dans la catégorie « Best Open Source Social Networking Content Management System ».

1 site sur 5 est créé en WordPress à travers le monde[50]

Du fait de sa popularité et de sa constante évolution, WordPress représente un bon investissement en temps d'apprentissage de votre part. La plateforme sera là pour longtemps encore, avec tous les développeurs enthousiastes qui l'améliorent et qui en font la promotion chaque jour. C'est dans ce sens que je dis que ce n'est peut-être pas une mauvaise idée de vous familiariser avec WordPress qui vous procure beaucoup de liberté, de flexibilité et de possibilités, à peu ou pas de frais de départ.

Courbe d'apprentissage

WordPress est plus difficile à maîtriser que les outils que nous venons de voir. Au début, vous aurez tout à apprendre et l'environnement est moins WYSIWYG. Donc, 80 % de votre temps sera requis pour apprendre et 20 % pour produire. Beaucoup d'efforts, résultats faibles. Je préfère vous avertir afin de bien gérer vos attentes.

Puis, au fur et à mesure de votre progression, votre apprentissage diminue et votre efficacité augmente. En fin de compte, vous arriverez à un équilibre intéressant, vous créerez du contenu 80 % du temps et vous apprendrez (on n'arrête jamais d'apprendre sur le Web) 20 % du temps. C'est la loi du 80/20.

---

50. Source : www.targetedinternetmarketing.ca/top-10-reasons-wordpress-website/.

Communauté et soutien

Vous ne serez pas seul tout au long de votre chemin. Vous n'aurez qu'à faire des recherches sur Google lorsque vous frapperez un mur et vous vous rendrez très vite compte que d'autres ont frappé le même mur ! Vous vous prendrez à lire certains forums. Vous verrez la générosité de plusieurs contributeurs, vous lirez les questions, comprendrez les réponses et vous serez en train de devenir, à votre tour, une personne ressource.

Outil professionnel

Bien sûr, vous n'êtes pas obligé d'aller aussi loin. Vous pouvez engager les services d'un professionnel afin de vous aider à démarrer votre blogue de la bonne manière. Mais, sachez qu'en le démarrant sur une plateforme comme WordPress, vous serez en bonne compagnie, dans un environnement dynamique, vous aurez beaucoup d'options et vous pourrez évoluer et changer au fil du temps.

S'exporte bien et permet de faire des copies de secours

Contrairement aux outils tels que Wix.com ou Flavors.me, vous avez accès à tous vos fichiers WordPress et vous pouvez donc les exporter vers un autre hébergeur ou les sauvegarder en toute sécurité sur votre ordinateur ou autre moyen que vous préférez.

Facile à personnaliser et à maintenir

Comme mentionné, le logiciel a un code source ouvert (*open source*) et permet donc d'être personnalisé à 100 %. Mais, même si vous n'êtes pas un programmeur et que vous n'avez pas l'intention d'aller jouer dans le CSS de WordPress, il y a une foule de choix de couleurs, de fontes et de dispositions à l'intérieur de la plateforme qui vous permet de donner une allure personnalisée à votre site.

Sécuritaire

Les développeurs de WordPress sont très préoccupés par la sécurité et effectuent des mises à jour régulièrement afin de vous assurer que votre site ne sera pas piraté par une personne mal intentionnée. Les mises à jour se font en un clic directement à partir de votre tableau de bord.

SEO friendly

Matt Cutts[51] affirme que la plateforme WordPress est l'une des meilleures en ce qui concerne le référencement naturel. Les robots de Google peuvent facilement scanner le contenu de votre site et, dès le départ, vous serez « optimisé ».

Prêt pour le Web mobile

Les nouveaux *thèmes* WordPress sont presque tous conçus avec le principe de la conception de sites Web adaptatifs(*responsive design*), c'est-à-dire qu'ils s'adapteront très bien aux différentes grandeurs d'écran des appareils, que ce soit un iPhone, un BlackBerry ou une tablette Android.

Compatible avec Internet Explorer, Firefox, etc.

De la même manière que les *thèmes* WordPress s'afficheront très bien sur les appareils mobiles, WordPress ne comporte pas de problème en ce qui concerne l'affichage sur différents navigateurs, notamment Internet Explorer, qui peut parfois être plus capricieux que les autres...

---

51. Matt Cutts est une sommité dans le monde de l'optimisation des sites par mots-clés et connaît à fond le fonctionnement des algorithmes de recherches développés par son employeur. (Tapez « matt cutts seo google » dans la barre de recherches de YouTube et vous verrez !) Il est responsable du programme antipourriels chez Google et produit une vidéo-blogue régulièrement sur YouTube concernant le moteur de recherche, les critères à suivre, etc.

Des milliers de plugiciels !

Les plugiciels (*plugin*) sont de petits programmes qui ont comme but d'effectuer une tâche bien précise et qui viennent en renfort à la plateforme WordPress de base. WordPress évolue continuellement ainsi que les besoins de ses utilisateurs. Le logiciel ne peut contenir toutes les options pour tout le monde, ce serait trop complexe à gérer. Alors s'est développé le monde du plugiciel, des micrologiciels qui ajoutent de la valeur à WordPress, certains sont gratuits, d'autres sont payants, mais tous ont comme objectif de rendre la vie plus agréable à ceux qui créent leur site grâce au logiciel *open source*.

Vous pouvez visiter WordPress.org/plugins. Ce site répertorie actuellement plus de 26 000 plugiciels différents. Les plus populaires ont souvent rapport avec le référencement naturel ou le commerce électronique. Vous pourrez, comme toujours, voir le nombre de fois qu'ils ont été téléchargés, lire les commentaires et, bien entendu, tous les plugiciels reçoivent une note de 1 à 5 étoiles de la part des utilisateurs, leur assurant ainsi une pérennité s'ils sont appréciés et une fin rapide s'ils ne répondent pas au besoin spécifié.

Thèmes

Les *thèmes* (*templates*) sont des moyens super efficaces de donner un nouveau *look* instantanément à votre prochain site ou à votre site actuel. La popularité de cette façon de faire ne cesse de grandir, et pour cause :

⏧ **Point de vue du concepteur :** imaginez que vous êtes un concepteur de site Web de grand talent. Vous pouvez soit travailler pour un seul client pour un mandat et faire quelques milliers de dollars ou vous pouvez créer un modèle de site (*thème*) qui sera vendu à travers le monde à raison de 50 à 100 $ chacun. Les *thèmes* populaires sont vendus des milliers de fois et leur concepteur reçoit donc des dizaines, sinon des centaines de milliers de fois 50 $ pour ce qu'il a créé. Donc, l'offre est abondante.

🖰 **Point de vue de l'entrepreneur :** vous pouvez engager un concepteur Web et prendre beaucoup de temps à lui expliquer ce que vous voulez et finir par vous rendre compte, après plusieurs milliers de dollars d'honoraires que vous ne pourrez pas obtenir ce que vous désirez ou vous pouvez acheter un *thème* pour 50 à 100 $ et être à 90 % satisfait du résultat. Par la suite, vous pouvez faire des modifications vous-même ou engager un professionnel pour le faire, mais vous arrivez ainsi beaucoup plus rapidement et efficacement au résultat souhaité.

Je vous suggère quatre endroits à visiter afin de magasiner un *thème* WordPress :

ThemeForest.com

Comme son nom l'indique, vous pourrez vous perdre dans la forêt de *thèmes* disponibles sur ce site ! Très bien fait, les prix sont abordables et vous pouvez voir le nombre de fois que les *thèmes* ont été achetés, les commentaires, le profil du concepteur, etc

TemplateMonster.com

Site compétiteur. Comme toujours, faites le tour des deux et choisissez celui avec lequel vous vous sentez le plus à l'aise.

OptimizePress.com

Il s'agit d'un seul *thème*. Il a été conçu comme un outil de vente professionnel. Il permet de créer des pages de vente. Cet outil a été créé pour les professionnels de la vente en ligne, dont le *focus* est uniquement la conversion du trafic en *opt-in*[52], *leads*[53] et ventes. Tous les éléments de design sont au goût du jour et offrent des options avec des flèches invitantes, des boutons d'appel à l'action et des formulaires

---

52. Opt-in : option d'inclusion.

53. Leads : pistes de vente.

opt-in qui ont un seul objectif : convertir le trafic qui arrive sur votre page en clientèle, client potentiel ou, au moins, vous donner son adresse courriel. Lorsque vous visiterez le site Opimizepress.com, vous serez sur une page de vente optimisée. Prenez le temps de remarquer à quel point cela est différent d'un site Web traditionnel.

HeadwayThemes.com

Il s'agit d'un *thème* unique qui se veut l'un des seuls WYSIWYG pour WordPress. Si vous savez ce que vous voulez, si vous désirez utiliser un outil plus robuste que Wix et si vous ne voulez pas vous en faire imposer par des *thèmes* prédéfinis à l'avance, alors vous pourrez créer votre propre site grâce à ce *thème*.

Vous ne serez jamais dépassé. Grâce à l'énorme adoption mondiale de la plateforme WordPress, à la dynamique communautaire de développeurs, à tous les plugiciels et les *thèmes* disponibles, on peut presque affirmer que votre site ne sera pas dépassé.

Vous serez à jour et vous pourrez de façon relativement facile changer vos couleurs, votre design et ajouter les nouvelles options disponibles en cours de route sans avoir à tout recommencer.

Concernant l'hébergement

Un site comme Godaddy.com offre des forfaits comprenant le logiciel WordPress déjà installé, de sorte que c'est plus facile et rapide pour vous lancer. À titre indicatif, un hébergement de 1 an revient à moins de 5 $ par mois, soit à 60 $ annuellement.

Je ne vous suggère pas nécessairement de faire affaire avec Godaddy.com, car l'un des désavantages majeurs si vous êtes unilingue francophone est que le service est en anglais ou en espagnol.

Par contre, je crois que c'est un excellent point de départ et que vous pouvez utiliser leurs prix à titre informatif afin de mieux négocier avec votre fournisseur actuel. Ainsi, vous pourrez faire la différence entre le coût réel d'hébergement et le service personnalisé que vous recevez de votre fournisseur et ne pas payer 40 $ de plus par année pour une chose aussi simple qu'un nom de domaine. (Vous rendez-vous compte que cela représente une économie de 200 $ sur 5 ans ?) Bref, si vous payez 50 ou 100 $ par mois pour votre hébergement, assurez-vous que vous obtenez du service, des conseils et du soutien qui sont en conséquence.

LE MARKETING PAR COURRIEL

Ah ! ce @... Que de chemin il nous a fait parcourir ! Depuis une dizaine d'années, le courriel est devenu quasi universel (plus de 90 % des entreprises de 20 employés et plus utilisent le courriel dans le cadre normal des affaires). Le courriel est gratuit, accessible, efficace, indispensable. Toutes ces belles qualités qui ont fait du courriel un outil indispensable sont exactement les raisons pour lesquelles nous pouvons entretenir une relation amour-haine avec notre compte de courriel.

Aspect légal

Lorsqu'il est question de marketing par courriel, l'une des premières choses qui peuvent vous venir en tête est le mot *pourriel* ou *spam*. Vous ne voulez pas que vous ou votre entreprise soyez accusé d'être un polluposteur. Et vous avez bien raison, ce n'est pas bon pour la réputation. Afin d'éclaircir le débat à ce sujet, voici quelques extraits choisis du projet de loi C-28 : « Loi visant à promouvoir l'efficacité et la capacité d'adaptation de l'économie canadienne par la réglementation de certaines pratiques qui découragent l'exercice des activités commerciales par voie électronique[54]. »

---

54. Source : www.parl.gc.ca/Content/LOP/LegislativeSummaries/40/3/c28-f.pdf.

Avertissement : « Par souci de clarté, les propositions législatives du projet de loi décrit dans le présent résumé législatif sont énoncées comme si elles avaient déjà été adoptées ou étaient déjà en vigueur. Il ne faut pas oublier, cependant, qu'un projet de loi peut faire l'objet d'amendements au cours de son examen par la Chambre des communes et le Sénat, et qu'il est sans effet avant d'avoir été adopté par les deux chambres du Parlement, d'avoir reçu la sanction royale et d'être entré en vigueur. »

Définition de pourriel : « L'article 6 désigne le pourriel, soit l'envoi de messages électroniques commerciaux non sollicités, comme une infraction. Il interdit d'envoyer un message électronique commercial, sauf si la personne à qui le message est envoyé a consenti expressément ou tacitement à le recevoir. Le message envoyé doit également respecter la forme prévue par le règlement ; il doit donc comporter les renseignements permettant d'identifier la personne qui l'a envoyé et celle au nom de laquelle il a été envoyé, ainsi que les renseignements permettant de communiquer facilement avec l'une ou l'autre de ces personnes, et décrire un mécanisme d'exclusion conforme à l'article 10. […] Le paragraphe 6 (6), qui a été ajouté à l'origine à l'ancien projet de loi à titre d'amendement du gouvernement, au moment où le Comité permanent de l'industrie, des sciences et de la technologie de la Chambre des communes en a été saisi, précise que l'interdiction d'envoyer un message électronique commercial ne s'applique pas aux prix ou aux estimations pour la fourniture de biens, de produits ou de services, si le message a été demandé par le destinataire. L'interdiction ne s'applique pas non plus à un message qui facilite, complète ou confirme la réalisation d'une opération commerciale que le destinataire a au préalable accepté de conclure ou qui donne des renseignements en matière de garantie, de rappel ou de sécurité à l'égard de biens ou de produits utilisés ou achetés par le destinataire. D'autres exceptions ont été ajoutées pour certains types de messages qui, pendant une certaine période, donnent des éléments d'information factuels ; fournissent des renseignements directement liés au statut d'employé ou au régime de prestations du destinataire ; ou au moyen desquels sont livrés des biens, des produits ou des services auxquels le destinataire a droit au titre d'une opération déjà conclue. »

Consentement : « L'article 10 du projet de loi définit le consentement exprès et le consentement tacite pour l'application du projet de loi. Le consentement exprès exige l'adhésion informée et explicite – il ne peut y avoir communication commerciale avec une personne ou une entreprise à moins que celle-ci y ait d'abord consenti. En cas de consentement tacite, le consentement est supposé à moins qu'un refus explicite y soit opposé – il peut y avoir communication commerciale avec une personne ou une entreprise dans des circonstances où l'on peut présumer qu'elles pourraient être intéressées, mais les intéressés doivent pouvoir refuser la communication. Dans le cas du projet de loi, le consentement tacite peut être présumé dans les cas où il y a « relations d'affaires en cours » ou « relations privées en cours » entre l'expéditeur et le destinataire – les paragraphes 10 (10) et 10 (13) donnent une définition précise de chaque type de relations. En l'absence de l'une ou l'autre de ces relations, le consentement exprès doit être demandé, si l'on veut envoyer à une personne un ou des messages électroniques commerciaux non sollicités. Si le consentement exprès est demandé, la partie qui le demande doit, selon l'article 10 du projet de loi, préciser « en termes simples et clairs » les fins auxquelles il l'est, les renseignements réglementaires permettant d'identifier la personne qui sollicite le consentement et tout autre renseignement précisé par règlement. [...] Ceux qui peuvent présumer un consentement tacite en raison d'une relation d'affaires doivent satisfaire à l'un des critères suivants (par. 10 (10)) :

- ils ont procédé à la vente, au louage ou au troc d'un produit, d'un bien, d'un service, d'un terrain ou d'un droit ou intérêt foncier au profit du destinataire du message dans les deux ans précédant l'envoi du message ;

- ils ont offert une possibilité d'affaires, d'investissement ou de jeu qui a été acceptée par le destinataire dans les deux ans précédents ;

- ils ont passé, avec le destinataire, pour une raison ou une autre, un contrat qui est toujours en vigueur ou qui est venu à échéance dans les deux ans précédents ;

• ils ont reçu une demande quelconque de renseignements du destinataire au cours des six mois précédents.

Pour l'application du projet de loi, tout acheteur d'une entreprise est réputé avoir hérité des relations d'affaires existantes (par. 10 (12)). »

🖰💻🖰

Voici quelques éléments à retenir :

🖰 il s'agit à ce moment d'un projet de loi et certains éléments peuvent changer en cours de route ;

🖰 la définition de *pourriel* est « l'envoi de messages électroniques commerciaux non sollicités » ;

🖰 vous pouvez expédier des messages électroniques commerciaux non sollicités si vous avez obtenu un consentement ;

🖰 il existe deux sortes de consentements : tacite et explicite ;

🖰 vous pouvez communiquer avec vos clients actuels et passés pourvu que votre relation ne soit pas plus ancienne que deux ans ;

🖰 si l'on vous propose d'acheter une liste de clients potentiels, vous devriez vous abstenir, car la probabilité que les propriétaires de courriels aient donné leur accord à ce que leur adresse soit vendue à d'autres parties afin de recevoir un nombre illimité de sollicitations est… nulle.

🖰 le projet de loi ne vise pas à empêcher TOUTE forme de sollicitation. La notion de consentement tacite vous permet d'utiliser, de manière intelligente et respectueuse, votre base de relations d'affaires à des fins de sollicitation, pourvu que vous respectiez certaines règles.

Outil

Lors vos activités normales, vous utilisez probablement un service comme Outlook afin de gérer vos courriels au quotidien. Ce genre de service vous permet d'envoyer des courriels à une liste de clients, mais ce n'est pas un réel moyen de gérer le marketing par courriel. Comment ferez-vous pour gérer les désabonnements ? Comment pourrez-vous évaluer l'efficacité de votre campagne ?

Si votre liste comporte plus de 250 adresses électroniques, vous pourriez avoir certains problèmes avec votre fournisseur Internet actuel. Si vous expédiez un courriel à toute votre liste en même temps, votre compte risque même d'être bloqué et d'être identifié comme *polluposteur*. Votre nom de domaine sera alors sur une liste noire d'expéditeurs et les conséquences peuvent être négatives pour vos envois de courriels réguliers.

Si vous désirez créer des campagnes marketing par courriel, vous devriez considérer un service professionnel comme CyberImpact.com ou MailChimp.com. Ce genre de service comporte plusieurs avantages et est relativement peu dispendieux (MailChimp offre un service gratuit à vie si vous acceptez un peu de publicité. Sinon, vous pouvez payer par envoi ou avec un forfait. Dans tous les cas, le coût est de moins de 0,03 $ par envoi, ce qui est vraiment moins cher qu'un envoi postal).

Étant donné que leur modèle d'affaires est l'envoi régulier et massif de courriels, ils ne peuvent se permettre d'être identifiés comme polluposteurs et feront tout ce qui est en leur pouvoir afin de vous éviter de le devenir. Ils ont une politique ferme en ce sens et ne se gêneront pas pour fermer votre compte si vous contrevenez à leur politique, ce qui est une assurance en soi : ils gardent jalousement leur réputation sur Internet afin d'être identifiés comme des sources fiables d'envoi de courriel, ce qui vous assure en échange d'un taux de livraison de vos courriels souvent au-dessus de 95 %.

Autres sites de marketing par courriels : aweber.com ; icontact.com ; infusionsoft.com.

Gestion

Qualité par rapport à quantité

Lorsque vous analyserez votre liste d'envoi, n'oubliez jamais ceci : la grosseur de votre liste n'est pas aussi importante que la qualité des gens qui y figurent. On peut même aller jusqu'à avancer que le nombre de courriels contenus dans une liste n'est en aucun cas un indicateur de la valeur de la liste, sinon les polluposteurs seraient assurément les gens les plus riches de la planète avec leurs listes de plusieurs millions d'adresses électroniques.

Les gens sur votre liste sont-ils des acheteurs ou des influenceurs qualifiés ? Occupent-ils des postes stratégiques ? Sont-ils convaincus de qui vous êtes et de la qualité de vos produits ? Y a-t-il un bon rapport entre vous et votre liste de contacts ?

Imaginez une liste de cent clients potentiels de qualité, qui aiment votre produit, votre entreprise, qui vous recommandent et qui sont des « influenceurs » qualifiés. Elle aurait plus de valeur qu'une liste de 1 000 personnes que vous auriez achetée à un revendeur de « noms » ou de clients potentiels que vous ne connaissez pas et que vous devrez convaincre de qui vous êtes.

Donc, la qualité avant la quantité est une excellente approche et une très bonne stratégie.

Croissance

Vous désirez sûrement agrandir cette liste, non ? De quelle manière y parviendrez-vous ? Une bonne solution est d'avoir un formulaire d'inscription sur votre site, votre blogue et même, oui, sur vos comptes de médias sociaux.

Voici trois trucs afin de faciliter l'adhésion :

1.   N'exigez pas trop d'informations ! Anecdote : un client me demande de vérifier ce qui peut bien se passer avec son nouveau site. Il ne reçoit plus aucune demande de renseignements par courriel. Je vérifie sa page d'inscription. Huit éléments d'informations sont demandés aux visiteurs s'ils veulent recevoir des renseignements : nom, prénom, nom d'entreprise, numéro de téléphone, courriel, ville, nom du produit et code postal ! Une étoile rouge apparaît à côté de chacun des champs, indiquant ainsi au visiteur qu'il doit fournir ce renseignement. Il ne s'était pas aperçu de cet égarement lors de la construction du site. Le concepteur et lui pensaient que ce serait bien d'avoir toutes ces informations afin de bien connaître le futur client... Un conseil ? N'en demandez pas trop au début. L'adresse courriel et peut-être le prénom, c'est tout. Vous augmenterez ainsi vos chances d'amorcer une conversation.

2.   Affichez votre politique de vie privée ou votre politique de gestion de vos courriels bien en vue. Vous rassurerez ainsi votre client potentiel quant au sérieux de votre entreprise.

3.   Communiquez clairement les avantages de s'inscrire par courriel à vos communications. Idéalement, vous auriez un document comme un livre blanc ou une série de précieux conseils dont votre client potentiel pourrait immédiatement profiter. Les gens aiment les gratifications immédiates et tout ce qui est « gratuit ».

Les outils professionnels permettent de produire des formulaires d'adhésion personnalisés et de collecter des informations supplémentaires automatiquement. De plus, vous pourrez rediriger l'adhérent vers une page « Merci de votre inscription » dans laquelle vous lui confirmerez à nouveau les avantages et lui donnerez les instructions à suivre afin d'obtenir sa prime.

Segmenter et personnaliser

Les courriels les plus appréciés sont ceux qui sont personnalisés et pertinents. L'autre jour, j'ai reçu un courriel de l'entreprise Amazon concernant un produit que j'avais regardé sur son site, mais que je n'avais pas acheté. Le courriel était à mon nom avec la mention : « Nous pensons que vous aimeriez savoir que… » et l'article était en promotion de 25 %. Personnalisé et pertinent. Je l'ai ouvert, je l'ai lu. Je sais que c'est un gros système automatisé qui gère tout cela, mais il n'en demeure pas moins que je ne reçois jamais de courriels d'Amazon ou d'eBay qui ne soient pas pertinents par rapport à ma situation et à mon historique d'achat reliés à ces entreprises.

Comment pourriez-vous personnaliser vos listes de courriels afin de n'envoyer que des courriels qui soient intéressants et pertinents aux bonnes personnes ?

Grâce aux outils professionnels, vous pouvez constituer différentes listes de courriels qui correspondent à différents marchés avec lesquels vous voulez faire du marketing. Ainsi, vous pourriez segmenter vos clients potentiels par les produits auxquels ils sont intéressés ou par le genre d'acheteur (particulier ou entreprise), par région géographique, etc.

Plus votre message est clair et pertinent, plus vous courez la chance qu'il soit lu. Saviez-vous que 64 % des gens ouvrent leurs courriels simplement à cause du titre[55] ? Autrement dit, si le titre de votre courriel leur parle directement, ils ouvriront. Soyez précis.

Permission

Imaginez que vos courriels de « sollicitation » deviennent attendus par vos clients potentiels, que des internautes vous disent : « Pouvez-vous me tenir informé sur tel sujet ? Cela m'intéresse » ! En passant,

---

55. Source : www.cmbinfo.com/.

72 % des acheteurs B2B sont plus susceptibles de partager du contenu qu'ils apprécient via courriel.

Truc : demandez à vos clients de vous ajouter à leur carnet d'adresses

Même si l'on évite d'être détecté comme pourriels, les logiciels comme Outlook, Gmail ou Yahoo peuvent penser que notre courriel est un pourriel. C'est la raison pour laquelle vous devriez demander à votre client de vous ajouter à son carnet d'adresses dès qu'il s'inscrit à votre liste d'envoi.

Respectez la vie privée

Ayez une politique de vie privée et de gestion de vos courriels et rendez-la publique sur votre site. Cette politique peut être très simple (une ou deux phrases) ou plus détaillée. L'important est le respect que vous démontrez (et que vous manifestez) pour la vie privée des gens qui vous confient leurs informations personnelles.

Envoi

D'après un récent sondage[56], les courriers électroniques joueraient un rôle prépondérant dans l'image renvoyée par leur expéditeur. Ainsi, plus de la moitié des personnes interrogées jugeraient l'intelligence de leurs correspondants sur le contenu et la forme des courriels qu'elles reçoivent.

Le style d'écriture, la qualité de langue et le ton utilisé dans la rédaction seraient les principaux points de jugement. De même, un tiers des utilisateurs de courriers électroniques estime pouvoir juger l'âge et le niveau d'autorité de ses correspondants et un cinquième, se faire une idée de la réussite future de la vie de ces mêmes correspondants.

---

56. Effectué par GMX.

Vous voulez un truc afin de toujours ajouter de la valeur aux courriels que vous envoyez ? Étudiez vos réactions lorsque vous ouvrez vos courriels. Remarquez ce qui vous déplaît. Remarquez ce qui vous fait sourire.

Demandez-vous pourquoi vous avez apprécié l'envoi de tel courriel de la part de telle personne ? Soyez votre propre baromètre et vous verrez que les idées de valeur ajoutée viendront à vous.

Vous n'aimez pas qu'on vous prenne pour une valise. Vous n'aimez pas perdre votre temps. Vous n'aimez pas quand le titre du courriel n'est pas clair. Vous n'aimez pas quand les deux ou trois premières phrases parlent pour ne rien dire. Vous aimez quand c'est clair, un peu drôle, de bon goût et que vous y trouvez votre intérêt rapidement. Je me trompe ?

La règle d'or devrait s'appliquer à votre stratégie « courriellienne »... N'envoyez pas un message que vous n'aimeriez pas recevoir vous-même. Ne faites pas perdre de temps à ceux à qui vous courriellez. Que votre message apporte une valeur au temps que la personne prendra pour le lire.

Automatisez votre processus par les autorépondeurs

Comme son nom le dit, l'autorépondeur est un courriel envoyé automatiquement après qu'un événement est survenu : un client potentiel s'est abonné à votre infolettre, un client a commandé votre produit en ligne, il a demandé plus d'informations à propos d'un produit sur votre site Internet, etc.

Ce courriel aura été composé à l'avance, une seule fois, et sera prêt à être utilisé lorsque le temps sera venu. Il attend patiemment que quelque chose se passe avant d'être envoyé.

Vous pouvez utiliser les autorépondeurs pour relancer des clients potentiels qui ne se sont pas manifestés depuis quelques mois. Ainsi, vous pouvez utiliser des fonctions avancées de déclenchement par événement : si votre client potentiel ouvre un courriel ou s'il clique sur l'un de vos liens, un deuxième courriel de suivi lui sera envoyé et fera le lien avec l'événement. Il n'y a pas beaucoup de limites à ce que peuvent accomplir ces services et aux scénarios qu'ils permettent de créer.

L'avantage de cette méthode est la rigueur et la discipline de vos communications. Ainsi, vos correspondants sont joints régulièrement, de façon systématique et cela contribue à augmenter le sentiment de confiance.

Les outils professionnels de marketing par courriel permettent de prévoir des séquences de courriels et de les organiser en campagne de marketing. Ainsi, vous pouvez envoyer un courriel le jour 1, ensuite le jour 1 et 4, et ainsi de suite. Ce sera la même série de quatre à huit courriels, mais ils seront envoyés selon le temps que chacun se sera inscrit. Cette fonction est très puissante lorsque bien utilisée.

Attention aux mots à connotation de pourriel

Même si votre envoi est légitime et ne constitue pas un pourriel au sens de la loi, il peut être considéré comme tel par les logiciels de gestion de courriels. Ainsi, trop de points d'exclamation ou d'écriture en majuscule, trop de mots comme *promotion*, *spécial*, *rabais* peuvent déclencher le filtre à pourriel et votre envoi se retrouvera dans la mauvaise boîte de réception.

Les outils d'envois professionnels de courriels offrent une analyse préventive qui vous permet de détecter si votre texte comporte des risques. Si votre courriel est «vert», il peut être expédié sans risque. Par contre, s'il est «orange» ou, pire, «rouge», il se peut que votre fournisseur de service refuse de l'expédier, car il le juge trop près de la ligne du pourriel.

Certains fournisseurs utilisent un code de couleurs, d'autres, une échelle de 1 à 5 ou de 1 à 10. Vert = bon. Rouge = non. Simple, non?

Truc : utilisez les liens cliquables

Un lien cliquable est simplement un lien que vous incluez dans votre courriel et qui amène votre client ou votre client potentiel sur une page Web. Le fait d'inclure des liens dans vos courriels comporte plusieurs avantages.

Tout d'abord, vous interagissez avec vos interlocuteurs, vous leur proposez du contenu riche, une aventure, un voyage vers une autre destination. Pour un instant, vous les faites sortir de leur cadre de gestion des courriels.

Bien sûr, cela peut être une arme à deux tranchants, mais il faut savoir vivre dangereusement ! Si vous désirez que l'on clique sur le lien, il vous faudra fournir une raison, une motivation, un avantage… Qu'y a-t-il à voir, à écouter, à lire ou à gagner au fait de cliquer sur le lien ? Vous devrez user de votre imagination, des techniques de communication que nous avons vues au chapitre précédent.

« Testez » sur plusieurs plateformes et ne négligez pas le mobile

Plusieurs plateformes sont utilisées pour lire les courriels : Microsoft Outlook, Hotmail, Yahoo Mail, Gmail, sans compter tous les courriels qui sont lus à partir d'appareils mobiles comme les iPhone, Android et BlackBerry. Les dernières statistiques montrent que plus de 40 % des courriels qui sont ouverts le sont sur un appareil mobile. Et la tendance en ce sens ne fait que s'accentuer.

Les outils professionnels, comme vous l'aurez deviné, vous permettent de vérifier de quoi aura l'air votre envoi selon les différents services de courriels. De plus, ils adapteront votre courriel selon qu'il sera lu sur un appareil mobile ou un ordinateur. Cela est particulièrement important lorsque vous utilisez des *thèmes* html afin d'embellir votre courriel au lieu de simplement envoyer du texte. Nous reviendrons plus loin sur les différents aspects du mobile.

Statistiques

Lorsque vous évaluerez votre stratégie de marketing par courriel, vous aimerez suivre les statistiques suivantes :

- Taux de livraison : idéalement plus de 95 %. Il s'agit du pourcentage de vos courriels qui réussiront à se rendre dans la boîte de réception des destinataires. Il n'est jamais de 100 %, mais s'il est en bas de 90 %, vous avez un problème.

- Taux d'ouverture : comme son nom l'indique, il s'agit du pourcentage des destinataires qui ouvriront votre courriel avant de le détruire. Encore une fois, vous aimeriez qu'il soit de 100 %, mais la réalité est différente. Les chiffres varient d'une industrie à l'autre et d'une liste à l'autre, mais si vous obtenez un taux supérieur à 50 %, bravo ! Votre liste est en bonne santé !

- Taux de clics : même concept qu'en publicité, comme nous l'avons vu dans la première partie. Il s'agit du pourcentage des gens qui cliqueront effectivement sur les liens que vous avez inclus dans votre envoi. Plus de 25 % et vous êtes aux oiseaux !

- Taux de désabonnement : à la suite d'un envoi, il est probable que certains de vos destinataires se désabonnent. Le taux de désabonnement est obtenu en divisant le nombre de désabonnements par le nombre de personnes dans votre liste. Un désabonnement sur une liste de 100 équivaut à 1 %. Sur une liste de 10 000, cela est bien moindre, toute proportion gardée.

- Taux d'augmentation : même principe, mais le contraire de la statistique précédente ! Ici, vous voulez un pourcentage élevé.

Il y a beaucoup à écrire et à apprendre concernant le marketing par courriel. Si vous ne l'avez jamais expérimenté, cela peut paraître intimidant. Ma méthode privilégiée ? Allez-y par étapes. Commencez par un courriel expédié par un service professionnel et surveillez vos résultats. Vous aurez ainsi une ligne de base. N'achetez pas une liste de courriels. N'envoyez pas de courriels à des gens que vous ne connaissez pas. Commencez par bien servir les gens que vous connaissez et avec qui vous avez déjà une relation. Cultivez votre liste comme vous le feriez pour un jardin : soyez patient, vigilant et à l'écoute.

⁀🖱🖥⁀🖱

VOTRE BOUTIQUE EN LIGNE

En 2007, il y a eu 61 milliards de dollars de ventes en ligne. Ces ventes ont été effectuées par 8 % des entreprises qui vendaient en ligne.

En 2012, ce chiffre a doublé : 122 milliards de dollars de ventes en ligne qui représentaient, selon Statistiques Canada, 4 % des ventes totales au pays. De plus, l'étude révèle que 50 % des entreprises canadiennes ont acheté des biens ou des services en ligne au cours de cette même année.

Les transactions en ligne ont doublé en cinq ans. Je ne sais pas pour vous, mais je ne crois pas que cette tendance ira en diminuant pour les cinq prochaines années. C'est la raison pour laquelle j'ai décidé d'inclure une section sur les boutiques en ligne dans ce livre.

Vendre en ligne

Avoir un site, un blogue, capturer et envoyer des courriels, avoir une stratégie… Tout ça, c'est bien beau, mais il faut vendre ! Idéalement, il faut vendre en ligne si possible. La tendance est là : le commerce électronique ne cesse de prendre de l'ampleur. Et vous, pouvez-vous ou devriez-vous offrir vos produits et vos services en ligne ?

La réponse dépendra de votre industrie ou de votre secteur d'activité ainsi que des habitudes de vos clients, mais une chose est certaine : les barrières à l'entrée ne cessent de tomber et il est devenu plus simple et facile que jamais d'avoir « pignon sur rue » sur Internet.

Il y a quelques années, la création d'une boutique en ligne pouvait coûter une petite fortune (de 10 000 à 50 000 $) et prendre jusqu'à 6 mois à programmer. Aujourd'hui, grâce aux nouveaux moyens à votre disposition, vous pouvez créer une boutique en ligne en moins de 24 heures et commencer à prendre les commandes de vos clients. Est-ce pour vous ?

Une chose est certaine, vous pouvez commencer à y rêver !

PayPal

PayPal est un service de paiement électronique qui permet de payer des achats ou de recevoir des paiements via Internet. L'ouverture d'un compte PayPal est gratuite et, contrairement à la majorité des solutions de paiement proposées par les banques, ne nécessite pas l'obtention d'un contrat de vente à distance (appelé contrat « VAD ») ou de minimum mensuel de transactions. Échanger de l'argent, sur Internet, en utilisant son adresse courriel, c'est ça, PayPal. Les destinataires sont avertis, par courriel, des paiements reçus ou effectués.

La société PayPal « se rémunère » en prélevant un pourcentage sur chaque transaction (de 2,7 à 3,4 %). Afin de profiter de ce service, une personne (ou une entreprise) doit transmettre ses coordonnées financières à PayPal, comme le numéro de carte de crédit ou du compte bancaire. Par la suite, les transactions sont effectuées entre les internautes sans que personne n'ait à communiquer ses renseignements personnels. Votre adresse courriel et un mot de passe sont suffisants.

La force de ce système est qu'il a permis à de simples individus, travailleurs autonomes ou très petites entreprises (TPE) d'avoir accès à un système d'échange financier reconnu, sécuritaire, simple à installer et efficace. Vous pouvez désormais effectuer des transactions financières avec des étrangers (les devises étrangères sont automatiquement transformées), partout dans le monde, tous les jours, et ce, jour et nuit, sans investissement de départ et sans même avoir une charte d'entreprise.

Vous n'êtes pas obligé d'avoir une boutique en ligne pour utiliser PayPal. Vous n'avez même pas besoin d'avoir un site Internet ! Vous pouvez créer une facture sur PayPal et la faire parvenir à votre client par courriel. Celui-ci clique sur le lien, entre ses coordonnées et vous recevez votre argent dans les minutes qui suivent. Pas de transfert bancaire, pas besoin de fournir votre transit d'institution financière à votre client, pas d'attente d'un chèque qui a été mis à la poste il y a quelques jours et qui risque de rebondir une fois déposé !

Vous pouvez créer un « bouton » de paiement grâce à l'outil gratuit fourni par PayPal et inclure ce « bouton » (via un code html automatiquement généré) sur votre site ou votre blogue afin de permettre à votre client d'acheter votre produit ou service.

Figure 17 – Paiement sécurisé PayPal

Le cadenas, le logo PayPal ainsi que ceux de Visa, MasterCard et American Express démontrent à vos clients que vous êtes en mesure de bien gérer leurs paiements en ligne et que vous êtes prêt à faire des affaires de façon sécurisée et professionnelle.

Si vous êtes dans le domaine de la consultation ou du *coaching*, vous pouvez ainsi offrir la possibilité d'acheter une banque d'heures à tarif fixe. Votre client achète la banque d'heures via votre site, paie à l'avance et vous pouvez livrer vos précieux conseils.

Si vous n'avez que quelques produits à offrir, vous n'avez qu'à insérer un bouton de paiement PayPal près de votre produit et les gens pourront ainsi commander et payer votre produit en ligne directement sur votre site. Pas besoin d'ouvrir une boutique pour vous faire payer en ligne ou offrir vos produits.

PayPal HERE

Vous êtes sur la route. Vous avez des produits ou services à vendre et vos clients n'ont jamais d'argent liquide sur eux. Vous pouvez leur facturer vos produits ou services dès que vous revenez au bureau, mais vous n'aimez pas vraiment cette façon de faire, car certains clients prennent plus de temps que d'autres à vous payer… Soyez rassuré, PayPal a pensé à la solution : PayPal HERE ! Ce service est actuellement disponible aux États-Unis et devrait être déployé au Canada en 2014.

Figure 18 – PayPal HERE

Déjà déployée aux États-Unis, l'application PayPal HERE permet aux utilisateurs de téléphones intelligents de percevoir des paiements de leurs clients, peu importe où ils sont. Très utiles pour ceux qui sont sur la route et qui désirent éviter des phrases comme « je vous poste un chèque lundi »…

PayPal HERE permet de glisser une carte de crédit dans un téléphone intelligent (grâce à un adaptateur qui se branche dans le trou pour les écouteurs) et d'être payé immédiatement lors de la livraison d'un service. Si cela vous intéresse, allez tout de suite sur YouTube et tapez « PayPal HERE » afin d'obtenir des vidéos de démonstration. Je ne sais pas pour vous, mais, personnellement, je compte en profiter dès sa sortie !

Amazon & Cie

L'un des plus gros détaillants en ligne se nomme « Amazon. com ». Au Canada, l'entreprise possède également le site Amazon. ca. Mais, saviez-vous qu'Amazon permet également aux propriétaires d'entreprise d'avoir pignon sur rue dans son magasin ?

Vous vous servez de sa plateforme, de sa crédibilité et de son énorme clientèle pour offrir vos produits. Au Canada, il y a moins de catégories disponibles, mais l'occasion peut être intéressante si vos produits peuvent être inclus dans l'une ou l'autre de ses catégories. Vous pouvez trouver plus de détails via AmazonServices.com.

La même chose peut être faite avec le site eBay.ca. L'avantage est qu'eBay possède une gamme de produits beaucoup plus variée. Les coûts sont minimes et s'appliquent seulement lors des transactions. Il n'y a pas de frais d'ouverture ou de conception. Même raisonnement que pour Amazon ! Les clients sont déjà là. Ils font déjà des recherches et sont habitués de commander en ligne par cette plateforme.

Ouvrir une boutique sur eBay est très simple. Après vous être enregistré, vous devez remplir les critères suivants :

⊸ Vous devez être un utilisateur vérifié sur PayPal.

⊸ Vous devez être enregistré en tant que professionnel sur eBay.

⊸ Vous devez proposer PayPal comme l'un des modes de paiement.

Vous serez guidé étape par étape pour nommer votre boutique, sélectionner son apparence, etc. Vous pouvez créer votre boutique et la rendre fonctionnelle en quelques minutes. Vous pouvez trouver plus de détails via Pages.eBay.com/sellerinformation/ebayforbusiness/essentials.html.

De plus, vous pourrez étudier votre compétition, s'il y en a. Vous aurez accès aux *product reviews*[57]. Si vous vendez beaucoup, que vos prix et votre service sont bons, le gros avantage est que les clients le mentionneront sur votre profil et le succès entraîne le succès dans le monde des réseaux sociaux dans lequel nous évoluons.

Au Québec, vous pouvez tenter votre chance sur LesPac.com ou Kijiji.com. Avant de dire non, allez faire une recherche sur vos produits et services. L'avantage de ces sites est que les clients sont déjà des habitués des transactions en ligne.

Un autre avantage est que vous y découvrirez, peut-être, des compétiteurs. Vous pourrez ainsi vérifier votre offre par rapport à la leur et, s'ils sont présents sur l'un ou l'autre de ces sites, vous auriez fort probablement avantage à y être vous aussi. Vous n'êtes pas obligé d'annoncer tout votre « inventaire », simplement les produits ou services qui sont vos meilleurs vendeurs.

Complétez votre offre grâce à l'affiliation

Amazon vous offre également une autre possibilité : créer une boutique à partir de son offre de produits et l'inclure directement sur votre site. Vous pouvez choisir des produits que vous aimez et recommandez (livre, DVD, équipement électronique, etc.). Bien entendu, il ne faut pas que cette offre soit en compétition avec vos produits actuels. Cela n'a de sens que si l'offre de la boutique Amazon complète vos produits et services.

Un exemple ? Si vous êtes dans le domaine du service-conseil et que vous appréciez différents livres, CD, DVD ou autres,

---

57. Products reviews : critiques de produits.

vous pourriez ainsi gagner de l'argent en recommandant ces produits sur votre site. Votre client ne paierait pas un sou de plus.

Cette méthode de mise en marché se nomme l'«affiliation». Cette fois-ci, au lieu de créer un programme d'affiliation pour vos produits ou services, c'est vous qui recevez une commission, car vous permettez à Amazon de faire de l'argent. Pour plus d'informations, visitez Astore.Amazon.ca.

Prestashop & Cie

Donc, vous pouvez avoir un bouton PayPal sur votre site ou profiter des sites déjà existants comme Amazon ou LesPac. Mais, qu'en est-il si vous voulez vraiment avoir votre propre boutique en bonne et due forme ? À travers les nombreux choix qui s'offrent à vous, je vous propose d'étudier un peu plus en profondeur ceux qui suivent :

Prestashop

Il s'agit d'un logiciel de commerce électronique au code source ouvert. Il est l'un des plus utilisés au monde avec 125 000 boutiques en ligne et une communauté d'utilisateurs dépassant 350 000. PrestaShop est utilisé dans plus de 150 pays et traduit en 56 langues. Le logiciel fut d'abord élaboré en France, ce qui est un atout majeur : on y parle d'abord le français ! L'aide et les tutoriels n'ont pas besoin d'être traduits, ce qui lui confère un avantage de taille dans notre marché.

Sur sa page d'accueil, on mentionne « plus de 310 fonctionnalités ! ». En voici douze :

1.   De base, le logiciel vous est livré avec cinq langues : français, anglais, espagnol, allemand, italien. Tout le site est déjà traduit par des gens qualifiés et votre client pourra choisir sa langue dès qu'il arrivera sur votre site.

2. Vous pouvez calculer vos frais de transport en fonction du prix ou du poids de ce que votre client achète, automatiquement. Il vous est possible de personnaliser les paramètres en fonction de chacun des transporteurs avec lesquels vous faites affaire actuellement afin d'optimiser cette partie de la transaction et d'être concurrentiel. Plusieurs transporteurs sont déjà intégrés : La Poste (France), USPS, FedEx, UPS, Postes Canada.

3. Vous vous rappelez comment il est important de garder un bon suivi avec vos clients par courriels ? Eh bien, PrestaShop a prévu des fonctionnalités qui vous permettent d'envoyer des courriels automatiques selon différents événements : abandon du panier d'achat, promotion des articles les plus vendus, mise de l'avant des promotions sur des articles que vos clients aiment, etc. (Vous ne trouvez pas que ça commence vraiment à ressembler à ce que fait Amazon ?)

4. Coupons et bons de réduction… Ce ne serait pas un vrai site de commerce en ligne si vous ne pouviez pas créer des coupons ou des bons de réduction afin d'inciter vos clients à acheter avant une date précise. Avec PrestaShop, vous décidez du montant de la remise, du nombre de coupons, de l'occasion (anniversaire, nouvelle commande, référence, etc.).

5. Il existe une très grande variété de *thèmes* qui ont été conçus dans le but de vous permettre de donner rapidement une allure professionnelle et distinctive à votre boutique en ligne. Vous pouvez visiter les mêmes sites de *thèmes* que pour WordPress afin de magasiner vos *thèmes* (themeforest.com et templatemonster.com).

6. Optimisation pour les moteurs de recherche : nous le verrons plus en détail dans la prochaine partie, mais le référencement naturel est un élément fort important de votre présence en ligne. PrestaShop a fait des efforts en ce sens et vous permet de personnaliser vos URL

et plusieurs autres fonctionnalités qui vous aideront à être facilement indexé dans les moteurs de recherche comme Google ou Bing.

7. PrestaShop offre également la possibilité d'afficher les produits liés, un peu comme le fait Amazon. Ainsi, si vous savez que tel produit se vend très souvent en compagnie de tel autre qui le complète à merveille, vous l'indiquez dans sa fiche et le logiciel fera le reste : il fera en sorte d'afficher les produits complémentaires, ce qui vous permettra d'augmenter vos ventes.

8. Vous pouvez afficher plusieurs images de chacun de vos produits afin d'aider vos clients à se décider. Afficher plusieurs photos aide les clients à se décider, car ils peuvent ainsi voir votre produit sous différents angles.

9. Une autre idée empruntée à Amazon : la liste de souhaits. Parmi les fonctionnalités de PrestaShop, vous pouvez permettre à vos clients de se créer une liste de souhaits. Cela leur permet de ne pas perdre leur temps de magasinage. En effet, il arrive que nous ne soyons pas prêts à acheter immédiatement, mais nous ne voulons pas perdre les éléments que nous avons trouvés, alors la liste de souhaits permet de sauver les éléments que nous avons remarqués. C'est l'une des raisons qui fait que je retourne souvent sur Amazon...

10. Avis sur les produits. Ici, nous arrivons tranquillement dans le Web 2.0. Vos clients peuvent écrire des avis (idéalement positifs !) sur vos produits dans votre boutique et partager ces avis. Il s'agit de l'une des meilleures formes de marketing.

11. Vous pourrez exporter vos produits sur eBay, Amazon et Google Shopping. Leur logiciel est même intégré à eBay !

12.   Vous pouvez vendre des produits téléchargeables comme de la musique, des photos, des films, des cours ou des livres numériques. PrestaShop s'occupera de votre « inventaire » afin de s'assurer que les liens soient sécurisés et que l'on ne puisse pas en abuser.

En passant, je ne reçois aucune commission de la part de PrestaShop. PrestaShop ne sait même pas que j'existe ! Vous voyez ce qui se passe lorsque vous créez un produit de qualité ? Les gens parlent de vous, même dans leur livre !

Comme WordPress, étant donné qu'il est à code source ouvert, vous n'avez pas à payer pour le logiciel en tant que tel. Par contre, il vous faudra gérer votre nom de domaine, votre hébergement, téléverser le logiciel sur le serveur, effectuer les installations de départ. Ce n'est vraiment pas si pire, mais ce peut être un peu inquiétant lorsque vous n'avez aucune aide et que vous êtes débutant. Il existe par contre de nombreuses vidéos « tutorielles » qui vous aideront à le faire vous-même, mais il y a également une autre solution.

PRESTABOX.com

Pour les individus pas du tout technos, les gens de PrestaShop ont développé une « solution » clé en main dans laquelle ils vous offrent l'hébergement et la configuration déjà installés, ce qui vous sauve du temps et des tracas. Je ne le recommanderais pas si vous prévoyez de forts volumes de ventes (car les honoraires peuvent s'avérer plus dispendieux), mais c'est un excellent point de départ si vous désirez vous saucer le gros orteil dans le monde du commerce professionnel en ligne sans vous ruiner et perdre trop de temps.

Le coût est de 2 % de votre chiffre d'affaires mensuel avec un minimum de 27,89 $[58] par mois, premier mois gratuit et sans engagement. Tout est illimité : nombre de produits, stockage, trafic, etc.

---

58. Le tarif est d'environ 19,99 € par mois. J'ai effectué la conversion.

Bien entendu, si vos affaires décollent en force et si vous désirez effectuer un changement de plan, vous pourrez exporter votre catalogue de produits ainsi que toutes les informations s'y rattachant sans ennui. D'ailleurs, tous les gros compétiteurs de ce secteur offrent la possibilité de transférer votre boutique vers le site en vous permettant de télécharger votre catalogue grâce à divers logiciels de facilitation.

Si vous êtes à l'aise dans la langue de Shakespeare et que vous avez le goût de valider votre choix en étudiant diverses options, en voici deux autres :

MAGENTOCOMMERCE.COM

⌐ 150 000 boutiques dans le monde ;

⌐ Code source ouvert, comme pour PrestaShop.

Le premier de ces deux sites offre également une solution rapide et clé en main (go.magento.com), à la différence qu'il n'exige pas de pourcentage sur le chiffre d'affaires, mais il est un petit peu moins généreux dans les produits et l'espace en ligne. Les prix varient de 15 à 125 $ par mois, sans frais de commission.

SHOPIFY.CA

⌐ 40 000 boutiques en ligne ;

⌐ Essai gratuit de 14 jours disponible ;

⌐ Logiciel propriétaire (pas de code source ouvert) ;

⌐ Plans disponibles : de base : 29 $/mois + 2 % des ventes (100 produits) ; professionnel : 59 $/mois + 1 % des ventes (2 500 produits) ; illimité : 179 $/mois + 0 % des ventes (produits et espace illimités).

Si vous avez déjà un site WordPress ou si vous prévoyez en installer un et vous ne voulez pas avoir à gérer un autre hébergement et un autre site, vous avez également la possibilité d'utiliser les plugiciels suivants qui s'ajouteront à votre site WordPress afin d'y annexer une boutique en ligne :

- WooCommerce est l'un des plus populaires (Woothemes.com/woocommerce) ;

- Jigoshop est une autre solution (Jigoshop.com).

Si vous avez cessé de lire plus de trois fois pour aller voir les sites que je vous propose sur Internet : je suis fier de vous ! Vous êtes enthousiaste et prêt à foncer ! Profitez des offres d'essais gratuits pour créer votre boutique. Lancez-vous. Rêvez et essayez ! Jamais, depuis le début du commerce, il n'a été aussi facile de communiquer votre offre au monde entier et pour si peu, alors, pourquoi pas vous ?

OPTIMISATION POUR LES MOTEURS DE RECHERCHE

Vous le savez déjà, l'optimisation pour les moteurs de recherche, ou le référencement naturel, se traduit en anglais par *search engine optimization*. L'acronyme *SEO* est fréquent en ligne pour nommer cette action. Comment faire en sorte que votre site soit optimisé afin que les moteurs de recherche tels Google, Bing, Yahoo et Ask soient en mesure, non seulement de le répertorier, mais de le placer parmi les premiers résultats de leurs pages de recherche.

Lorsque votre site *apparaît* dans les différents moteurs de recherche, cela s'appelle « résultat naturel », par opposition au « résultat CPC » où vous devez débourser pour apparaître tout en haut.

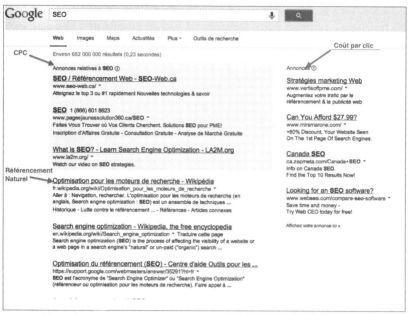

Figure 19 – Référencement naturel

Le résultat naturel ne peut être « acheté » auprès de Google. Il faut que le site soit très bien référencé et que les utilisateurs l'apprécient et le partagent afin que celui-ci se maintienne dans les premiers rangs.

Une entreprise comme Google n'exige aucun frais pour que vous soyez en première page des résultats. Elle ne tire un revenu que si vous désirez apparaître dans l'un des encadrés « annonces relatives à… ». À ce moment, vous devrez concurrencer d'autres annonceurs en misant un montant suffisamment élevé pour apparaître régulièrement dans les annonces. D'autres critères sont également importants, mais ce n'est pas le but de cette section.

Aux fins de simplicité et d'efficacité, nous nous concentrerons sur les meilleures pratiques exigées par Google. En effet, son moteur de recherche est utilisé par une très grande majorité d'internautes (de 65 à 90 % selon les régions et les pays). Si vous avez accès à votre compte Google Analytics pour votre site Web, allez vérifier « Source de trafic ». Pour tous les clients que j'ai eu l'occasion de consulter, la proportion de visites provenant de Google était au-delà de 90 %. Il est donc un joueur très important, comme vous vous en doutiez.

Il faut bien comprendre que Google vise d'abord et avant tout à satisfaire ses clients : les internautes qui effectuent des recherches. Si Google ne leur livre pas des résultats de bonne qualité, les internautes mécontents feront ce que tous les clients mécontents font : ils iront voir ailleurs. Google est donc très rigoureux dans son processus de recherches qu'il divise en trois étapes :

Exploration

Étant donné que le document fourni par Google est extrêmement clair à cet effet, je me permets de vous en transmettre des parties : « [...] Nous utilisons un nombre impressionnant d'ordinateurs pour extraire (ou explorer) des milliards de pages Web. Le programme qui gère cette extraction s'appelle "Googlebot" (également désigné par "robot" ou "robot d'indexation" ; *spider* en anglais). Googlebot utilise un processus d'exploration basé sur des algorithmes ; nos programmes informatiques déterminent les sites à explorer, la fréquence d'exploration et le nombre de pages à extraire de chaque site. Le processus d'exploration de Google consiste dans un premier temps à établir une liste des URL de pages Web, produites à partir des explorations précédentes et auxquelles s'ajoutent les données *sitemap* fournies par les *webmasters*. Au cours des visites de ces sites Web, Googlebot détecte les liens figurant sur chacune des pages et les ajoute à sa liste des pages à explorer. Les nouveaux sites, les modifications de sites existants et les liens rompus sont répertoriés et utilisés pour mettre à jour l'index Google. Google n'accepte aucun paiement pour explorer un site plus fréquemment et sépare distinctement toute activité consacrée à la recherche Google du service AdWords, qui génère des revenus[59]. »

Il faut donc que Google connaisse l'existence de votre site si vous désirez qu'il l'explore. Nous verrons plus loin comment faire en sorte qu'il ne vous ignore pas.

---

59. Source : https://support.google.com/webmasters/answer/70897.

Indexation

Une fois que les Googlebots ont trouvé votre site et en ont fait le tour, il faut que Google soit en mesure d'indexer les résultats selon les termes (mots-clés) rencontrés. Ces termes seront classés selon leur importance et l'endroit où ils ont été rencontrés sur votre site (titre, texte, liens, etc.). Google traite également les informations comme le titre que vous aurez donné à votre page, sa description et même les textes «ALT» de vos images. Par contre, Google ne peut traiter tous les contenus de votre site. Ainsi, si vous avez utilisé des fichiers d'images dans lesquels vous avez placé du texte stylisé, Google ne pourra le lire. Même chose pour les pages dynamiques (leur URL comporte un « ?») et les éléments de média enrichi (*rich media*), comme le Flash ou la vidéo.

Présentation

Google utilise un algorithme qui prend en compte 200 critères différents afin de livrer des résultats de recherches les plus optimaux possibles. Cet algorithme est révisé régulièrement afin d'empêcher ceux qui désirent profiter de failles dans son système et ainsi truquer les résultats de recherches. L'un des éléments de cet algorithme est le PageRank. «PageRank évalue l'importance d'une page en fonction des liens provenant d'autres sites et renvoyant à ladite page. En d'autres termes, tous les liens figurant sur d'autres sites et pointant vers l'une de vos pages sont pris en compte pour établir le classement PageRank de votre site. Tous les liens ne sont pas équivalents : Google s'efforce d'identifier les liens de *spam* et les autres pratiques nuisant à la qualité des résultats de recherches. Les meilleurs liens sont ceux obtenus grâce à la qualité de votre contenu[60]. »

En passant, les 200 critères utilisés par Google sont inconnus du grand public. La recette de leur algorithme est plus secrète que celle du colonel Sanders ou du caramel dans la Caramilk. Sérieusement.

---

60. Source : https://support.google.com/webmasters/answer/70897.

Les conseils qui suivent sont fortement inspirés de la documentation fournie par Google concernant l'optimisation pour les moteurs de recherche[61].

Mot-clé

Mot-clé ou expression-clé : *eau* est un mot, mais pas nécessairement un mot-clé. *Eau de source*, c'est déjà plus intéressant. *Terre* est un mot, *terre à jardin* est une expression-clé. Vous pouvez voir la différence si vous faites une recherche sur Google. Aucune entreprise n'annonce sous *eau* ou *terre*. Ces mots sont trop génériques et n'ont aucune réelle valeur commerciale. Par contre, si vous entrez « terre à jardin », vous verrez des annonces et des entreprises souhaitant être classées haut dans les pages de Google, car il y a possibilité de faire des affaires avec vous si vous êtes à la recherche de « terre à jardin ». Donc, un mot-clé ou une expression-clé sont différents d'une industrie à l'autre, d'un secteur à l'autre. Ils peuvent évoluer au fil du temps. Petit truc : si aucune entreprise n'annonce pour un mot ou une expression-clé, soit vous êtes très chanceux et n'aurez aucune compétition, ce qui est une excellente nouvelle, soit les mots-clés sur lesquels vous vous concentrez n'ont aucun attrait ou volume de recherche suffisants pour attirer la compétition, ce qui n'est pas une si bonne nouvelle.

Identifiez vos mots-clés. Ils représentent le nerf de la guerre sur le Web. Vous n'avez pas à optimiser pour le nom de votre entreprise ou le nom de votre produit. C'est évidemment facile, il s'agit simplement de vous. Vous voulez optimiser et être trouvé lorsque les gens sont à la recherche d'un sujet précis. Quels sont vos mots-clés importants ? Ce sont les mots qui sont le plus recherchés par vos clients et vos clients potentiels. Afin de vous assister dans cette recherche, Google a créé un outil dans son service AdWords (voir encadré) qui vous permet de générer des mots-clés et de connaître leur volume de recherche mensuel. Je vous suggère fortement d'utiliser ce service.

---

61. Si vous désirez télécharger une version complète, gratuite et en français du *Guide de démarrage Google* concernant l'optimisation pour les moteurs de recherche, rendez-vous à http://bit.ly/vous-seo-google.

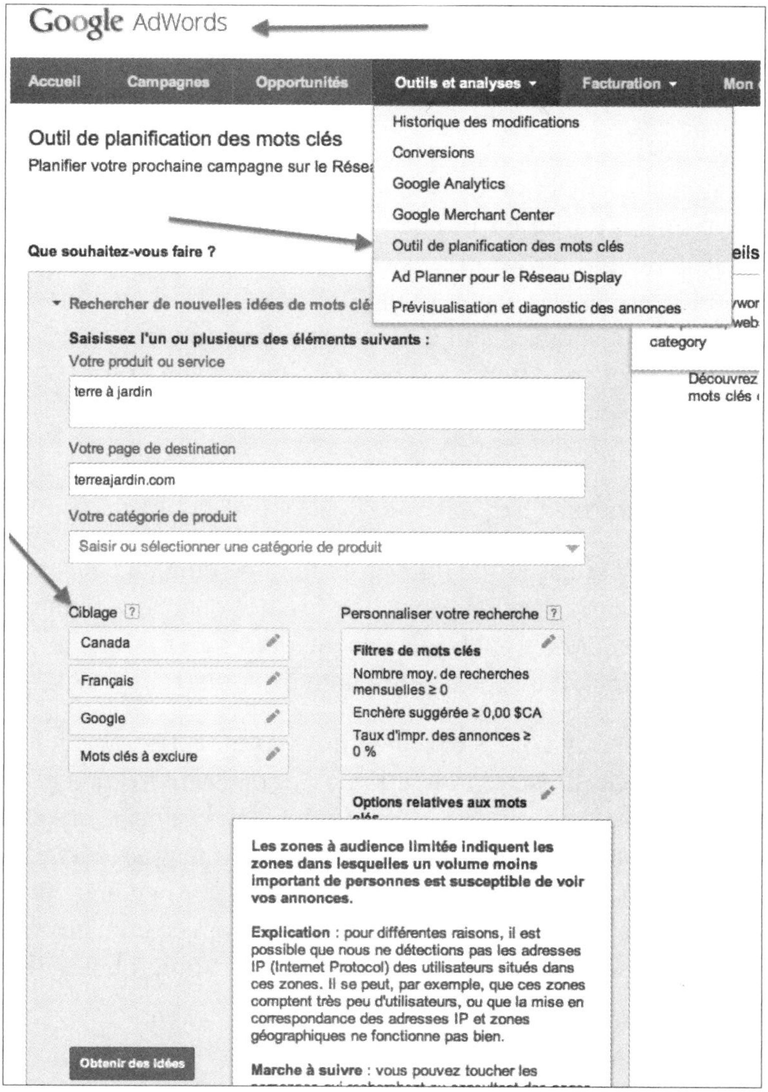

Figure 20 – Google AdWords

L'outil Google AdWords (gratuit) contient une mine d'informations utiles à propos des mots-clés, de leur popularité et permet de générer des idées d'autres mots-clés ou phrases-clés auxquels vous n'auriez pas songé.

Identifiez les synonymes et les variantes : le générateur de mots-clés de Google vous aidera en ce sens, mais utilisez également un bon dictionnaire de synonymes en ligne. Plus vous enrichissez le vocabulaire de votre site, plus vous augmentez vos chances d'un bon référencement.

Désignez les deux ou trois mots-clés centraux pour chaque page : n'essayez pas de trop en faire en chargeant une page avec trop de mots-clés. Google utilise un système de bac à sable (*sandbox*) dans lequel un nouveau site peut être listé, et pénalisé, s'il emploie trop de techniques sophistiquées afin d'élever rapidement son référencement. Alors, soyez sage et naturel. Écrivez intelligemment et n'essayez pas de trop en faire en une seule fois.

Nom de domaine

Le réflexe normal est de choisir un nom de domaine qui reflète le nom de votre entreprise. Normal. Par contre, pour le référencement naturel, ce n'est pas optimal. Idéalement, vous aurez au moins l'un de vos mots-clés importants dans votre nom de domaine.

Il est clair que si votre site se nomme « lesentreprisesabc.com », il a moins de chances d'attirer l'attention des moteurs de recherche que si vous avez choisi de l'intituler « terre-jardin.com » (dans le cas où vous seriez dans le marché de vendre de la terre à jardin, bien sûr). Le nom de domaine revêt une certaine importance, même si ce n'est pas tout. Soyez opportuniste, si possible. Remarquez le nom de domaine qui sort en premier lorsque l'on fait une recherche pour « microbrasserie » sur Google.

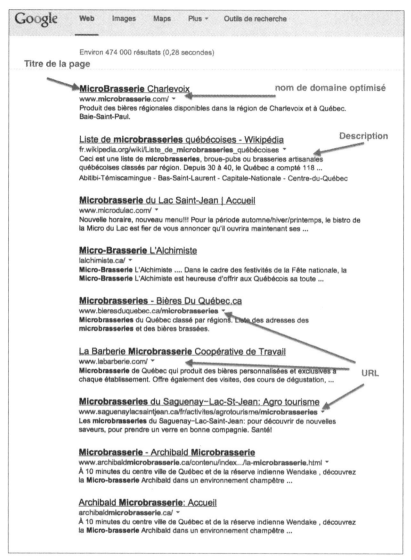

Figure 21 – Titre, nom de domaine, description, URL et référencement

Plusieurs éléments sont importants lorsque votre site apparaît dans une recherche sur Google : le titre de votre page, votre nom de domaine, la description de la page ainsi que l'URL. Il ne s'agit pas uniquement d'être affiché dans les recherches. Encore faut-il que les personnes cliquent sur votre lien afin que vous obteniez une visite.

Titre de page

Comme vous pouvez le constater dans les résultats de recherches ci-dessus, le titre de votre page est ce qui apparaît en bleu et en caractère gras dans la présentation des recherches de Google. Votre titre se doit donc de comprendre au moins un ou deux mots-clés.

Le titre de votre page se retrouve dans la balise « Title » dans le code html de votre site. Si vous utilisez Wix ou WordPress, vous pourrez facilement personnaliser vos titres de pages.

Le titre est également un incitatif et il ne faut pas négliger son côté marketing : les gens doivent avoir le goût de cliquer sur votre site.

De plus, chacune de vos pages doit avoir un titre et une description différente. Ce n'est malheureusement pas toujours le cas. Certains logiciels ou même créateurs de site oublient de personnaliser des descriptions ou des titres de pages et, selon Google, il est illogique que toutes les pages de votre site soient les mêmes et Google pénalise pour ce genre de « laisser-aller ». En passant, avez-vous remarqué que tous les titres de pages comportaient le mot-clé recherché, soit *microbrasserie* ?

Description

L'inclusion de mots-clés dans la description de votre page n'aidera pas sur le plan du référencement naturel, par contre, lorsque votre page sera présentée dans les résultats, les mots-clés ou expressions-clés utilisés pour la recherche seront mis en caractère gras par Google, ce qui peut vous donner un léger avantage lorsque viendra le temps de cliquer sur votre site.

Côté marketing, c'est le même principe que pour votre titre : soyez attrayant. Encore une fois, faites attention si vous construisez votre site vous-même : Wix et WordPress vous offrent les outils afin de créer les descriptions de page, mais ils ne le feront pas à votre place. Donc, si vous omettez cette partie, les logiciels prendront simplement les premières lignes de texte disponibles sur votre site et s'en serviront comme description. Le résultat n'est pas toujours probant.

Un bon exemple de description ? Retournez voir l'encadré et lisez les différentes descriptions des sites de microbrasseries. Si vous désirez connaître vos titres de pages et descriptions, effectuez simplement une recherche sur Google sur le nom de votre entreprise et vous verrez apparaître tous vos éléments dans les résultats.

Qualité d'abord

Voici des extraits des conseils prodigués par Google dans son document sur l'optimisation pour les moteurs de recherche concernant le contenu des sites Web :

- ⁀ « Concevez vos pages en pensant d'abord aux internautes et non aux moteurs de recherche.

- ⁀ Concevez un site utile et riche en informations et rédigez des pages présentant votre contenu de façon claire et pertinente.

- ⁀ Assurez-vous que vos liens fonctionnent correctement et que le code html de vos pages ne présente pas d'erreurs.

- ⁀ Assurez-vous que votre site s'affiche correctement dans différents navigateurs en le testant.

- ⁀ Ne trompez pas les internautes !

- ⁀ Vérifiez régulièrement que votre site n'est pas piraté, et supprimez tout contenu affecté dès que possible. [Note : L'une de mes clientes est planificatrice financière et sa clientèle principale est les personnes âgées. Lors de la vérification de son site afin de lui donner des conseils, je suis tombé sur une toute autre page d'accueil. Troublant. Son site avait été piraté à des fins de propagande extrémiste et elle n'était pas au courant. Heureusement, le but des individus n'était autre que de faire passer leur message et aucune donnée essentielle n'a été altérée ou volée. Disons qu'elle a eu une bonne frousse !]

🖱 Supprimez le spam généré par les utilisateurs sur votre site, et adoptez des techniques permettant d'empêcher la génération d'un tel spam.

🖱 Surveillez les performances de votre site et optimisez les temps de chargement. Google s'emploie à proposer aux internautes les résultats de recherches les plus pertinents et un confort de navigation optimal. Des sites rapides participent à l'amélioration de la qualité globale du Web (en particulier pour les internautes ayant des connexions Internet à bas débit). »

Comme vous pouvez le constater, tous ces conseils n'ont pas rapport aux mots-clés eux-mêmes, mais plutôt à la performance et à l'expérience générale de votre site. Lorsque ces conseils proviennent directement de Google, je crois qu'il est sage de les suivre. Dans la section « Outil », vous aurez une foule de ressources qui pourront vous assister en ce sens.

Balise « H1 »

En code html, la balise H1 signifie que le texte doit être affiché dans une grosseur supérieure. C'est le titre principal dans le texte que vous affichez. Il revêt donc une certaine importance en référencement naturel. Encore une fois, avec les outils Wix ou WordPress, il est « relativement » facile de créer des en-têtes H1.

Faites en sorte que vos titres comportent des mots ou expressions-clés. Ainsi, au lieu d'écrire « Nos produits », qui est trop générique, tentez de trouver un moyen d'inclure un mot plus spécifique à votre domaine d'activité.

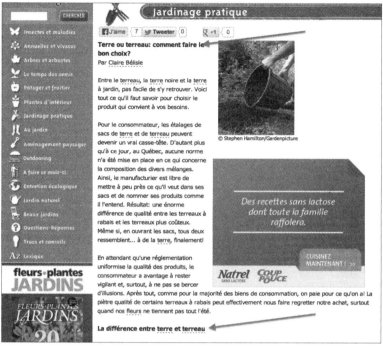

Figure 22 – Balise H1

La balise H1 est utilisée pour les titres de pages. Étant donné qu'il s'agit d'un titre, le texte qui est inscrit obtient donc une attention un peu plus grande de la part des moteurs de recherche. Il s'agit de l'un des 200 (environ) critères utilisés afin d'indexer une page Web.

Gras et italique

Mettez en valeur vos mots-clés dans le texte : si vous mettez vos mots-clés en caractère gras ou en couleur, cela signifiera que le contenu de votre texte est articulé autour de ces mots et augmentera la crédibilité de votre contenu. Encore une fois, la modération a bien meilleur goût. Dans le texte de l'encadré, l'auteur n'a pas hésité à y aller avec beaucoup de caractère gras. Dans le cas de cette page, elle s'est retrouvée en première page des résultats de Google.

La **terre** à proprement parler est la matière qui recouvre la surface du sol et que l'on cultive. Il en existe différentes variétés sur le marché. La **terre à jardin minérale**, d'abord, est exempte de matière organique, tandis que la **terre à jardin organique** contient un pourcentage de compost. La **terre noire**, quant à elle, est constituée de mousse de sphaigne à un stade de décomposition très avancé, à laquelle on a ajouté de la chaux.

Le **terreau** est plutôt composé de terre organique mêlée à des matières animales et végétales en décomposition, et sert d'engrais naturel. L'appellation «terreau» s'applique à un mélange qui contient au moins deux des éléments suivants: terre minérale, compost, tourbe de sphaigne et chaux. Entrent également dans la composition de certains mélanges spécialisés: pierres volcaniques (comme la perlite), argile cuite, etc.

On trouve sur le marché des **terreaux légers**, c'est-à-dire qui sont plus ou moins sablonneux, qui se drainent facilement et dont la teneur en eau est faible, et des **terreaux lourds**. Ces derniers, plus argileux, contiennent beaucoup d'eau, ce qui en augmente le poids. Les particules qui les composent sont très fines et ne permettent pas à l'eau de s'égoutter librement. Enfin, certains **terreaux** ont été **tamisés**: les parties les plus grossières ont été enlevées à l'aide d'un tamis pour rendre l'utilisation plus facile et réduire les pertes de produit par l'utilisateur.
À noter: la composition des terres et terreaux - c'est-à-dire la nature, la qualité et le pourcentage de leurs ingrédients - influe sur leur prix. Les produits destinés à des usages spécifiques (comme ceux pour les semis ou la culture des orchidées) sont les plus coûteux.

Quel produit pour quel usage?

On se sert de la **terre à jardin** pour **donner du volume à une nouvelle plate-bande, aider une nouvelle pelouse à s'établir ou faire notre propre mélange**, en ajoutant du compost, par exemple.

Puisqu'il devrait déjà contenir suffisamment de matière organique, on utilise le **terreau** au moment de la plantation pour **améliorer le sol existant et s'assurer que nos nouvelles plantations partiront du bon pied**. Avec un bon apport de terreau, on allège les sols trop lourds (argileux) et on augmente la rétention d'eau et la teneur en éléments nutritifs des sols légers (sablonneux). S'il est enrichi de compost, le terreau améliore la vie microbienne du sol, essentielle à une bonne croissance des végétaux, et en augmente la fertilité.

Pour la **culture en contenant**, un **terreau prêt à l'emploi** a l'avantage de simplifier la vie de l'utilisateur. Certains fournisseurs garantissent l'uniformité du mélange d'une année à l'autre. On s'informe au préalable pour savoir quelle concentration des divers ingrédients donne les meilleurs résultats pour chaque type de culture et de contenant.

Figure 23 – Caractère gras

Les termes importants du texte ont été mis en caractère gras et plusieurs d'entre eux sont liés à une autre section du site qui les explique plus en profondeur. Ce genre d'intégration est apprécié de la part des moteurs de recherche et est perçu comme un indice de qualité, rehaussant ainsi son rang dans l'indexation globale.

Texte d'ancrage, liens et hyperliens

Le texte d'ancrage est celui sur lequel vous cliquez lorsque vous voulez consulter la page à laquelle l'auteur fait référence dans un texte. Plusieurs néophytes auront tendance à écrire «cliquez ici». Le problème est que Google se demande alors de quoi vous parlez. Il faut comprendre que les sites sont analysés par des robots. Lorsqu'un lien est fait entre un texte et un autre texte, le lien entre les deux doit être évident. Encore une fois, si vous parlez de terre à jardin, faites le lien directement sur le texte au lieu d'« ici ». Voilà pour la notion du texte d'ancrage.

Les liens maintenant. Ils sont de trois types et ils ont tous un effet sur votre référencement naturel :

1. Liens internes : toutes les pages de votre site devraient être accessibles à partir d'un lien provenant d'une autre page et vous devriez faire en sorte que votre contenu soit relié d'un endroit à l'autre de votre site.

2. Hyperliens sortants : lorsque les gens visitent votre site, il est évident que vous désirez les garder et les convaincre de demeurer avec vous. Par contre, il sera nécessaire de temps à autre de faire des renvois à d'autres sites afin d'appuyer vos dires. Le fait de mettre des hyperliens sortants est bien consi-déré du point de vue d'un moteur de recherche. Cela signifie que vous ne fonctionnez pas en vase clos, que vous offrez à vos lecteurs des moyens de sortir pour vérifier vos dires et de continuer à naviguer sur un sujet naturellement. Encore une fois, n'en faites pas trop ! Et n'incluez pas de liens sortants sur votre page d'accueil. C'est une chose de créer des liens dans un article de votre blogue, c'en est une autre de favoriser la sortie de votre client potentiel dès son entrée sur votre site !

3. Hyperliens entrants (*backlink*) : des trois sortes de liens, ils sont probablement les plus importants. Il s'agit de liens que d'autres sites font vers le contenu de votre site. Cela donne un signal à Google que votre contenu comporte une certaine qualité. Plus le PageRank du site référent est élevé, plus son lien vers vous sera compté comme important par Google et vous aidera dans votre optimisation pour les moteurs de recherche. Vous pouvez vérifier votre PageRank et celui des sites référents à PrChecker.info.

Nom et description des images

Voici un extrait d'un document de Google : « Pour présenter les éléments les plus importants de votre site (noms, contenu, liens, etc.), utilisez du texte plutôt que des éléments graphiques. En effet, notre robot d'exploration ne reconnaît pas les informations contenues dans les éléments graphiques. Si vous devez utiliser des images pour du contenu textuel, pensez à utiliser des attributs "ALT" afin d'inclure une brève description. Assurez-vous que le texte associé aux balises <title> et aux attributs ALT est descriptif et pertinent. »

Si vous utilisez Wix ou WordPress, ces logiciels vous aideront à inclure un texte ALT à vos images. Cependant, avant même de téléverser vos fichiers, nommez-les avec au moins un mot-clé. Ainsi, au lieu de téléverser « DSC_1804.jpg », vous téléverserez « terre-jardin-1. jpg » ou « micro-brasserie-1.jpg », ce qui est plus facile à reconnaître pour les moteurs de recherche.

Adresses URL optimisées

Encore une fois : optimisation. Si vous vous référez à l'encadré concernant la recherche sur les microbrasseries, vous remarquerez que la plupart des URL des sites qui apparaissent en première page sont optimisées pour le mot-clé *microbrasserie*. Encore une fois, ce petit détail n'est pas long à implémenter et peut vous donner une chance.

Intégration sociale

C'est maintenant un fait : le partage de votre site sur les réseaux sociaux contribue à un meilleur classement dans les moteurs de recherche. Soyez donc proactif et incluez des boutons « J'aime » (Facebook) ou « +1 » (Google+) ou autres sur votre site afin de faciliter le partage de votre site sur les différents réseaux sociaux. Cela influencera votre référencement naturel.

Inscrivez votre site

Si ce n'est déjà fait, faites connaître l'existence de votre site en visitant cette adresse : Google.com/submityourcontent. Cette action est particulièrement importante si vous venez de construire un site et qu'aucun site ne *pointe* vers vous. Les robots de Google suivent les hyperliens sur les sites afin de découvrir ce qu'il y a de nouveau sur le Web. Si votre site n'est référencé par aucun autre site, il pourrait s'écouler une longue période de temps avant que Google ne découvre votre site.

Faites également connaître votre site à Bing. Bing appartient à Microsoft et est beaucoup plus intégré avec Windows 8 et les logiciels par défaut de Windows 8 que précédemment. Il est également le nouveau moteur de recherche utilisé par Siri (assistance vocale) qui est installé sur tous les iPhone et iPad d'Apple. Certains analystes (optimistes, mais quand même !) prédisent jusqu'à 30 % des parts de marché pour Bing d'ici 5 ans. Alors, pourquoi ne pas être un pionnier et faire en sorte que votre site soit facilement indexé par Bing en lui faisant connaître son existence grâce à ce lien : Bing.com/toolbox/submit-site-url[62] ?

Figure 24 – Bing de Microsoft

Même si Google est actuellement dominant dans le domaine de la recherche sur Internet, il est important de ne pas sous-estimer son rival, Bing de Microsoft. Apple intègre de plus en plus d'éléments du moteur Bing dans ses différents iPhone et iPad, ce qui est un élément intéressant. Nul ne connaît l'avenir, il est donc bon d'avoir un plan B et de diversifier ses efforts.

---

62. Bing vous demandera de vous inscrire à leur site webmaster et vous offriront 50 $ en cadeau !

Création et diffusion du plan de votre site

Lors de la construction de votre site Web (que ce soit avec WordPress, Wix ou autre), vous devriez être en mesure de créer un plan de votre site (fichier XML). Ce plan aide les moteurs de recherche à comprendre la structure de votre site et à mieux l'indexer. Vous pouvez utiliser les outils « Webmaster » (voir plus bas dans la liste des outils) de ces deux sites afin de téléverser votre plan.

Évitez les solutions « miracles »

Voici un extrait d'un document de Google : « Évitez les "astuces" destinées à améliorer le classement de votre site dans les moteurs de recherche. Pour savoir si votre site Web respecte nos consignes, posez-vous simplement la question suivante : "Cela me dérangerait-il d'expliquer au propriétaire d'un site Web concurrent ou à un employé de Google quelles sont les solutions que j'ai adoptées ?" Vous pouvez également vous poser les questions suivantes : "Ces solutions sont-elles d'une aide quelconque pour les internautes ? Aurions-nous fait appel à ces techniques si les moteurs de recherche n'existaient pas ?"

» Évitez les techniques suivantes : participation à des systèmes de liens ; texte et liens cachés ; pages satellites ; contenu détourné ; accumulation de mots-clés non pertinents sur les pages ; utilisation abusive du balisage associé aux extraits enrichis (une pratique illicite consiste à inclure des pages satellites (*doorway*) remplies de mots-clés sur le site du client. Le *SEO* prétend que cette pratique rendra la page plus pertinente et correspondra à un plus grand nombre de requêtes des internautes. Ce principe est faux, car une page donnée est rarement pertinente pour un grand nombre de mots-clés. Mais, ces pratiques peuvent même aller plus loin : très souvent, ces pages satellites contiennent des liens secrets qui pointent vers les sites d'autres clients du *SEO*. Elles détournent ainsi la popularité du site d'origine vers le *SEO* et ses autres clients, y compris parfois des sites au contenu douteux ou illégal. »

Google est très sérieux en ce qui concerne les pratiques douteuses. Cela va à l'encontre de ce qu'il tente de créer. Méfiez-vous des consultants qui veulent vous vendre des résultats « garantis » et « rapides ». Vous pourriez vous retrouver dans une fâcheuse position si votre nom de domaine est banni.

Liste d'outils utiles

1. **Guide de démarrage relatif à l'optimisation pour les moteurs de recherche, par Google.** Téléchargez une version gratuite à bit.ly/VOUS-seo-google.

2. **Blogue officiel de Google.** Consultez le blogue de Google, en français, à support.google.com/webmasters.

3. **Google Webmaster.** Ouvrez un compte gratuit à google.com/webmasters. Parmi les nombreux avantages, vous pourrez faire ce qui suit :

   ⁀ Vous assurer que Google trouve votre site.

   ⁀ Avoir accès aux erreurs que Google trouvera (idéalement aucune, mais bon) sur votre site et pouvoir ainsi y remédier.

   ⁀ Accéder à vos statistiques d'apparition dans les recherches (ce que vous ne pouvez avoir avec Google Analytics).

   ⁀ Voir les liens que les autres sites font vers vous (*backlink*).

   ⁀ Voir quelles sont les pages qui ont le plus de succès dans le moteur de recherche et ainsi vous concentrer sur elles afin de les optimiser (faire en sorte que vos visiteurs continuent leur visite et agissent).

   ⁀ Détecter le *malware* (maliciel) qui peut s'installer sur votre site et vous prévient même par courriel. Il agit un peu comme un détecteur de virus, mais pour votre site.

4. Bing Webmaster. Visitez bing.com/toolbox/webmaster afin d'ouvrir votre compte gratuit. Cela vous assurera que Bing a indexé votre site et n'y a détecté aucune erreur.

5. Google Analytics. Visitez google.com/analytics. Cet outil vous permet d'analyser les données d'utilisation de votre site : trafic, nombre de pages vues, taux de rebond, etc.

8. Upcity.com. Cet outil professionnel vous aide à analyser votre site encore plus en profondeur. Excellente ressource. Par contre, il faut débourser un montant annuel, mais il va encore plus loin que peut le faire Google. Outil de pro à la disposition des amateurs pleins de bonne volonté !

9. Developers.google.com/speed/pagespeed/insights. Cet outil analyse la vitesse de votre site. Géré par Google. Vous obtiendrez une note de 0 à 100, 100 étant le but !

OK, je vous l'accorde : nous venons de terminer la section la plus technique de tout le livre, et ça peut vous apparaître un peu beaucoup « pesant » pour l'instant. Je m'en suis rendu compte en l'écrivant ! Mais, je voulais tout de même partager avec vous certains des éléments fondamentaux de base de tout bon référencement naturel.

Les mots de sagesse sur lesquels je désire vous laisser sont inspirés d'une conférence que Matt Cutts a donné concernant le référencement naturel :

≪ […] que votre site soit attirant pour vos visiteurs. Ils resteront plus longtemps et cela réduira automatiquement votre taux de rebond. Ils reviendront. Ils partageront. Ils l'ajouteront à leur marque-page. Ils le recommanderont et votre site aura ultimement le succès que vous souhaitez. Soyez sincère, vrai, congruent et aidant. Avant même de vouloir commencer à utiliser n'importe quelle technique que ce soit et tout ira bien. ≫

ENGAGER UNE FIRME POUR FAIRE UN SITE

Deux ressources sont essentielles quand on fait des affaires : le temps et l'argent.

Si vous disposez de capitaux abondants, le fait d'engager une firme est totalement logique. Les avantages sont nombreux dans le fait d'engager une firme spécialisée afin de créer votre site Web. Elles sont spécialisées, savent ce qu'elles font, sont efficaces et professionnelles et vous libèrent du temps et vous évitent des tracas.

Cela veut-il dire que vous devez y aller à l'aveuglette et faire confiance à la première firme qui vous fait une proposition ? Bien évidemment, non. Je vous suggère de passer par ces quatre étapes afin d'obtenir le maximum possible des capitaux que vous investirez :

Rédigez un devis

Prenez le temps de définir vos besoins sur papier. Voici quelques pistes pour y arriver :

⏺ Quel genre de site désirez-vous : une boutique en ligne, un blogue, un simple site statique avec quatre ou cinq pages ? Une bonne idée est d'aller faire un tour sur les sites de *thèmes* dont je vous ai parlé antérieurement et d'essayer de visualiser celui qui vous « parle » le plus. Vous pourriez même choisir un modèle et l'inclure dans votre devis.

⏺ Quel sera votre contenu ? Combien avez-vous d'images ou de photos à téléverser ? Avez-vous déjà un site existant ?

⏺ Êtes-vous dans un environnement très compétitif ? Alors, vous voudrez faire la liste des cinq principaux sites compétiteurs et l'inclure dans votre devis.

⏺ Quand désirez-vous que le site soit terminé ?

⏺ Quel est votre budget : 1 000, 5 000, 10 000 $? En fixant votre budget, n'oubliez pas « l'entretien » de votre site. Vous voudrez qu'il soit à jour, vous voudrez être en mesure d'effectuer des changements afin qu'il soit au goût du jour et qu'il suive l'évolution de votre entreprise. C'est un peu comme pour l'achat d'une automobile : le coût d'acquisition n'est pas le seul élément à considérer. Si vous payez trop cher pour votre voiture au point de départ et qu'il ne vous reste plus de budget pour faire l'entretien, vous risquez d'être très déçu au bout d'un certain temps. Mieux vaut penser au budget non seulement pour le début de votre projet, mais également pour les années à venir.

Une fois que vous avez amassé toutes vos informations, écrivez un texte simple, clair, dans lequel vous décrivez tous vos besoins. Ce sera votre devis de départ.

Envoyez votre devis

Approchez trois à cinq firmes différentes. Un truc ? Googlez « Création Site Web » + le nom de votre ville ou de votre région. Pourquoi googler les firmes ? Le premier test sera déjà passé : si elles apparaissent en première page, elles ont fait un bon travail de référencement avec leur propre site, ce qui est un bon point de départ.

Visitez leurs sites et comparez-les afin de vous assurer de la qualité initiale.

Écrivez un courriel à chacune d'entre elles avec le même texte.

Notez l'heure et la date.

Interviewez les meilleures firmes

À la suite de votre envoi, vous pourrez constater de quelle manière et à quelle vitesse les différentes firmes vous répondront. Vous aurez déjà un deuxième élément de réponse. Vous pourrez correspondre par courriel, mais idéalement vous le ferez par téléphone. Voici quelques questions que vous aimerez poser :

⌐ « Depuis combien de temps êtes-vous dans les affaires ? »

⌐ « Quelle est votre expérience avec des clients comme mon entreprise ? Avez-vous déjà travaillé avec des entreprises dans mon secteur d'activité ? »

⌐ « Quelles sont vos réalisations récentes ? »

⌐ « Proposez-vous un service de marketing en ligne, de suivi de mes activités et d'optimisation des moteurs de recherche ? »

⌐ « Quel est le genre de résultats que vous espérez obtenir quant au référencement et dans quel délai ? »

⌐ « Quelles sont vos principales techniques d'optimisation des moteurs de recherche ? »

⌐ « Êtes-vous à l'aise de construire un site en utilisant WordPress ? »

⌐ « Puis-je être hébergé ailleurs ?[63] »

Vous verrez de quelle manière vous êtes traité. Vous pourrez comparer les firmes et leurs différentes approches. Vous noterez celles qui sont les plus professionnelles et avec qui vous avez le plus d'*atomes crochus*.

Évaluez les soumissions

Ne prenez pas de décision trop hâtivement. Idéalement, les firmes vous auront laissé un document de soumission avec leurs

---

63. Vous connaissez l'expression « ne pas mettre tous ses œufs dans le même panier » ? Si votre nom de domaine, votre hébergement et la conception sont concentrés au même endroit, il sera plus difficile de faire affaire ailleurs si jamais les relations tournent mal. Contrôlez votre nom de domaine et votre hébergement. Faites en sorte que votre site soit construit sur une plateforme ouverte et universelle comme WordPress. Si, un jour, vous décidez de faire affaire ailleurs, la prochaine firme que vous engagerez pourra facilement reprendre là où l'autre aura terminé son mandat.

honoraires et ce qu'elles feront comme travail. Le prix est évidemment important, mais avant de choisir, téléphonez à au moins deux clients et informez-vous de leur expérience. Depuis combien de temps font-ils affaire avec elles ? Quels ont été les délais ? Y a-t-il eu des surplus ou des surprises ? Comment est le suivi ?

Concernant les firmes qui offrent des services d'optimisation de référencement

Voici un autre extrait du document Google concernant les firmes qui offrent le service de référencement de manière professionnelle et payante : « Même si certains *SEO*[64] peuvent offrir des services utiles à leurs clients, un certain nombre de *SEO* peu scrupuleux ont donné mauvaise réputation à cette spécialité en se livrant à des actions marketing agressives et en tentant de manipuler les résultats des moteurs de recherche de façon abusive. Les pratiques non conformes à nos consignes peuvent nous amener à déclasser votre site des pages de résultats, voire à supprimer votre site de l'index Google. » Voici quelques éléments à prendre en compte : l'une des escroqueries fréquemment employées consiste à créer des domaines parallèles (*shadow*) qui canalisent les utilisateurs vers un site à l'aide de redirections trompeuses. Ces domaines parallèles appartiennent souvent au *SEO*, qui prétend travailler au nom d'un client. De plus, si les relations se dégradent entre le client et le *SEO*, ce dernier peut très bien faire pointer un domaine vers un site différent, voire vers le domaine d'un concurrent. Dans ce cas, le client aura payé pour le développement d'un site concurrent qui appartient intégralement au *SEO*.

» Méfiez-vous des *SEO* et des agences ou consultants Web qui vous joignent par courriel sans que vous les ayez sollicités.

» Aussi incroyable que cela puisse paraître, Google reçoit régulièrement ce type de courriel :

---

64. Dans ce contexte, les *SEO* (masc.) sont les firmes qui offrent un service d'optimisation pour les moteurs de recherche.

» *Bonjour google.fr,*
Nous avons visité votre site Web et avons constaté que
vous n'apparaissiez pas dans les principaux moteurs de
recherche et annuaires…

» Nous vous conseillons d'accorder autant de crédit à ce type de courriel qu'aux messages vous promettant de "perdre 20 kg en deux semaines" ou vous invitant à faciliter le transfert de fonds de quelque dictateur déchu.

» Personne ne peut garantir la première position dans les résultats de recherches Google.

» Méfiez-vous des *SEO* qui promettent un bon classement de votre site, qui annoncent "une relation privilégiée" avec Google ou qui prétendent disposer d'un système de demande d'indexation prioritaire auprès de Google. Google n'indexe aucun site en priorité. En réalité, le seul moyen de soumettre un site à Google est d'utiliser notre page permettant d'ajouter des URL ou d'envoyer un *sitemap*, ce que vous pouvez faire vous-même. Et c'est entièrement gratuit. »

J'aimerais vous dire que toutes les entreprises que j'ai rencontrées sont satisfaites de leur site Web et de leur concepteur. Ce n'est malheureusement pas le cas. Plusieurs regrettent d'avoir engouffré des sommes énormes pour ensuite se retrouver avec un site statique qui vieillit mal et qui est difficile à mettre à jour.

D'autres se sentent quasiment en prison avec leur concepteur qui a contrôlé le projet à partir de l'acquisition du nom de domaine en passant par l'hébergement. Elles n'ont aucune idée de ce qui se passe. Elles n'ont pas délégué le travail, elles ont abdiqué.

N'abdiquez pas. Déléguez en toute connaissance de cause.

⊕🖥⊕

CHAPITRE 8

LA VIDÉO

Si une image vaut mille mots, combien vaut une vidéo?

Les mots écrits intéressent et atteignent une partie seulement de la population. À l'ère du multimédia, des jeux vidéo, des télévisions HD, des téléphones intelligents, notre attention est de plus en plus difficile à maintenir. Nous souffrons tous un peu de TDA!

La télé fait partie de nos vies depuis plus de 50 ans. La télé a été le moyen de communication vidéo par excellence et permet de rejoindre de vastes auditoires de manière très efficace. Les multinationales le savent très bien, et c'est la raison pour laquelle elles investissent des milliards de dollars, chaque année, en publicité télévisuelle.

C'est de cette manière qu'elles entrent en contact avec nous et tentent de nous «séduire». Les annonces de 30 secondes pour le dernier Super Bowl se sont vendues 3 000 000 $. Cela revient à dire que le prix est de 360 000 000 $ de l'heure! Et pourquoi au juste? Pour nous passer un message, capter notre attention, à l'aide d'une annonce vidéo.

Au Québec, les publicités à la télévision ne coûtent pas 3 millions pour 30 secondes, mais elles ne sont tout de même pas à la portée de toutes les bourses. Et que faire si votre entreprise a besoin de plus de 30 secondes pour s'exprimer ? Et que se passe-t-il lorsque l'annonce cesse d'être diffusée ?

À moins que vous ne réussissiez à vendre l'idée d'une émission de télé ? Hum, ça devient plus complexe et difficile à réaliser à court terme. Les petites et très petites entreprises n'ont pas accès facilement à la télé. Non, je vous induis en erreur... je devrais rectifier mon affirmation : elles y ont accès facilement. Ce sont les milliers de dollars qu'elles doivent investir qui les bloquent ! L'accès est là, il est simplement bien gardé par le capital minimum exigé. Mais les temps ont bien changé.

Les barrières sont tombées

Les écrans plats, les ordinateurs puissants, les connexions Internet à haute vitesse, la prolifération des médias sociaux et des sites de partage changent la donne. La barrière de la distribution vidéo a été levée. Vous n'avez donc plus de raison de ne pas produire une vidéo qui fait la promotion de votre entreprise. Désolé.

L'impact d'une vidéo sur Internet

Une vidéo pourra être vue un million de fois, mais elle aura été vue par un million d'individus, un seul à la fois, devant son ordinateur ou son téléphone intelligent. Chacun aura vécu une expérience unique. Chaque personne n'aura pas été perdue dans une foule d'un million de personnes, mais se sera sentie interpellée de manière unique par la vidéo qu'elle regarde.

Une vidéo divertit, enseigne et parle à plusieurs de nos sens à la fois. Une vidéo nous permet de ressentir l'énergie que dégage un individu, de percevoir sa personnalité, d'entendre son ton de voix, de mesurer son enthousiasme.

Les gens font affaire avec ceux qu'ils connaissent, qu'ils aiment et en qui ils ont confiance. La vidéo permet de vous faire une idée sur une personne en quelques secondes. Elle vous permet de saisir l'émotion, la sincérité. Si une image vaut mille mots, combien vaut une vidéo ? Je ne saurais le dire, mais sûrement plus de mille.

PLANIFICATION

Un peu de planification peut vous sauver bien des maux de tête en matière de vidéo !

Stratégie

Budget : au départ, vous devez avoir une certaine idée du budget disponible. Vous aurez une perspective très différente si vous travaillez avec un budget de 500 $ que si vous avez 10 000 $ à votre disposition. Vos options ne seront pas les mêmes dans les deux cas !

Ressources : votre médiathèque vous aidera si elle est bien remplie. Les gens autour de vous pourront également être de bon secours s'il s'avère qu'ils ont du talent pour la vidéo et la créativité. Faites une liste des personnes qui pourraient vous aider et des éléments que vous avez déjà en main.

Message : quel est le message spécifique en lien avec vos produits, vos services et votre entreprise que vous désirez transmettre grâce à la vidéo ?

Objectif : quelle est l'action que vous désirez que la personne fasse à la fin du visionnement de votre vidéo ? Si j'avais une baguette magique et que j'avais le pouvoir de « commander » aux gens d'agir, quelle serait l'action que vous désiriez qu'ils accomplissent ? Maintenant, partant de cette action, quels sont les points que vous devriez mettre en valeur, dans votre vidéo, afin que les gens soient motivés suffisamment pour vous joindre ?

Clientèle cible : à qui s'adressera la vidéo ? Si vous connaissez bien votre clientèle cible, vous serez en mesure de parler leur « jargon » et d'être spécifique dans votre discours. Ne tentez pas d'être trop général dans votre discours, vous manquerez votre cible. Soyez aussi spécifique et pointu que possible. Vos « vrais » clients potentiels et clients se sentiront ainsi interpellés.

Approche

Il existe trois grandes approches pour la vidéo : information, éducation, vente.

Vidéo informative

Vous désirez que votre marché cible connaisse certaines choses à propos de vous. Voici comment y arriver :

FAQ et *SAQ* : vos réponses aux FAQ et *SAQ* entrent dans cette catégorie informative. Quelles sont vos méthodes de fabrication ? Où peut-on se procurer vos produits ? Quelle est votre gamme de produits et services ? Quelle différence existe-t-il entre votre approche et votre philosophie et celle de vos concurrents ? Revenez sur la liste des FAQ et *SAQ* que vous avez formulées au cours de la première partie et elle devrait vous donner des idées de vidéos.

Témoignages : peut-être avez-vous accompli de très belles réalisations et désirez-vous les présenter par vidéo. Si en plus vous avez des clients qui ont accepté de témoigner à la caméra, c'est encore mieux !

Démonstration : c'est compliqué quelquefois d'expliquer un produit, alors la vidéo peut faire un travail exceptionnel sur ce plan. Je vous raconte une histoire intitulée « Peut-on vendre des produits à plus de 100 000 $ sur YouTube ? ». Un client m'a demandé de produire une vidéo pour son produit industriel de niche. Son produit commande un prix au-delà de 100 000 $ et est difficile à expliquer sur une simple brochure. J'ai produit la vidéo et l'ai téléversée sur YouTube. En deux ans, le nombre de visionnements a atteint 10 000. Ce n'est pas énorme à l'échelle de YouTube et on ne peut pas parler de succès viral. Par contre, je lui ai demandé, un an après : «Puis, la vidéo, elle vous aide?» Vous comprendrez qu'un objet à plus de 100 000 $ ne se vend pas à partir d'une boutique en ligne en cliquant sur un bouton PayPal. Le processus d'achat est plus compliqué que cela. «Ça m'aide beaucoup à expliquer mon produit et ça facilite grandement mon processus de vente, c'est certain!» L'objectif a été atteint. Il n'y a pas eu une vente directement reliée au simple visionnement de la vidéo sur YouTube, mais celle-ci a «contribué grandement au processus en le facilitant».

Était-ce l'objectif de départ? De fait, le client espérait simplement pouvoir montrer ce qu'il (et son équipe) avait construit, car il en était fier et il savait que son produit était rare. Il voulait simplement prendre la vidéo, la graver sur une clé USB et la donner en promotion à des clients potentiels éventuels lors de différents salons auxquels il participait. YouTube est venu en prime.

Vidéo éducative

Montrer comment faire : ce genre de vidéo vous donne de la visibilité, vous positionne comme expert. Puis, vos clients vous aiment, car vous les aidez à faire quelque chose qu'ils ignorent.

Présentation, conférence, atelier : profitez de l'occasion si vous donnez une conférence ou un cours. Faites-vous filmer.

Pour l'utilisation optimale de l'un de vos produits : si vous répondez toujours aux mêmes questions concernant l'utilisation ou l'assemblage d'un produit, pourquoi ne pas faire une vidéo pour aider vos clients ? Bien sûr, vous pouvez toujours les aider au téléphone ou en répondant à leurs courriels, mais imaginez la bonification que procurerait une vidéo qui expliquerait, une bonne fois pour toutes, comment faire telle fonction ou comment assembler telle partie. Imaginez comment il serait agréable d'assembler des meubles IKEA si l'on pouvait « voir » et entendre les instructions au lieu d'essayer de déchiffrer tous ces plans qui n'ont souvent ni queue ni tête pour grand nombre d'entre nous !

Vidéo de vente

Une vidéo de vente est, dans le fond, une infopub. Vous ne cachez pas votre intention : vendre grâce à la vidéo en demandant aux gens de téléphoner et de donner leurs numéros de cartes de crédit. Vous en aviez des exemples constamment à la télévision grâce à « Shopping TVA ». Cette approche requiert du doigté et du professionnalisme, sans quoi ce sera un coup d'épée dans l'eau, et les résultats peuvent se retourner contre vous.

N'oubliez pas de choisir une seule approche par vidéo ! Sinon, vous serez mêlé et votre message ne passera pas bien. Rien ne vous empêche de faire plusieurs vidéos !

Script

Vous pouvez improviser devant la caméra. Certaines personnes sont naturelles et très bonnes. Par contre, sans un minimum de préparation, le résultat risque de ne pas être à la hauteur de ce que vous voulez. Votre script n'a pas à être lu textuellement. Il est très difficile de lire et d'avoir l'air naturel. Les professionnels le font, mais si vous désirez faire la vidéo vous-même, il est préférable que vous vous donniez au moins une ligne directrice avant de débuter.

Tout script comporte trois éléments : le début, le milieu et la fin.
Voici quelques idées afin de vous aider à le créer :

Début

Il faut capter l'attention rapidement avec une phrase ou une
image choc. Il faut savoir rapidement la raison pour laquelle on
doit regarder votre vidéo jusqu'à la fin. Ayez en tête le besoin
de votre auditoire. Idées de début : résoudre un problème
| poser une question | partager une histoire personnelle (et vraie)
à propos de votre produit ou de votre service | vous présenter
vous-même, personnellement, à votre auditoire | commencer
en plein milieu d'une action.

Milieu

Il faut expliquer votre expertise. Qu'est-ce qui fait que vous
êtes unique ? Quelle est votre philosophie de service à la
clientèle ? Où êtes-vous situé ? Depuis combien de temps êtes-
vous en service ?

Conclusion

Résumez ce qui a été dit, revenez rapidement sur les avantages,
parlez de garantie s'il y a lieu et allez-y avec un appel à l'action
clair et dynamique.

Trucs

Restez simple, visez une *accroche* en moins de 15 secondes.
Ayez toujours en tête la personne typique qui regarde cette
vidéo et imaginez que vous ne parlez qu'à cette personne.
Écrivez le script comme une conversation afin que cela sonne
naturellement. Soyez vrai et sincère. Visez une longueur
moyenne de 2 minutes. Cela représente environ 250 mots.

Scénarimage

Le scénarimage (*storyboard*) est un outil qui est utilisé par les réalisateurs lors du tournage d'un film. Il s'agit d'un plan des séquences dans lequel vous indiquez les éléments pertinents (voir exemple ci-dessous). Vous pouvez y aller et ajouter les images ou une esquisse de ce que vous désirez. Ce plan de base vous aidera à visualiser votre vidéo avant de la créer. Vous devrez vous poser les questions suivantes : « Quelle musique sera utilisée ? Y aura-t-il une voix hors champ ? Du texte apparaîtra-t-il à l'écran ? Quelles seront les images ou séquences vidéo qui seront utilisées ? » Un truc ? Trouvez des vidéos qui ressemblent à ce que vous aimeriez produire. Puis, inspirez-vous-en afin de préparer votre scénarimage.

N°	Durée estimée (s)	Description du plan	Objectif de communication	Où se déroule la scène ?	Quelle action se déroule ?	Qui est présent à l'écran ?
1						
2						
3						
4						
5						

Figure 25 – Scénarimage

Voici un exemple de scénarimage permettant de planifier une vidéo. Vous estimez la durée en secondes du plan, vous visualisez ce que vous désirez voir, vous déterminez quel en est l'objectif et où cela se déroule, etc. Vous pouvez également faire une recherche sur Google/ Images avec le mot *storyboard* afin de vous donner d'autres idées.

CRÉATION

Devant ou derrière la caméra ?

Le fait que vous décidiez de créer du contenu vidéo pour votre entreprise ne requiert pas *absolument* que vous soyez devant la caméra. Vous pouvez, bien évidemment, être devant, mais ce n'est pas une obligation si vous êtes trop gêné pour le faire. De fait, plusieurs choix s'offrent à vous, plusieurs styles de vidéos sont à votre portée.

Derrière

Muni de votre ordinateur et d'un micro, vous pouvez créer une vidéo d'impact simplement en parlant à votre micro. La narration est un style plus facile pour les gens qui sont trop gênés pour se retrouver devant la caméra. Vous commentez ce que vous voyez à l'écran. Il pourra s'agir de tableaux, de graphiques, de photos, d'images, de vidéos, de présentations PowerPoint.

Si vous possédez une bibliothèque média riche en visuels et que vous vous sentez plus à l'aise de faire la narration que d'être devant la caméra, alors cette technique est pour vous !

De plus, un autre avantage est que vous pouvez écrire votre texte à l'avance et simplement en faire la lecture. Personne ne le saura, et vous aurez l'avantage de pouvoir vous concentrer sur votre texte parce que vous ne serez pas devant la caméra.

Devant

À la caméra

Vous regardez directement dans l'objectif de la caméra et vous vous imaginez que vous parlez à la personne qui sera devant son écran. Très efficace. Très personnel. Ce type de vidéo est relativement facile à filmer, mais il demande de la pratique, de la pratique et encore de la pratique ! Ce n'est pas facile, les premières fois, mais on en vient à bout !

C'est une technique très utile pour créer une relation rapidement avec votre auditoire. Les gens ont l'impression que vous vous adressez à eux directement.

Cette technique est utile pour faire une offre, pour vous présenter ou faire une invitation. Vous ne devriez pas être plus de 60 secondes devant la caméra, car il est difficile de capter l'attention complètement, sans autres effets pendant plus longtemps.

Lorsque vous êtes devant la caméra, ne pensez pas que vous parlez à des centaines ou à des milliers de personnes, mais plutôt que vous vous adressez à un ami en vidéobavardage (*videochat*).

L'avantage principal de cette méthode, outre sa simplicité, c'est l'intimité et le contact immédiat avec vos visiteurs, clients, clients potentiels.

Le côté négatif? Si c'est mal conçu, mal livré, si votre son n'est pas adéquat, si vous hésitez… on le voit, on le sent, et ça peut être un minidésastre! Oups!

Il est très conseillé, si vous allez dans cette direction, de faire visionner votre vidéo par plusieurs personnes dignes de confiance afin de leur demander leur opinion. Voyez cet exemple à bit.ly/VOUS-alacamera.

Entrevue

Vous ne parlez pas directement à la caméra, mais plutôt à un interlocuteur qui demeure en dehors du champ de la caméra. On devine bien que vous parlez à quelqu'un, mais le *focus* est mis sur vous et non sur celui ou celle qui vous interviewe.

Cette technique vous permet de vous exprimer plus facilement, car vous parlez à une autre personne et il y a de fortes chances que vous réussissiez à oublier la caméra.

C'est une technique beaucoup plus facile que la première, et c'est souvent celle qui pourra être utilisée afin de briser la glace pour votre premier projet vidéo. Voyez un exemple à bit.ly/VOUS-interview.

Hangouts

Google HANGOUTS vous permet d'avoir une conversation de type « Skype », mais en mieux. Voici ces avantages :

⚈ Avoir jusqu'à 10 personnes en conférence vidéo en même temps.

⚈ Partager votre écran avec tout le monde.

⚈ Lier le HANGOUTS avec YouTube. Il sera retransmis en simultané pour les autres qui ne sont pas participants, mais qui peuvent tout de même assister à la présentation.

⚈ Enregistrer votre séance et la rendre disponible pour visionnement ultérieur pour ceux qui n'ont pu participer.

⚈ Demeurer en contact avec votre équipe, vos clients ou vos clients potentiels.

⚈ Techniquement de plus en plus solide et bénéficie du nom et de la stabilité de Google.

⚈ Application HANGOUTS disponible pour iPad, iPhone Android et autres.

⚈ Excellent pour le service après-vente personnalisé.

Et, l'ai-je dit ? C'est gratuit.

Le point négatif ? Les personnes concernées doivent avoir un compte Google+ ou Gmail afin d'y avoir accès, contrairement à GoToMeeting qui est libre. Dans certains cas, des entreprises ne donnent pas accès à des comptes comme Facebook, YouTube ou Google+. Ce sera alors un frein.

L'important de cette technologie, c'est qu'elle vous permet de créer du contenu intéressant à la vitesse où vous parlez ! Rien de mieux qu'une présentation avec voix, transparents, interactions, questions, réponses, etc. Si vous êtes en forme et que vous livrez une performance du tonnerre, votre vidéo sera disponible tant et aussi longtemps qu'elle sera d'actualité pour vous. Vous n'avez besoin que de votre ordi, d'un bon micro, d'une webcam et de la passion de parler de vos produits et services au plus grand nombre de gens possible.

Compétiteurs : Skype.com ; et à un niveau plus sophistiqué : gotomeeting.com (tarif, 49 $/mois).

Service Web

Il existe également des solutions Web afin de vous aider dans votre création de vidéo. En voici trois, triées sur le volet, juste pour vous !

- **PowToon.com** vous permet de créer des vidéos animées avec des dessins très pertinents. Vous pouvez tester cette plateforme gratuitement. Leur outil est 100 % sur le Web, donc aucun besoin d'équipement supplémentaire. Beaucoup de choix de personnages, de situations, d'animations. Vous êtes créatif et vous vous cherchez un outil sympathique et peu dispendieux ? Allez-y, je vous promets des heures de plaisir !

Figure 26 – PowToon

L'entreprise PowToon a créé un outil simple et amusant afin de vous aider à créer vous-même des vidéos comportant des personnages, de légères animations et même la musique appropriée. L'outil est en anglais, mais toutes les tâches sont accessibles grâce à des icônes et, si vous êtes motivé et créatif, je crois que vous passerez par-dessus la barrière de la langue afin d'arriver au résultat que vous souhaitez.

⚬ **Prezi.com** est un outil qui vous permet de créer une sorte de « PowerPoint » que vous pouvez transformer en vidéo. Ses animations sont très intéressantes et il y a de fortes chances que vous ayez déjà visionné une présentation faite grâce à Prezi. Vous reconnaîtrez le style immédiatement. Encore une fois, l'essai est gratuit et l'outil fera émerger votre côté créatif !

⚬ **IllustrateItVideo.com…** Si le budget n'est pas un obstacle et que vous désirez une vidéo d'impact et unique, alors IllustrateItVideo. com est votre destination de choix. Il prend tout en charge : script, scénario, animation, musique, voix hors champ. Son produit final est de haute qualité et, même si le prix minimum pour une vidéo de 90 s avoisine 7 500 $, il est beaucoup moins cher que ses compétiteurs dans ce créneau de marché. Ce qui peut être intéressant pour vous, si vous ne désirez pas investir ce genre de budget, c'est d'aller faire un tour quand même. Laissez-vous inspirer par les scénarios et la manière dont il raconte l'histoire de ses clients et la façon dont il met en valeur les produits ou services.

ÉDITION

Il y a 20 ans, il fallait un équipement technique spécialisé, coûteux et « dédié » afin de produire du contenu vidéo de qualité. Maintenant, presque tout un chacun qui possède un ordinateur (ou même un iPad !) peut concevoir et créer du contenu multimédia. Alors, faisons un petit tour d'horizon et vérifions ensemble si vous possédez ce qu'il faut.

Équipement

Ordinateur

Si votre ordinateur est assez récent (moins de deux ans), il y a de fortes chances que vous ayez suffisamment de puissance afin de produire et de gérer de la vidéo. L'environnement Mac est traditionnellement celui qui est utilisé par les créateurs multimédias, mais le PC, surtout depuis l'avènement de

Windows 7, des nouveaux processeurs Intel et de tous les logiciels qui se font maintenant sur les deux plateformes, est également très capable de gérer les applications vidéo. Assurez-vous simplement que vous avez suffisamment de mémoire RAM (de 4 à 8 Go, c'est idéal).

Caméra

iPhone, iPad et compagnie : les téléphones intelligents remplacent lentement, mais sûrement, les caméras classiques que nous avions l'habitude d'apporter afin de capturer les scènes de la vie courante. La qualité des photos et des vidéos que ces appareils sont en mesure de produire ne cesse de s'améliorer et les dernières générations peuvent assurément vous aider à produire des capsules vidéo de qualité. De plus, si vous capturez vos vidéos grâce à un iPad (ou autre tablette équivalente), vous pourrez éditer et produire vos vidéos directement de votre appareil grâce à des applications comme iMovie. Il s'agit d'une option très intéressante qui permet de produire des capsules vidéo rapidement et à peu de frais. Un autre avantage : si vous possédez déjà un téléphone intelligent ou une tablette, vous n'avez pas à investir de montant supplémentaire !

Caméra numérique : les caméras numériques « tradition-nelles » ont également évolué et sont devenues de véritables caméras vidéo capables de filmer un « full HD 1080p ». Des modèles comme la Canon Rebel T3i (à partir de 329 $) sont des caméras à objectifs interchangeables, qui peuvent vous fournir des photos d'une très haute qualité et également produire de la vidéo à couper le souffle. Ce genre de modèle vous permet de faire d'une pierre deux coups : prendre des photos de qualité professionnelle et produire des vidéos de haute qualité. L'avantage de ce genre d'appareil par rapport au iPhone ou au iPad est sa capacité de mieux s'adapter aux éclairages plus sombres.

Caméra vidéo : vous vous souvenez de l'époque où nous achetions simplement une caméra vidéo pour… faire de la vidéo ? Elles existent encore ! Des caméras comme la Sony HandyCam sont d'excellents compromis si vous ne désirez pas aller tout de suite vers une caméra professionnelle. Peut-être en possédez-vous une justement (ou votre beau-frère ?). L'élément que vous devez regarder : la prise micro.

Micro

Comme nous venons de le constater, les options sont nombreuses en matière de captation vidéo. Que vous ayez un iPhone, un iPad, un appareil photo qui filme ou une caméra vidéo, les chances sont très bonnes que les images que vous filmerez seront, en général, de bonne qualité. Où cela se complique, c'est sur le plan du son si vous devez parler à la caméra *en mode* entrevue ou directement, comme nous l'avons vu précédemment. Les micros internes de toutes les caméras, peu importe leur prix, ne sont pas efficaces pour bien capter votre voix. Ils captent tous les bruits ambiants et le résultat fait très amateur. C'est la première chose que l'on remarque d'ailleurs lorsqu'une vidéo a été filmée par un non-professionnel : le son de la voix de la personne qui parle n'est pas adéquat.

Afin de parer ce problème, il vous faut avoir un micro externe. Les iPhone et iPad possèdent une prise permettant le branchement d'un micro, mais il vous faudra un adaptateur qui vous coûtera environ 30 $ (bit.ly/VOUS-iphone) si vous désirez brancher un micro directement dans votre appareil, sinon le signal ne se rendra pas. Si vous utilisez une caméra numérique autre, assurez-vous que celle-ci soit équipée d'une prise externe « mic ».

Micro Lavalier : un micro de type Lavalier vous sera très utile si vous désirez créer des capsules et capturer votre voix ou celle de vos invités. En ce qui concerne les micros, je vous suggère d'investir. J'ai tenté plusieurs expériences avec des micros bas de gamme et je l'ai toujours regretté. Le son n'était pas de bonne qualité, il y avait des bruits parasites, etc. Chez Amazon.ca (bit.ly/VOUS-lavalier), vous pouvez vous procurer un bon micro Lavalier pour environ 100 $.

Micro via USB : si vous décidez d'enregistrer votre voix sans être devant la caméra... il vous faudra un micro également, mais celui-ci sera branché à votre ordinateur via un port USB. Chez un marchand comme Amazon ou Future Shop, cherchez « AT2020 » ou « YETI ». Ce sont deux bons micros, pas trop dispendieux, simples à installer et votre voix aura un son plus chaleureux que si vous vous contentez du micro de votre ordinateur.

Tripode

Vous êtes sûrement en train de regarder l'installation « tripodienne » avec le iPad. Impressionnant, non ? J'ai vu cette installation lors d'un salon spécialisé en informatique à Québec et, vraiment, ça avait l'air très professionnel. La personne effectuait des entrevues avec les participants du salon, toute la journée, et son système l'a très bien servie. La pièce magique de cet assemblage n'est pas seulement le tripode (qui stabilise votre prise de vue), mais l'adaptateur plastique qui vous permet de sécuriser votre iPad sur le tripode et de l'équiper d'un éclairage d'appoint, d'un micro et même d'une lentille supplémentaire ! (Pour des informations supplémentaires, visitez le bit.ly/VOUS-ipad.)

Figure 27 – Le tripode

Ci-dessus, un iPad transformé en ministudio d'enregistrement. Il est monté sur un tripode afin d'être stable. Vous pouvez incorporer un éclairage d'appoint, une lentille spéciale ainsi qu'un micro de meilleure qualité. Vos vidéos seront directement accessibles sur le iPad à des fins de montage. Simple, efficace et peu coûteux.

Il existe également un adaptateur qui se nomme « Glif » (bit. ly/VOUS-glif). Il vous permet d'installer votre iPhone sur un tripode. Ça vous ouvre tout un autre champ de possibilités.

Il y a aussi l'usage standard du tripode : vous installez une caméra « normale » dessus. Eh oui, c'était conçu pour ça au point de départ !

Studio

Un studio ? Pourquoi pas ! Si vous avez une pièce inoccupée, un endroit tranquille où peu de gens passent, pourquoi ne pas le transformer en ministudio d'enregistrement vidéo ? Voici un lien vers un ensemble de départ à moins de 400 $:

bit.ly/VOUS-EcranVert. Dans cet ensemble, vous retrouverez de l'éclairage de base ainsi qu'un écran vert. Grâce à ce type d'écran, vous pourrez remplacer le fond de votre décor par n'importe quel élément qui vous convient. L'avantage de vous créer un studio est que vous serez de plus en plus confortable à l'utiliser, vous serez plus productif et mieux installé. C'est juste une petite idée que je vous donne comme ça. Pensez-y !

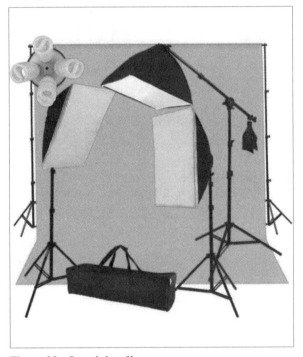

Figure 28 – Le ministudio

Il est maintenant possible de créer son propre ministudio d'enre-gistrement grâce à différents ensembles comportant un éclairage d'appoint ainsi qu'un écran vert. L'écran vert sera enlevé facilement en postproduction et pourra être remplacé par le décor de votre choix. Vous n'aurez jamais l'impression d'être dans un studio. Une variante, qui est très populaire et utilisée par une entreprise comme Apple, est l'écran blanc qui donne un effet d'extrême simplicité et de pureté.

Logiciel

Voici une liste (non exhaustive, cela va de soi) de logiciels qui vous seront utiles dans l'édition de vos vidéos :

Pour les utilisateurs PC :

Windows Movie Maker (WMM) : ce logiciel est fourni gratuitement avec Windows. Il permet d'assembler plusieurs clips vidéo, des images ainsi que de la musique et de la voix afin de produire une vidéo en format compatible pour le Web. Il s'agit d'un logiciel simple, de base, gratuit. Il ne faut donc pas trop lui en demander, mais il sera en mesure d'effectuer les éléments de base d'une édition vidéo.

Camtasia Studio : il s'agit d'un logiciel de capture d'écran, de son et d'image d'excellente qualité et très flexible. Ce logiciel permet d'enregistrer tout ce qui se passe sur votre écran. Ainsi, vous pouvez « filmer » facilement une présentation PowerPoint ou visiter des sites Web et décrire, dans un tutoriel vidéo, ce que vous faites. Je me suis servi abondamment de ce logiciel afin de créer différents cours que j'ai offerts sur DVD (TechSmith. com/camtasia.html).

Sony Vegas Movie Studio : il est le compétiteur « payant » de WMM. Le logiciel se vend environ 100 $, mais il en vaut la peine. Beaucoup plus puissant que WMM, plus intuitif, il permet de créer des effets spéciaux que WMM n'offre pas. Si vous êtes le moindrement sérieux dans votre projet, ce logiciel est un incontournable (bit.ly/VOUS-sony).

Pour les utilisateurs Mac :

iMovie : il est installé sur tous les nouveaux ordinateurs Mac. Il est le pendant de WMM. Très puissant, il subit régulièrement des mises à niveau et vous offre un excellent point de départ pour la plupart de vos projets.

ScreenFlow : c'est le compétiteur, version Mac, de Camtasia Studio. Il s'agit d'un logiciel qui permet de capter tout ce qui se passe sur l'écran de votre ordinateur en plus d'intégrer le son du système et du micro intégré. Son éditeur vidéo est très puissant également. Je le préfère quelquefois à iMovie. Il est disponible via l'App Store.

Voix

La voix hors champ est une discipline peu connue du public, mais à laquelle il est constamment exposé, par exemple toutes les voix des annonces radio, plusieurs annonces à la télévision où le téléspectateur ne voit personne… Pourtant, il y a quelqu'un qui livre l'annonce.

Les professionnels de la voix hors champ sont des travailleurs autonomes et ils sont disponibles pour vos projets. Ils offrent différents styles, divers timbres de voix et d'énergie dans la lecture de votre texte.

Ils ajoutent assurément une touche ultraprofessionnelle à votre vidéo et leurs services ne sont pas aussi coûteux que vous pourriez le croire.

Leurs tarifs varient en fonction du média par lequel leur voix sera exploitée. Ainsi, ils demandent un tarif plus cher pour une voix dans une annonce télévisuelle qui sera diffusée dans tout le Canada par rapport à la même voix, au même texte, mais qui sera diffusée sur votre site via une vidéo téléchargée sur YouTube.

Voici un site de professionnels de la voix hors champ que je vous recommande : voice123.com. Vous aurez accès à des voix masculines ou féminines dans les langues de votre choix : français, anglais, espagnol, italien, etc.

Musique

La musique change l'ambiance d'une vidéo. Aucun doute. Les vidéos amateurs que vous pouvez visionner sur YouTube utilisent souvent des chansons d'artistes connus. C'est toléré, quoique depuis quelque temps, plusieurs entreprises de disques ont empêché que des pièces musicales leur appartenant soient utilisées pour des montages vidéo (je parle par expérience…).

Lorsque vous voulez créer une vidéo et que vous désirez inclure de la musique au début et à la fin, et même durant votre narration, il faut alors faire appel à de la musique «libre de droits».

La musique libre de droits n'est pas nécessairement gratuite, mais lorsque vous acquérez une licence de musique, l'auteur vous donne le droit d'utiliser son œuvre pour votre projet.

Les goûts musicaux peuvent être très différents dans le public en général. En ce qui concerne la musique qui accompagne de la vidéo, il faut rester relativement neutre, ne pas trop «brusquer», mais être quand même en mesure de donner un certain ton, une certaine ambiance.

Je vous recommande ces deux sites :

- Audiomicro.com ;
- Audiojungle.net.

Prenez le temps de les visiter. Je vous souhaite de tomber sur une musique qui vous plaît et avec laquelle vous serez à l'aise. Avoir une belle musique en introduction vous aide énormément dans votre *look* de vidéo professionnelle.

Image

Dans la section «Création», nous avons vu qu'il était possible de nous procurer des images libres de droits afin d'accompagner des articles ou des publications sur les médias sociaux ou sur votre site Web. Ces images peuvent également être intégrées dans votre vidéo et être dynamisées grâce à l'effet «Ken Burns[65]». De plus, vous pouvez

---

65. «L'effet Ken Burns est le nom d'un type d'effet de zoom [ou un mouvement panoramique] utilisé dans une vidéo à partir d'images fixes, qu'il sert à rendre plus vivantes et visuelles. Le nom est dérivé du documentariste américain Ken Burns qui en a fait une utilisation extensive. Son nom a été popularisé par le logiciel iPhoto d'Apple.» Source : http://fr.wikipedia.org/wiki/Effet_Ken_Burns.

vous procurer des séquences vidéo déjà filmées et libres de droits sur les deux mêmes sites, mais en vous rendant aux adresses suivantes :

- iStockphoto.com/video ;
- Footage.shutterstock.com.

Vous serez surpris du choix à votre portée. Prenons l'exemple d'une vue aérienne d'un complexe industriel afin de positionner votre entreprise. Si vous deviez engager un caméraman et louer un avion afin de vous procurer ce genre de vidéo, le prix serait prohibitif, mais grâce à ces sites, vous pourriez inclure cette séquence dans votre vidéo pour un prix intéressant.

Il y a vraiment de tout. J'ai même déniché plusieurs vidéos qui présentaient une goutte de sève d'érable sortant lentement du chalumeau. Faut quand même le faire !

PUBLICATION

Selon le logiciel que vous utiliserez afin de produire votre vidéo, vous obtiendrez un fichier de type .MP4, .MOV, .AVI, .WMV ou .FLV. C'est du jargon, n'est-ce pas ? Et je pourrais continuer en vous disant que les formats .WMV ou .FLV ne sont pas pris en charge par les iPhone et que certains .MP4 ne s'affichent pas bien dans le lecteur Windows de certains types de PC, etc.

Si vous produisez vos fichiers et que vous les installez sur votre site ou les distribuez à vos clients, vous vous exposez à des problèmes de compatibilité et ce sera contreproductif.

Il existe une solution : publier vos vidéos sur des sites de partages comme YouTube, Vimeo ou DailyMotion. Les avantages de ce genre de plateformes sont multiples et appréciables.

YouTube

YouTube est la communauté de vidéos en ligne la plus connue au monde. Tous les jours, plus de 4 milliards de vidéos y sont visionnées et il s'y ajoute 60 h de vidéo… chaque minute[66]. Cinquante et un pour cent des utilisateurs visitent le site YouTube au moins une fois par semaine.

YouTube est devenu une véritable plateforme multicanal : ordinateur, portable, tablette, téléphone intelligent, télévision. Une vidéo YouTube peut être visionnée dans un format optimisé sur chacune de ces plateformes et les nouvelles configurations « One Channel » permet l'adaptation parfaite à l'environnement, qu'il soit mobile sur un écran de 3,5 po (9 cm) ou dans votre salon sur un téléviseur à plasma de 60 po (152 cm).

Je crois que c'est l'élément qui sera le plus crucial au cours des prochaines années. Grâce à la nouvelle génération des télévisions intelligentes (Smart TV) ; lecteurs DVD-WiFi ; Apple TV et autres, vous avez accès à Internet dans votre salon.

Internet dans le salon ? Personne n'ira sur le Web ou n'ira vérifier ses courriels à partir de son divan, mais très fortes sont les chances que vous regardiez du contenu YouTube, surtout si vous avez un compte, que vous avez des vidéos favorites, des listes de lectures, des abonnements, etc. Beaucoup de contenu est disponible en HD (720p et même 1080p) et la qualité est saisissante.

Vous pouvez commencer à visionner une vidéo sur votre téléphone, la placer dans une liste de lecture ou dans vos favoris puis, lorsque vous arrivez à la maison, vous vous assoyez bien à l'aise dans votre divan et terminez l'écoute grâce à un bon « système de son » et à un écran de meilleure qualité. C'est ce que je fais de plus en plus souvent, et je ne suis pas le seul, croyez-moi !

Même si la tendance est encore peu perceptible pour le moment, un nombre grandissant de personnes « coupent le cordon », c'est-à-dire qu'ils se désabonnent du câble et de la télé, préférant aller chercher tout leur contenu via le Web. Cette tendance commence à inquiéter certains réseaux de câblodistribution. Serait-ce la prochaine révolution qui se pointe le bout du nez ?

---

66. Source : Naomi Black, employée de Google.

Vos vidéos efficacement indexées dans YouTube et dans Google

Google est propriétaire de YouTube. Vous ne serez donc pas surpris d'apprendre que YouTube est le moteur de recherche numéro deux sur Internet, tout juste derrière Google. L'un des gros bénéfices des vidéos sur YouTube est qu'elles sont très rapidement indexées par Google. Pas besoin d'attendre que les robots les détectent, car ils sont mis immédiatement au courant du nouveau contenu.

Mais, même si ces deux entreprises sont de connivence, il faut tout de même faire certains efforts et faire preuve d'une diligence raisonnable afin de vous assurer que vos vidéos soient facilement trouvables sur les deux moteurs de recherche.

De plus, même si Google et YouTube aiment beaucoup les vidéos, ils ne peuvent les visionner et savoir ce qu'ils contiennent (contrairement aux contenus de sites Web). Il faut bien leur indiquer grâce aux méthodes suivantes :

Titre

N'utilisez pas le nom de votre fichier comme titre « video_1_final.mov ». Ce n'est pas un bon titre ! Vous avez droit à 100 caractères, mais ils seront coupés à 66 dans bien des cas. Faites en sorte que votre titre soit invitant et que les gens aient le goût de visionner votre production. Pensez à inclure un ou deux mots-clés stratégiques ou une expression importante que les gens cherchent lorsqu'ils veulent trouver ce que vous avez à offrir.

Description

Vous devriez inclure un hyperlien dès le début de votre description. Assurez-vous d'inclure *http://*, sinon il ne sera pas cliquable. Ce lien devrait mener à votre site, bien entendu, mais plus spécifiquement au produit ou au service qui est démontré dans votre vidéo.

Le champ de description vous permet d'inclure 5 000 caractères (environ 800 mots), mais il est souvent présenté de manière succincte et seulement les 166 premiers caractères sont visibles sans que l'utilisateur clique pour révéler toute la description. Encore une fois, assurez-vous que les 166 premiers caractères soient dynamiques, invitants et qu'ils donnent le goût de visionner votre vidéo et de visiter votre site.

Mots-clés

Pour les mots-clés (*tags*), vous avez droit à 120 caractères. Vous pouvez utiliser les («) si vous souhaitez que votre vidéo soit reliée à une expression au lieu d'un seul mot-clé.

Sous-titres

Les vidéos YouTube peuvent être sous-titrées. Lorsque vous appuyez sur le bouton «cc» situé en bas, à droite d'une vidéo, le texte apparaît en bas de l'écran, synchronisé avec la vidéo. Vous pouvez également traduire les sous-titres et ainsi donner une portée internationale à votre contenu.

Cette fonction intéressante et relativement méconnue comporte un élément supplémentaire fort intéressant pour vous : le texte que vous fournissez pour le sous-titrage est indexé dans les moteurs de recherche de YouTube et de Google. Si votre narration contient les bons mots-clés, vous courez donc beaucoup plus la chance d'être au premier rang dans les recherches des internautes ! Vous pouvez le faire vous-même, sans frais et sans besoin d'un logiciel spécialisé. Recherchez « Comment ajouter fichier sous-titrage vidéo YouTube » sur YouTube et vous trouverez plusieurs tutoriels qui vous expliqueront comment accomplir cette savante manœuvre.

Copier-coller votre transcription dans « Description »

En plus du fichier « cc », vous devriez également insérer la transcription de votre vidéo dans la description. Rappelez-vous que YouTube vous accorde 5 000 caractères, soit l'équivalent de 800 mots. Faites-en bon usage. Si votre vidéo est trop longue, écrivez un résumé qui sera riche en mots-clés.

Personnaliser des miniatures de vidéo

Les miniatures de vidéo permettent de donner un aperçu de votre vidéo aux autres internautes. Ne négligez pas cet aspect : une miniature qui n'est pas intéressante fera en sorte que les gens auront moins le goût de visionner votre vidéo et cela aura pour effet d'abaisser votre cote auprès de YouTube. En effet, le but de Google-YouTube est de présenter du contenu intéressant que les internautes ont le goût de voir. S'ils présentent régu-lièrement votre vidéo dans les résultats de recherches et que les internautes préfèrent cliquer sur les autres, votre vidéo se retrouvera alors en deuxième, troisième ou quatrième page des résultats, et votre nombre de visionnements en souffrira.

Auparavant, vous n'aviez que trois choix parmi trois miniatures que YouTube générait automatiquement à partir des images de votre vidéo.

Maintenant, si votre compte est validé et en règle, vous pouvez importer des miniatures personnalisées que vous aurez créées vous-même et qui seront, je l'espère, encore plus attrayantes. Pour importer la miniature, vous pouvez le faire via « Gestionnaire de vidéo/Modifier Vidéo ».

Note : La taille suggérée est de 1 280 px/720 px. Évidemment, vous ne devez pas soumettre des images indésirables à caractère sexuel ou violent. Si c'était le cas, YouTube vous retirerait le privilège sans possibilité de retour en arrière.

Être honnête

Certaines personnes veulent absolument augmenter le nombre de visionnements, peu importe les moyens. Elles titreront donc leurs vidéos selon des sujets à la mode qui n'ont aucun rapport avec leur contenu dans le seul but d'augmenter leur rendement. Ce n'est pas une bonne tactique. Les chiffres seront peut-être au rendez-vous, mais pas les vrais résultats. Soyez le plus honnête et vrai possible dans vos titres et votre description afin que les gens n'aient pas de mauvaises surprises en visionnant votre contenu.

Publier du contenu vidéo sur une base régulière

Une bonne pratique consiste à lancer de nouvelles vidéos régulièrement selon un horaire préétabli, par exemple tous les deux mercredis ou tous les premiers mardis du mois. Bien entendu, vous pourrez produire une dizaine de vidéos à la fois afin d'être efficace, mais il convient de ne pas les mettre toutes en ligne en même temps, comme nous avons vu dans le chapitre précédent, et ce sera facile de trouver du contenu si vous avez bien en main vos 20 FAQ et *SAQ* !

Vidéo d'accueil

Les changements de YouTube « One Channel » font en sorte que dorénavant vous avez la possibilité de définir l'une de vos vidéos comme vidéo d'accueil. Le but de cette vidéo, dans l'esprit de YouTube, est de présenter qui vous êtes, votre chaîne, le genre de contenu que vous y publierez. Elle devrait donner le ton, être dynamique et vous ne devriez pas hésiter, si vous avez confiance en votre contenu, à demander aux gens de s'abonner. Vous pouvez même inclure un bouton d'abonnement directement dans la vidéo et les gens pourront le faire simplement en cliquant dessus. C'est si simple !

Plateforme publicitaire de choix

Bien entendu, vous préférez être trouvé naturellement et ne pas avoir à payer pour de la publicité. Cependant, sachez que si vous décidez d'investir un certain budget en ce sens, vous pourriez annoncer par la vidéo grâce à un compte Google AdWords et YouTube. Le même concept que Google AdWords s'applique, à savoir que vous misez sur certains mots-clés importants pour vous, et vous ne payez que pour les visionnements effectifs de votre vidéo. Vous choisissez le territoire géographique, le moment de début et de fin de votre campagne, un budget total ou quotidien, etc. Votre annonce vidéo s'affichera à travers le réseau de chaînes YouTube et vous ne paierez que pour le nombre de visionnements effectifs.

L'effet peut être assez surprenant. Je vis à Beauceville et, l'autre jour, lorsque je regardais une vidéo, une annonce a commencé à jouer au début. Il s'agissait d'un commerce de Vallée-Jonction, situé à 20 km de chez moi. Il avait visé son territoire de manière très précise ! J'ai souri, car c'était la première fois que je voyais cette technologie déployée de manière aussi régionale. Quand je vous dis que ça prend de l'ampleur...

Enlever les annonces

Je viens tout juste de vous parler de placer des annonces et maintenant je vous mentionne de ne pas les afficher sur VOS vidéos lorsqu'elles sont visionnées par vos clients. C'est normal. Imaginez qu'un compétiteur fasse de la publicité sur les mêmes mots-clés que vous. La dernière chose que vous voulez est de voir apparaître son message sur le vôtre ! Soyez rassuré. Normalement, l'affichage d'annonces est désactivé. YouTube n'affiche pas ses annonces systématiquement sur toutes les vidéos. Les utilisateurs doivent en faire la demande. L'avantage pour eux est qu'ils peuvent partager les revenus générés avec Google grâce au programme AdSense.

Intégration des vidéos dans un site, un blogue

Vous le savez déjà : YouTube permet de partager les vidéos via Facebook, Twitter et compagnie. Vous n'avez qu'à partager le lien et c'est tout. Par contre, il y a de fortes chances que vous désiriez que les gens regardent votre contenu directement de votre site ou de votre blogue. Rien n'est plus facile ! Au bas de chaque vidéo, tout près des boutons de partages des principaux réseaux sociaux, vous avez la fonction « Partager ». Lorsque vous cliquez dessus, vous avez un autre choix : « Intégrer ». Apparaît alors un code (c'est du html, mais vous n'avez pas à vous casser la tête avec cela). Copiez ce code et intégrez-le à l'endroit désiré sur votre site. Si vous faites affaire avec un webmestre, il saura le faire en un tournemain et ça ne devrait pas vous coûter trop cher !

Ne pas montrer d'autres vidéos à la fin !

Vous verrez cette option tout juste en bas du code html, soit « Afficher les suggestions de vidéos à la fin de la lecture ». La case est cochée par défaut. Décochez-la. Vous ne voulez pas que le visiteur de votre site soit incité à vous quitter, vous désirez qu'il demeure sur votre site le plus longtemps possible lorsqu'il a terminé de visionner votre vidéo. Désactivez les suggestions. Toujours.

Téléverser des vidéos de plus de 15 minutes

Par défaut, votre compte sera limité à des vidéos ayant une durée maximale de 15 minutes. Que se passe-t-il alors si vous avez des vidéos d'enseignement, de *coaching*, de démonstration de produit, de conférence, qui dépassent cette limite ? Auparavant, vous deviez les scinder en plusieurs parties ou être un partenaire créatif YouTube.

L'entreprise a depuis assoupli ses règles et vous pouvez maintenant téléverser des vidéos de 20 Go. C'est énorme. Tout

ce qu'il vous faut est un compte vérifié Google. Allez dans
«Gestionnaire de vidéos/Paramètres de la chaîne» et suivez
les instructions à l'écran. Vous devez simplement fournir un
numéro de téléphone et vous recevrez un numéro de contrôle
que vous n'aurez qu'à entrer à l'endroit approprié et vous
pourrez désormais téléverser de longues vidéos.

Outils de modification

YouTube offre un service de modification de votre vidéo
directement sur son site. L'avantage est que vous gardez votre
nombre de visionnements, de «J'aime» et la même adresse
URL ou code d'intégration. Également, vous n'avez pas besoin
de téléverser votre vidéo une deuxième fois. Vous pouvez
inclure votre adresse de site Internet si jamais vous avez oublié
de le faire lors de la création de votre vidéo. Les fonctionnalités
de son outil ne cessent d'évoluer. Je vous suggère d'aller y
faire un tour, vous serez surpris de toutes les améliorations
de «postproduction» que vous pouvez apporter à votre petit
chef-d'œuvre.

Liste de lecture

Vous pouvez regrouper les vidéos que vous appréciez selon des
thèmes précis afin de pouvoir y revenir plus tard. Vous pouvez
vous servir de la fonction «Liste de lecture» ou «Tags» (mots-
clés), afin d'organiser vos vidéos sur la page d'accueil de votre
chaîne. Si vous n'avez téléversé que deux ou trois vidéos,
ce ne sera pas nécessaire, mais si vous produisez des vidéos
d'aide pour vos clients et qu'au fil du temps, elles deviennent
trop nombreuses, un fouillis risque de s'installer. Vous pouvez
alors vous servir des mots-clés ou de la liste de lecture afin
d'organiser les vidéos par thèmes.

Abonnements

Les utilisateurs peuvent être informés des nouvelles vidéos de leurs utilisateurs favoris. Lorsque vous trouvez un canal qui met en ligne régulièrement du bon contenu, vous pouvez vous y abonner et ainsi recevoir des notifications dès qu'une nouvelle vidéo est mise en ligne.

Statistiques

N'oubliez pas de visiter la section « Statistiques » de vos vidéos. Vous pouvez en apprendre beaucoup sur votre auditoire. À partir de quels appareils regarde-t-il vos vidéos ? De quelle région géographique provient-il ? Quel est le temps de visionnement moyen ?

YouTube est aussi une plateforme sociale

Oui, YouTube sert à visionner des vidéos sur demande, mais il s'agit également d'un site de réseau social, alors impliquez-vous en écrivant des commentaires concernant des vidéos que vous appréciez et qui sont liées à votre secteur, répondez aux commentaires reçus, encouragez les gens à voter ou commentez vos vidéos, abonnez-vous aux chaînes qui vous plaisent le plus, etc.

⌐ 🖵 ⌐

Vimeo.com

Vimeo Plus offre une solution un tantinet plus professionnelle et sur mesure à ce que YouTube peut faire, du moins au moment d'écrire ces lignes. Son service permet notamment de faire ce qui suit :

- Protéger votre vidéo par un mot de passe.

- Empêcher que votre vidéo soit trouvée sur le Web.

- Rendre impossible le téléchargement de votre vidéo.

- Spécifier quel site aura la permission de faire jouer votre vidéo. Ainsi, si vous désirez que votre vidéo ne soit jouée que sur votre site d'entreprise, vous incluez simplement votre nom de domaine dans la liste. N'importe quel autre site qui voudra faire jouer votre vidéo en sera incapable. Sur YouTube, vous pouvez empêcher que votre vidéo soit vue ailleurs, mais cela inclut également votre site ! C'est donc tout ou rien, ce qui n'est pas idéal. Vimeo vous offre un meilleur contrôle.

- Personnaliser le lecteur vidéo et enlever le logo Vimeo, de sorte que le lecteur et votre vidéo soient complètement fondus dans le design de votre site. Ce n'est pas aussi facilement possible avec YouTube.

- Téléverser des vidéos plus longues que 15 minutes (avant que YouTube ne change ses règles, c'était un réel avantage, car automatique en mode « Plus »).

- Vimeo Plus coûte 59 $ par année. Vous pouvez télécharger vos vidéos en HD et leur lecture se fera très bien à partir de n'importe quel appareil Mac, PC, iPad, iPhone ou Android.

CHAPITRE 9

LES MÉDIAS SOCIAUX

« L'arrivée du numérique et des différentes plateformes
de communication bouleverse les repères. [...]
Dans cet environnement, les consommateurs n'accordent
plus la crédibilité à un produit de la même façon.
Les clients deviennent les porteurs de la crédibilité.
Ce sont eux qui la bâtissent, notamment par les réseaux sociaux. »

— YANIK DESCHÊNES[67], PDG DE
L'ASSOCIATION DES AGENCES DE PUBLICITÉ DU QUÉBEC

---

67. Extrait d'une entrevue accordée au journal *Les Affaires* (17-23 octobre 2009).

AVANT DE DÉBUTER

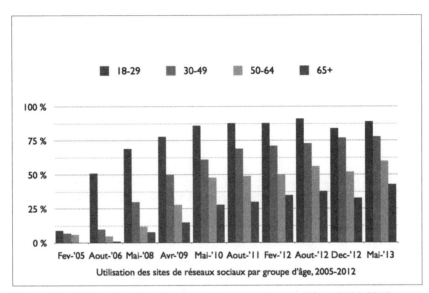

Figure 29 – Utilisation des réseaux sociaux par groupe d'âge (2005-2012)

On remarque que le groupe 18-29 fut le plus rapide à adopter ce nouveau mode de communication dès 2006. Par contre, ce qui apparaît légèrement contre-intuitif est la croissance notable des groupes 50-64 et 65+ depuis 2010. Les médias sociaux ne sont plus l'apanage des jeunes adolescents, ils sont maintenant présents dans les différents groupes d'âge de notre société.

Votre stratégie est claire, vous avez mis en place votre trio de départ : site, blogue, courriel. Votre message est bien campé et votre médiathèque déborde de contenu intéressant. Vous avez identifié la bonne ressource et votre budget de temps et d'argent est établi. Vous avez même commencé à créer des vidéos ! Vous êtes donc prêt à vous lancer dans la diffusion de votre message sur les médias sociaux, mais avant de visiter chacun plus spécifiquement, voici une liste de conseils qui s'appliquent à tous les médias sociaux sur lesquels vous interviendrez :

1. Laissez-vous le temps d'apprivoiser les différents sites. Soyez doux et conciliant avec vous-même. Prenez des notes et voyez vos progrès. Il faut un certain temps pour s'acclimater à chacune des plateformes.

2. Gérez votre temps et votre agenda. Donnez-vous 15 minutes, mais allez-y à fond, ne vous laissez pas distraire. Ce travail demande de la concentration.

3. Prenez en note vos informations (courriel utilisé, nom d'utilisateur, mot de passe, etc.) et rangez-les dans un endroit sécuritaire, idéalement sous deux formes : papier et électronique. À cet effet, voyez l'outil que j'ai concocté pour vous à l'Annexe II.

4. Remplissez vos profils au complet. Suivez les écrans d'accueil et profitez de toutes les occasions opportunes offertes. Faites le tour du propriétaire en commençant. Pour que ce soit plus facile, vous devriez avoir à portée de main, dans un document Word, tous vos renseignements : adresse, téléphone, courriel, site, description de l'entreprise, logo en différents formats, photos.

5. Mots-clés : plusieurs internautes font des recherches directement dans le réseau social auquel ils participent. Il est donc important d'avoir un bon référencement comme avec Google pour les recherches sur le Web. Profitez donc de la création de votre profil pour y inclure des mots-clés importants.

6. Assurez-vous que les logos des sites sociaux sur lesquels vous êtes présent sont en vue sur votre site. N'oubliez pas : intégration à 360°!

7. Votre logo : les différents sites offrent de téléverser votre « avatar », votre représentation. Le format est souvent carré, quelque chose comme 150 px/150 px. Certains logos sont rectangulaires ou ronds et n'apparaissent vraiment pas bien dans ce format carré. Prévoyez une image de rechange qui respecte qui vous êtes, mais qui sera plus sympathique qu'un logo mal découpé et en trop basse résolution.

8. Vos photos : utilisez le plus possible des photos ou des images sur vos profils. Le Web et les médias sociaux sont des outils visuels, à preuve le nombre incroyable de photos téléversées sur Facebook, Flickr, Pinterest, Instagram et compagnie. Idéalement, ayez des personnes en action dans les photos. C'est ce qui attire le plus. Si vos photos représentent vos produits ou services, vous devriez envisager de faire « incruster » votre nom d'entreprise, ou mieux, votre site Web, en bas des photos. Ainsi, si elles sont reproduites ailleurs sur le Web, votre adresse Internet suivra avec elles.

9. Commencez par écrire du contenu avant d'inviter les gens à « aimer » afin qu'ils aient l'impression que ce n'est pas une coquille vide.

10. Vos interventions : si vous le pouvez, n'hésitez pas à parler à la première personne et à démontrer une touche d'humour et de personnalité. Les médias sociaux sont censés être le *fun* ! Soyez sincère et vrai. Variez vos interventions, votre rythme, votre ton. Amusez-vous. Il est possible d'être professionnel et d'avoir un sens de l'humour. Je l'ai appris en lisant les rapports annuels de Warren Buffett, homme d'affaires milliardaire avec plus de 260 000 employés... Pourtant, dans sa lettre aux actionnaires, il se permet d'être personnel, de faire de l'humour bien placé et c'est très rafraîchissant à lire. Vous connaissez les limites.

11. Évitez de republier systématiquement des articles sans ajouter de la valeur. Il est de bon aloi de *retwitter* sur Twitter ou n'importe quel média social, mais si votre compte n'est qu'une série de rediffusion de ce que les autres ont écrit, vous devenez un fil de presse sans saveur et il n'y a pas vraiment d'intérêt à vous suivre ou à vous lire. Si vous appréciez vraiment ce qu'une personne a écrit, rien ne vous empêche de la citer, mais ajoutez-y votre saveur ! On veut savoir ce que vous pensez, votre opinion.

12. Visez à travailler en profondeur et non en surface : vous voulez construire des relations, pas simplement obtenir des « J'aime ». Visez à identifier les influenceurs, ceux qui bloguent beaucoup, *twittent* beaucoup, par passion pour un sujet. Ils ne sont pas les mêmes sur toutes les plateformes. Mais, si vous en identifiez un, vérifiez toutes les plateformes sur lesquelles il intervient avant d'entrer en contact avec lui afin de bien le connaître.

13. Donnez si vous voulez recevoir. Écoutez. Ne soyez pas qu'*en mode diffusion*, soyez *en mode écoute* et discussion. Entrez dans des discussions sur des sujets que vous aimez et connaissez. N'ayez pas peur de vous engager sur les profils d'autres personnes ou entreprises. Ayez l'attitude de réellement vouloir *aider*, *partager*. Vous ne pouvez aider tout le monde, mais si vous ne le faites que pour une personne… vous ne savez jamais l'impact que vous aurez.

14. Allez voir ce que fait votre compétition de temps à autre sur les différents réseaux sociaux, mais n'allez pas polluer son mur, et ne passez pas trop de temps non plus à l'analyser !

15. Répondez rapidement aux commentaires qui seront faits dans vos différents comptes.

16. Ne laissez pas l'un de vos comptes inactif trop longtemps. Règle idéale : pas plus d'un mois. Deux mois maximum.

17. Posez des questions, mais pas trop souvent ! Si vous posez des questions à trois ou quatre reprises et que vous n'obtenez pas de participation, espacez. Prenez le temps de bien connaître votre environnement. Peut-être posez-vous les questions au mauvais moment. Peut-être que les gens qui sont abonnés à votre compte ne sont pas intéressés par le sujet de vos questions ou, peut-être, simplement, qu'ils n'ont pas le temps à ce moment-ci !

18. Ne vous sentez pas visé personnellement par quoi que ce soit. Tout se fait très rapidement. Vous publiez quelque chose dont vous êtes très fier et vous aimeriez que tout le monde partage votre nouvelle ou aime votre article. Vous ne voyez pas tout ce qui se fait par tous ceux qui le font. C'est la même chose pour votre auditoire. Ils ne peuvent être partout en même temps. Soyez patient, et n'en faites pas une affaire personnelle et vous pourrez continuer. Impatience et susceptibilité seront de courte durée…

LE BLOGUE : UN OUTIL PUISSANT

Quelle est la différence entre un site Web et un blogue ? Essentiellement, un blogue est un site Web dont le contenu est mis à jour régulièrement. Un site Web est considéré comme plus statique, un peu comme une brochure d'entreprise. Les changements sont plus coûteux et longs à apporter. Un blogue permet sa mise à jour facilement et régulièrement. En passant, les deux peuvent coexister. Si vous avez créé votre site Web avec WordPress, votre blogue est déjà prêt à être utilisé. Si vous avez créé votre site avec Wix, vous pouvez créer un blogue sur Tumblr.com et l'intégrer à votre site très facilement.

Si vous êtes passionné, si vous aimez partager, si vous avec le goût d'écrire un livre plus tard, si vous aimez lire et vous renseigner… le blogue est probablement un superbe outil pour vous. Les articles que vous publierez seront comme des photos de voyage. Sans vous en rendre vraiment compte, vous écrirez au fil des jours, des semaines, sur des sujets qui vous intéressent. De-ci, de-là, vous ferez 300 mots sur un sujet, 500 mots sur un autre. Vous vous surprendrez à trouver des titres drôles et accrocheurs, à formuler vos phrases différemment. Vous vous prendrez à l'habitude de noter vos idées lorsque vous lirez ou surferez sur le Web.

Les doigts vous démangeront et vous vous direz : « Il me semble que ça fait longtemps que je n'ai pas écrit. » Vous serez devenu blogueur. Vous aurez été converti. Vous écrirez pour le plaisir d'écrire, de partager, mais surtout d'écrire afin de mettre vos idées en place, de donner une perspective à votre point de vue.

Bloguer avec passion peut s'avérer être un outil très puissant. La passion ne s'achète pas. La passion ne se vend pas. La passion se vit de l'intérieur et elle s'exprime avec des mots et des images, des idées qui naissent également de l'intérieur. La passion attire, regroupe, renforce ceux qu'elle touche. Communiquer avec passion vous amène à cultiver cette passion, à l'entretenir, à l'apprivoiser, à la chérir.

Imaginez vos clients, vos clients potentiels ou n'importe qui visitant votre blogue et vous lisant, vous *sentant* littéralement épris de votre entreprise, des services que vous rendez aux gens, à quel point vous aimez ce que vous faites, ne pouvant cesser de vous lire, car l'amour de ce que vous faites transparaît à chacune des lignes, à chacun des mots que vous écrivez.

Vous ne pouvez pas vous renouveler régulièrement grâce à des cartes professionnelles, à des dépliants ou même en mettant à jour les différents onglets de votre site.

Les aspects stratégiques du blogue

Leadership

Écrire et publier régulièrement des articles en rapport avec votre domaine d'expertise vous aide à vous positionner en tant que *leader* de ce domaine. Vous avez des idées, de l'expérience, des opinions, des conseils et vous les partagez, cela fait de vous un *leader*.

Référencement

Google adore les blogues et le contenu récent. De plus, si vos articles sont consultés, partagés et que les gens y font référence ailleurs sur le Web, cela contribuera grandement au positionnement de votre site-blogue dans les moteurs de recherche.

Nouvel outil Google : date de publication

Google a introduit un nouveau filtre dans son moteur de recherche : la date de publication de ce que vous recherchez. Cet outil permet de discriminer le « vieux » contenu et le contenu plus récent. Vous aurez compris que vous y gagnez en publiant régulièrement, car vos résultats ont plus de chances de « passer » à travers ce filtre.

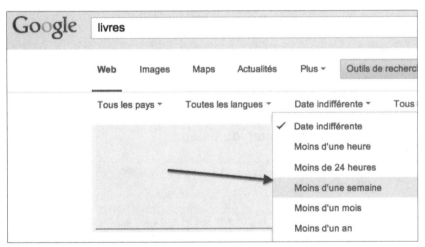

Figure 30 – Date de publication

Il est maintenant possible de filtrer les résultats de recherches par date afin d'éviter des sites Internet qui sont trop anciens.

Source de contenu pour les autres médias sociaux

Comme nous l'avons vu précédemment, le fait de créer du contenu pour votre blogue sera une source de publication pour vos autres médias. Il y aura l'effet cascade.

Longueur de vos articles : visez de 250 à 500 mots

N'oubliez pas d'être stratégique dans l'écriture de vos articles. Visez des articles de 250 à 500 mots pour débuter, ce qui devrait prendre environ 1 à 2 minutes à lire. Si votre article est lu et apprécié, les chances sont de votre côté que votre visiteur aura le goût d'en lire un second ou de revenir plus tard.

Possibilité de faire écrire vos articles par des pigistes

Vous n'avez pas la plume facile à délier ? Qu'à cela ne tienne : vous pouvez engager un pigiste afin de vous aider à créer vos premiers articles. Un site comme AgentSolo.com vous offre un bon point de départ dans votre recherche.

🖱🖥🖱

LINKEDIN : LE RÉSEAU PROFESSIONNEL

Si vous avez un compte LinkedIn, vous vous êtes très vite rendu compte de l'énorme différence entre LinkedIn et Facebook. LinkedIn ne présente pas de vidéos, de photos de chats, de chiens ou tout ce côté ludique. Ce site est assurément orienté vers le côté plus sérieux du réseautage.

S'il y a une note positive que l'on peut accorder au site LinkedIn, c'est l'état d'esprit dans lequel nous sommes lorsque nous entrons sur le site ou que nous utilisons l'application mobile. Nous ne voulons pas lire une blague rapide, voir une vidéo comique ou vérifier ce que font nos amis. Notre état d'esprit en est un de relations d'affaires. Peut-être vous cherchez-vous un emploi, un nouveau fournisseur de produit dans tel ou tel champ d'activité. L'état d'esprit des utilisateurs de ce site en est un de *business*. Clair et limpide.

Voici quelques trucs qui vous seront utiles :

1. Votre photo doit toujours être professionnelle : c'est le seul aspect vraiment visuel de LinkedIn. Si possible, utilisez les services d'un photographe professionnel. Évitez la photo de votre dernier voyage dans le Sud ou celle que vous avez coupée afin qu'on ne voie pas votre conjoint… J'en ai vu ! Idéalement, votre visage devrait occuper 50 % du cadre. Vous ne devriez pas être vu de la tête au pied ni même à partir de la taille, car ainsi votre visage est trop petit et on a de la difficulté à vous reconnaître. Vous devriez idéalement regarder directement l'objectif de la caméra et non regarder au loin… à moins que vous ne soyez dans un domaine hyper-créatif et que vous vouliez absolument vous donner un style *cool* et branché.

2. Inscrivez seulement votre nom dans « Votre nom ». N'encombrez pas cette section avec des titres supplémentaires ou des acronymes qui n'en finissent plus.

3. Utilisez le « Titre professionnel » de votre profil à des fins de marketing. Utilisez à bon escient les 120 caractères à votre disposition. Faites qu'il soit accrocheur. La plupart du temps, les utilisateurs écrivent leur poste actuel. Soyez créatif ! Créez un titre qui incite les gens à visiter votre profil. Utilisez « | ». Il est très pratique afin de séparer des éléments distincts de votre titre et fait très professionnel.

4. Joignez au moins 501 personnes : LinkedIn montre combien de connexions vous avez jusqu'à ce que vous atteigniez 500. Ensuite, LinkedIn affiche « 500+ ». Les gens aiment se connecter aux gens « branchés ».

5. Fournissez au moins une autre façon de vous joindre : numéro de téléphone, adresse, courriel. Ce n'est pas tout le monde qui voudra vous laisser un message sur LinkedIn. Il est bon de donner plusieurs options.

6. Personnalisez le lien « Votre site Web » en inscrivant le vrai nom de votre site ou le nom de votre entreprise.

7. Rédigez votre « Résumé » à la première personne. LinkedIn est un moyen de communication entre individus. Ne parlez donc pas de vous à la troisième personne : cela sonne *prétentieux* et démontre que vous n'avez pas pris le temps d'écrire quelque chose de personnalisé pour ce réseau. Adressez-vous directement à votre marché cible, ne soyez pas générique, mais précis.

8. Insérez les mots-clés importants pour vous dans votre résumé et idéalement dans toutes les descriptions d'emplois antérieurs, toujours en demeurant vrai et éthique.

9. Ajoutez une vidéo ou une présentation à votre profil. Dites aux visiteurs d'appuyer sur « Jouer », car ce ne sont pas tous les profils qui affichent une vidéo. C'est simple et très efficace.

10. Utilisez la section « Projets » pour la promotion de produits. Offrez un rapport gratuit, un livre blanc ou quelque chose qui donnera de la valeur à votre marché cible pour générer du trafic et *opt-in* pour votre site Web.

11. Écrivez au moins cinq recommandations à des contacts professionnels en qui vous avez confiance. Prenez le temps de les écrire et envoyez-leur un beau message en guise d'introduction. Vous devriez ressentir une belle émotion en le faisant. Donnez avant de demander. Dernièrement, LinkedIn a ajouté la possibilité de « voter » pour les compétences de vos contacts. C'est très bien. C'est un peu l'équivalent des « J'aime » de Facebook et c'est mieux que le silence radio. Par contre, rien ne battra le témoignage écrit. C'est un écrivain qui vous le dit !

12. Lorsque vous aurez fait vos devoirs et que vous aurez écrit vos cinq recommandations, vous pourrez, en toute bonne conscience, écrire à vos contacts professionnels privilégiés et leur demander de vous écrire une recommandation. Ce sera peut-être les mêmes personnes que vous aurez recommandées, mais ce n'est pas obligatoire : les relations ne sont pas toujours équilibrées. Obtenez un minimum de trois et idéalement de dix recommandations. La fonction « Recommandations » est très puissante. Il s'agit d'un témoignage direct, public, de votre qualité en tant que fournisseur de services ou en tant qu'employé.

13. Assurez-vous que vous ajoutez une expérience de bénévolat ou les causes que vous soutenez. Votre profil LinkedIn comporte une section spéciale à cet effet.

14. Joignez des groupes. Vous pouvez joindre un maximum de 50 groupes sur LinkedIn afin de profiter de chacun d'eux. Si votre entreprise est principalement locale, alors commencez par trouver des groupes locaux pertinents pour votre industrie ou partout où votre marché cible est susceptible d'être. Si vous commencez, inscrivez-vous dans le groupe Linked Québec : « Linked Québec est le plus grand regroupement de gens d'affaires au Québec (~100 000 membres fin 2013). Elle a été conçue pour bénéficier pleinement de LinkedIn et vous permettre d'optimiser vos retombées – sans frais d'adhésion. La communauté Linked Québec est unique au monde… à l'image des Québécois. Elle comprend trois groupes LinkedIn : Linked Québec – Thèmes ; Linked Québec – Carrières : Linked Québec – Régions. »

15. Visitez LinkedQuebec.com et AcademieLinkedQuebec.com. Le créateur de ces sites et fondateur de Linked Québec, Simon Hénault, est « l'expert » reconnu au Québec en ce qui a trait à l'utilisation professionnelle et efficace de LinkedIn. Il offre de nombreux cours en ligne et en salle. Vous voulez connaître l'impact des recommandations sur LinkedIn ? Allez visiter son profil !

16. Rendez le virtuel réel : entrez en contact avec vos relations LinkedIn par téléphone ou en personne. C'est ce qu'on appelle « rendre le virtuel réel ». Un visage, quelques mots sur un profil et une série d'expériences antérieures ne peuvent que donner un aperçu de la personne avec qui vous êtes en contact. Si vous croyez que vous pourriez profiter du contact d'une personne présente sur LinkedIn, n'hésitez pas à amener cette relation dans le bon vieux monde de l'être humain tel que nous l'avons déjà connu !

17. Rendez le réel virtuel : lorsque vous entrez en contact avec une personne lors d'une exposition, d'un tournoi de golf, d'un déjeuner-causerie ou de tout autre événement social, prenez le réel (la personne en face de vous avec sa carte professionnelle) et rendez-le virtuel : invitez cette personne à se connecter à vous sur LinkedIn. De cette manière, vous êtes presque assuré de ne jamais perdre contact avec elle. Cela ne vous est-il jamais arrivé d'être en relation d'affaires avec un client ou un fournisseur et, pour une raison ou une autre, votre relation privilégiée quitte l'entreprise. Vous tentez de savoir où elle est rendue, mais vous ne réussissez pas à retrouver sa trace. Lorsque vous êtes en contact sur LinkedIn, vous pouvez « suivre » le développement de carrière de vos contacts.

⁊🖥⁊

TWITTER : LE RÉSEAU EN FORTE CROISSANCE

Twitter est un outil de réseau social et de microblogage (*microblogging*) de 140 caractères au maximum ou d'une ou deux phrases qui permet à l'utilisateur d'envoyer gratuitement des messages brefs, appelés « micromessages » (*Tweets*), par Internet, par messagerie instantanée ou par texto. Le côté intéressant des *Tweets* est qu'ils sont courts. Ils se lisent très vite. Le slogan de Twitter est « Quoi de neuf ? » dans la version française (*What's happening ?*).

À ce jour, Twitter compte 500 millions d'abonnés, dont 215 millions qui sont actifs chaque mois et 100 millions qui le sont chaque jour. Twitter est en forte croissance et ceux qui sont présents sont très souvent des gens de médias ou des influenceurs très actifs et volubiles ! Soixante pour cent des utilisateurs accèdent à leur compte via leur téléphone mobile.

Inscription

Votre profil

Il y aura toujours un @ en avant de votre nom. « @VotreNom » sera votre nom « twitterrien » grâce auquel les gens vous répondront ou vous citeront. Choisissez-le bien afin qu'il vous représente. Ce pourrait être votre nom d'entreprise ou votre nom personnel ou une forme d'abréviation, s'il est trop long. N'oubliez pas qu'avec Twitter, tout doit être court !

Votre photo : nous en avons déjà parlé. Soyez créatif et de bon goût ! Vous avez droit à une photo ne dépassant pas 700 ko.

Votre « biographie » : j'indique le mot volontairement entre guillemets, car Twitter dit bel et bien « biographie », et ne vous donne droit qu'à 160 caractères. Pas des mots, des caractères ! Alors, résumez-vous… le mieux possible ! L'humour a toujours sa place lorsqu'il est de bon goût ou alors un bel esprit.

Vos mots-clés : encore une fois, ils sont importants. Si des mots-clés sont primordiaux pour vous, inscrivez-les dans votre profil, car Twitter en tient compte lorsque ses utilisateurs font des recherches.

Abonnements et abonnés : asymétrie

Si l'utilisateur Jean « suit » l'utilisateur Pierre, on dit que Jean est un abonné (*follower*) de Pierre, alors que Pierre a un abonnement (*following*) de Jean. Twitter est un réseau social *asymétrique*, contrairement à Facebook. Ainsi, il est possible qu'une personne choisisse de suivre très peu de ses abonnés. À titre d'exemple, une célébrité peut avoir plusieurs millions d'abonnés et très peu d'abonnements. Le ratio abonnés/abonnements permet d'ailleurs de déterminer à quelle catégorie d'utilisateur appartient une personne. Par défaut, chaque compte est limité à 2 000 abonnements. Pour qu'un utilisateur puisse s'abonner à plus de 2 000 personnes, il doit atteindre un certain ratio abonnements/abonnés qui n'est pas dévoilé par Twitter. Voici quelques recommandations au sujet des abonnements et des abonnés :

1. Abonnez-vous aux gens que vous respectez et que vous aimez, aux personnes qui sont des *leaders* de votre industrie afin d'être au courant de ce qui se passe.

2. Lorsque quelqu'un s'abonne à votre compte Twitter, il est « attendu » que vous vous abonniez en retour, à moins que ce ne soit un compte du type pourriel ou qui n'est pas du tout dans votre « ligne ». Si le compte n'a aucune photo, aucune description, aucune activité récentes, ne le suivez pas en retour.

3. N'oubliez pas, si possible, de dire merci lorsque quelqu'un s'abonne. Même si vous avez passé « tout droit » et que cela fait plus de deux semaines, ce n'est pas grave : la gratitude est toujours appréciée !

Vos objectifs

Si vous désirez être efficace, il vous faut demeurer concentré sur vos objectifs et votre passion et bien gérer votre temps ainsi que votre attention. Il est facile de perdre le contrôle sur Twitter ! Voici quatre objectifs que vous pourriez poursuivre :

1. Partager votre contenu, vos nouvelles, des éléments de réflexion que vous trouvez pertinents.

2. Suivre des célébrités (Myley Cirus, Justin Bieber, mais également des célébrités dans votre domaine d'activité, des

spécialistes, des autorités et des influenceurs. C'est cela dont je voulais parler!).

3. Suivre les nouvelles en temps réel plus rapidement et efficacement grâce aux comptes spécialisés.

4. Rechercher des idées pour des articles à écrire, de nouveaux produits, de nouvelles tendances.

Observation

J'ai lu ce qui suit en faisant mes recherches: «Vous avez deux oreilles et une bouche[68]: sur Twitter, vous devez d'abord écouter, comprendre et, ensuite, et seulement ensuite, vous exprimer et commencer à publier.» Je crois que cette citation est toujours vraie, mais plus particulièrement dans le cas de Twitter, car il y a beaucoup de jargon à apprendre et de «bonnes» et de «mauvaises» manières à connaître.

🖰 Le *retweet*: le *retweet* est une forme de compliment offert à celui que l'on *retwitte*. Même chose si l'on ajoute un *Tweet* dans nos favoris.

Il y a deux façons de *retwitter*: vous cliquez sur le bouton «*Retweet*». L'avantage? C'est super rapide! Le désavantage? Dans votre fil de *Tweets*, ce n'est pas votre photo et votre profil qui apparaissent, mais celui de la personne qui a *twitté* au point de départ. Alors, si vous voulez *retwitter*, mais également promouvoir votre marque, vous cliquez sur «Répondre» et vous faites un copier-coller du *Tweet* que vous collez à l'endroit prévu pour la rédaction de votre propre message. Puis, vous inscrivez «RT» en avant du texte avec le «@» de la personne. Ainsi, vous faites honneur et vous respectez le contenu de la personne, elle sait que vous l'avez *retwittée*, mais en même temps vous mettez de l'avant votre image.

---

68. Source: www.forbes.com/sites/kenkrogue/2013/08/30/31-twitter-tips-how-to-use-twitter-tools-and-twitter-best-practices-for-business/.

⚲ Mot-clic[69] (*hashtag*, «#» ou mot-dièse) : il permet de suivre des conversations et d'enlever le bruit. Dans votre fil de nouvelles, vous ne voyez que les *Tweets* qui comportent ce mot-clé particulier. C'est un peu comme dans une foule lorsque quelqu'un prononce votre nom : vous n'entendez plus que sa voix à travers la foule, votre cerveau filtrant automatiquement tout ce qui ne vous intéresse pas et se concentrant sur la voix de ceux qui «parlent de vous». Lorsque vous tombez sur un *Tweet* intéressant et qu'il y a un mot-clic inclus, vous pouvez cliquer dessus et voilà vous avez maintenant accès à tous ceux qui *twittent* à ce sujet.

Vous pouvez également créer votre propre mot-clic simplement en ajoutant le symbole «#» en avant d'un mot et en incluant le tout dans votre prochain *Tweet*. Vous pourrez suivre son évolution et voir si d'autres personnes le mentionnent. Il n'y a pas de coût ou de privilèges rattachés à la création d'un mot-clic. Comme mentionné, il sert uniquement comme filtre de conversations à travers tout le brouhaha présent sur Twitter.

⚲ Liste : utilisez les listes pour faire du ménage et ne pas avoir à tout regarder ce que tout le monde publie lorsque vous n'avez pas le temps. Vous pouvez classer les différentes personnes que vous suivez selon des catégories que vous créez à votre guise. Cela est impératif si vous suivez plus de 10 personnes qui sont le moindrement actives ! Vous pouvez, par exemple, créer une liste pour vos amis proches, pour vos collègues, pour les nouvelles de votre industrie, pour des personnalités que vous aimez suivre, etc. Les listes sont très utiles. Je vous le dis. Ne vous aventurez pas sur Twitter sans penser à créer des listes.

---

69. «Série de caractères précédée du signe #, cliquable, servant à référencer le contenu des micromessages, par l'indexation de sujets ou de noms, afin de faciliter le regroupement par catégories et la recherche thématique par clic. [...] Le terme *mot-clic*, formé à partir de *mot-clé* et de *clic*, a été créé et proposé par l'Office québécois de la langue française, en janvier 2011, pour désigner ce concept.» (Source : OQLF)

Publication

Avant de commencer à publier, faites un retour sur la section «Message» afin de bien vous souvenir des informations concernant votre ton, votre voix ainsi que le positionnement de votre marque. Twitter a son propre rythme et il faut trouver son rythme, sa personnalité.

Pour les titres et accroches, revenez à la section «Message» dans la première partie. Il faut être captivant et intéressant. Les listes comme «Les 7 manières de…» ou «Faites comme Oprah et perdez…» sont toujours populaires. Ce sont des classiques. Soyez prudent, mais également marketing!

Les outils comme HootSuite vous permettront de structurer et de programmer vos *Tweets*. Attention, cependant, pour ne pas perdre la spontanéité que permet ce média.

Lorsque vous publiez, vous aimerez sans doute associer un mot-clic à votre *Tweet*. N'en faites pas trop, cependant. Il n'est pas recommandé d'inclure plus de deux mots-clics par *Tweet*.

Attention au phénomène de la rafale (*burst*)! Que vous soyez novice ou expérimenté, il arrive des moments où quelque chose soulève votre passion. Vous êtes en train de lire des articles, vous reprenez le temps de lecture que vous avez négligé au cours des derniers mois, vous assistez à un événement qui vous captive ou vous vivez quoi que ce soit qui crée en vous l'émotion de vouloir partager «avec le monde» ce que vous vivez ou ce que vous apprenez. Survient alors le phénomène de l'explosion twitterienne! Étant donné qu'il n'y a pas vraiment de limites, de barrières ou de coûts à *twitter*, vous commencez et ne semblez plus vouloir arrêter. Ce n'est pas nécessairement une bonne idée! Publier 10 ou 15 *Tweets* en 40 minutes «bloque» le fil de vos abonnés et n'est pas perçu comme une bonne pratique. C'est un peu l'équivalent D'ÉCRIRE EN LETTRES MAJUSCULES, ce qui équivaut à crier dans un courriel. Si vous êtes dans une bonne «passe» et qu'il vous vient de nombreuses idées de *Tweets*, prenez-les en note et dispersez-les dans le temps. Soyez poli, modéré et relativement constant dans vos publications. Vous éviterez ainsi que vos abonnés se désabonnent.

Vous pouvez répéter vos *Tweets*, mais évitez de les répéter tels quels. Variez la forme.

Conversation

Engager la conversation, s'engager dans le média… Le mot à se rappeler est *engager*. Choisissez bien vos interlocuteurs et engagez-vous dans des discussions plus personnelles.

Vous pouvez écrire des messages directs (*direct message*, *DM*) aux gens avec qui vous désirez construire une relation et auxquels vous êtes abonné. Si une personne est abonnée à vous en retour, vous pouvez communiquer sur une base de messages privés, qui sont équivalents aux textos.

Utilisez les mots-clics pour joindre une conversation, lorsqu'il y a un commentaire ou une question à laquelle vous avez une réponse intelligente en ajoutant le mot-clic à votre *Tweet* et le tour est joué. Vous pouvez également créer un mot-clic si vous désirez amorcer un débat ou une conversation sur un sujet particulier.

Outil

Voici quelques outils qui s'ajouteront à votre expérience et qui vous faciliteront les recherches sur Twitter :

- ᛒ **La barre de recherche de Twitter :** elle permet de trouver rapidement des termes, des mots-clics et des personnes. Utilisez-la !

- ᛒ **Hashtag.org :** ce site vous permet de suivre les tendances mondiales et de faire des recherches en ce qui concerne la popularité de certains sujets et mots-clics.

- ᛒ **Topsy.com :** ce site vous permet de trouver les influenceurs, de rechercher des liens, des *Tweets*, des photos. Convivial et puissant, il se targue d'avoir indexé tous les *Tweets* qui ont été publiés depuis 2006 !

⌐ **Twellow.com :** en résumé, ce site représente l'équivalent des Pages Jaunes sur Twitter (**Tw**itter + **Y**ellow Pages = Twellow !).

⌐ **Twitcleaner.com :** il sert à faire le ménage de votre compte Twitter, notamment en ce qui concerne ceux qui se sont abonnés à vous et qui ne sont pas actifs ou qui exercent des activités douteuses.

FACEBOOK : LE VAISSEAU AMIRAL !

Facebook compte plus de 1,26 milliard de membres à travers la planète, dont 728 millions sont actifs chaque jour. Au Canada, 18 millions de personnes sont membres de Facebook, ce qui représente 63 % des gens qui utilisent Internet. Les utilisateurs y consacrent en moyenne 8,3 h par mois.

En tant que deuxième site le plus visité au monde, Facebook, le phénomène, ne peut être ignoré d'un point de vue commercial. Le budget publicitaire des multinationales migre à un rythme accéléré vers Facebook. À preuve, la valorisation boursière de Facebook a dépassé 100 milliards de dollars américains en 2013. Ses revenus sont passés de 1,9 milliard de dollars en 2010 à plus de 5 milliards en 2012, la presque totalité provenant de vente de publicités. Il s'agit, sans conteste, du vaisseau amiral des sites de médias sociaux.

Inscription

Profil : Si vous êtes actuellement sur Facebook, vous avez créé votre profil personnel. Vous connaissez le topo : photos de vous, de vos voyages, de votre famille, des amis qui publient sur votre mur, etc. Le profil est de nature plus personnelle et devrait être réservé aux « amis ». Le mot « amis » est volontairement entre guillemets, car vous conviendrez qu'il est difficile d'imaginer que l'on puisse réellement avoir 347 ou 1 254 amis, mais bon, pour l'objet de la discussion, contentons-nous de dire que le profil est réservé aux amis.

Certaines personnes utilisent, à dessein, le profil pour leur promotion personnelle, ce qui n'est pas l'idéal. Tout d'abord, votre profil est bloqué à 5 000 amis. Si vous atteignez cette limite, vous devrez créer une page et ce ne sera pas facile de faire migrer vos contacts vers votre nouvelle page. Il est vrai que les gens préfèrent être « amis » avec la personne plutôt que d'aimer une page professionnelle. Ils ont l'impression d'être plus près. Mais, ce n'est pas une bonne pratique à utiliser à long terme.

Truc : reliez votre profil personnel à votre page professionnelle grâce à la première ligne de votre section « À propos ». Utilisez « Emploi » et dans le champ de recherche, entrez le nom de votre page professionnelle. Dès qu'elle s'affiche, choisissez-la et elle deviendra un lien cliquable à partir de votre profil. Puis, au lieu de décrire votre emploi, inscrivez simplement « Visitez ma page » et le tour sera joué !

Voici trois autres raisons de ne pas utiliser votre profil personnel pour votre entreprise : vous n'aurez pas accès aux différentes applications offertes pour les promotions et les concours ; vous ne pourrez pas faire de publicité ; et vous n'aurez pas accès aux statistiques de votre profil, sans compter que vos amis n'apprécieront probablement pas le côté trop commercial de votre profil.

Page : Une stratégie intéressante est d'avoir un profil privé, restreint et une page publique (*fan page*), qui est réservée à la promotion, aux publications professionnelles, à l'interaction avec vos clients et clients potentiels. De cette façon, votre intention et votre *focus* sont plus clairs, tant de votre côté que de celui de ceux qui deviennent vos « adeptes ». Un avantage d'avoir une page au lieu d'un profil, c'est que la page est publique et elle se « référence » plus facilement via les moteurs de recherche. Également, même les gens non inscrits peuvent y avoir accès.

Note : Il est maintenant possible de créer une page d'entreprise sans avoir à utiliser un profil personnel en créant un profil entreprise puis en créant une page à partir de ce profil. Il s'agit d'une bonne avenue à envisager si vous ne désirez pas être sur Facebook personnellement.

Groupes : Ils sont souvent créés pour des causes, des discussions, des événements. Ils ont une nature plus ponctuelle et moins commerciale. Ainsi, vous pourriez avoir une page pour votre entreprise, mais un groupe pour une cause que vous soutenez, ou un comité que vous avez mis sur pied et où vous voulez que les échanges soient faciles entre les participants.

Lors de votre promotion sur Facebook, il est donc suggéré d'utiliser la fonction « Pages ».

Accueil

Par défaut, lorsque les gens visitent votre page Facebook, ils arrivent directement sur votre « mur ». Auparavant, il était possible de définir une page d'accueil différente du mur, mais cette fonction a été désactivée. Il est donc primordial de faire la meilleure première impression rapidement. À cet effet, vous avez quatre atouts :

Photo du profil

☞ La grandeur requise est de 180 px/180 px.

☞ Si votre logo est rectangulaire ou rond ou s'il comporte du texte trop petit, le résultat obtenu ne sera pas optimal.

☞ Il faut également penser que la photo de profil représentera votre entreprise dans toutes vos interventions sur Facebook. Vous voulez donc une image claire et dynamique.

☞ Si vous désirez utiliser votre logo, ce serait une bonne idée d'introduire la ou les personnes qui s'occuperont des publications sur votre page afin de donner un côté humain aux interventions. Une bonne pratique à cet effet est d'indiquer le prénom de la personne qui fait la publication à la fin de celle-ci. N'oubliez pas : les gens aiment se connecter à d'autres personnes, et non à des marques ou à des entreprises.

Photo de couverture

La grandeur requise est de 851 px/315 px.

Figure 31 – Page d'accueil Facebook

Voici un exemple d'une page d'accueil sur Facebook. Le nombre de personnes qui en parlent est basé sur les activités des *fans* de la page au cours des sept derniers jours. Vous devriez viser de 2 à 10 %.

❄ Changez régulièrement cette photo selon les événements auxquels vous participez ou selon les saisons, le lancement de nouveaux produits. L'idée est de varier et de surprendre.

❄ Utilisez cette photo pour présenter votre équipe, montrer l'envers du décor. Le but est également d'être humain et spontané.

❄ Vous pouvez également vous servir de cette vitrine afin de mettre en valeur l'un de vos clients ou un *fan* de votre page ou un nouveau projet que vous venez de réaliser.

❄ Idéalement, la photo devrait être en lien avec le graphisme de votre site Web afin de continuer à diffuser votre image de marque.

⚲ Une autre façon de vous servir de la photo d'accueil est de mettre en scène des utilisateurs «types» de votre produit afin que les gens se reconnaissent et se disent «qu'ils sont à la bonne place».

Restrictions d'affichage (politique de Facebook)

⚲ Pas de prix ou de % (50 % de rabais).

⚲ Pas d'informations des contacts (téléphone, site Web, courriel, adresse) qui pourraient être contenues dans la section «À propos».

⚲ Vous ne pouvez demander aux gens de cliquer sur «J'aime» ou de partager ou de leur dire «dites-le à vos amis!».

Onglets personnalisés

Cinquante-sept pour cent des «J'aime» de *fans* sur Facebook ont comme objectif d'avoir accès à des promotions, à des réductions ou à des concours qui ne sont offerts que sur Facebook. Il peut donc être utile et efficace, de temps à autre, d'offrir de telles possibilités à vos *fans*.

Un outil très utile à cet effet est l'onglet spécialisé. À la base, Facebook offre les onglets «Photos», «Vidéos», «J'aime», «Cartes», «Articles». Vous pouvez en ajouter et en enlever, sauf pour ce qui est de «Photos» qui sera toujours le premier onglet et dont la vignette sera toujours la dernière photo que vous avez téléversée.

Vous pouvez utiliser les services d'un développeur Web afin qu'il vous programme une page pour votre concours et votre promotion. D'une certaine manière, c'est un peu comme programmer un minisite Internet et il y a du langage html à connaître.

Vous pouvez également utiliser l'un des outils suggérés à la section « Outil », plus loin dans ce chapitre, afin de le faire vous-même.

L'avantage d'un onglet personnalisé est qu'il garde vos visiteurs dans Facebook où ils sont plus à l'aise. Le défi est que vous devez y envoyer du trafic, car ce n'est pas naturel pour les gens de cliquer sur ces onglets. Vous devez donc être stratégique et faire en sorte que la vignette de votre onglet personnalisé soit en lien avec la photo de couverture afin d'inciter les gens à cliquer et à voir ce que vous offrez.

La page qui s'affiche lorsque l'onglet est « cliqué » est programmable comme un site Internet. Vous pouvez donc inclure de grandes photos, de la vidéo, des appels à l'action, un formulaire afin de capturer les adresses électroniques, etc.

Vous pouvez même instaurer une barrière « J'aime » qui fera en sorte que si les gens n'ont pas aimé votre page, ils ne pourront voir le contenu de votre concours ou de votre promotion.

🖰 Vous avez droit à un maximum de douze onglets sur une page Facebook. C'est amplement suffisant et même trop !

🖰 Exemples d'onglets personnalisés : « Promotions », « Concours », « Pinterest », « YouTube », « Twitter », etc.

Figure 32 – Onglets Facebook

Les onglets « Photos », « Mentions J'aime », « Vidéos », « Carte » et « Articles » sont déjà créés par Facebook. L'onglet « Photos » ne peut être déplacé et il sera toujours le premier. La vignette de cet onglet sera toujours la dernière photo que vous avez mise en ligne. Votre page peut comporter jusqu'à 12 onglets personnalisés.

☞ Il est possible de changer la plupart des vignettes. La grandeur de l'image de remplacement doit être de 111 px/74 px.

☞ On ne peut pas créer une vignette pour les onglets Facebook : « Photos » (reste toujours en place), « J'aime », « Vidéos », « Articles », « Événements ».

☞ Mis à part l'onglet « Photos », vous pouvez bouger les vignettes en cliquant sur le petit crayon.

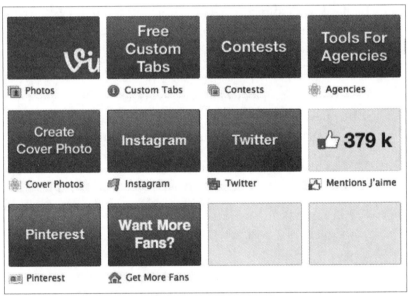

Figure 33 – Onglets personnalisés Facebook

On peut constater que l'utilisateur de cette page profite vraiment de la souplesse que peut offrir la fonction « onglets personnalisés » de Facebook. Et c'est normal, car il s'agit de l'entreprise Pagemodo qui en fait une spécialité.

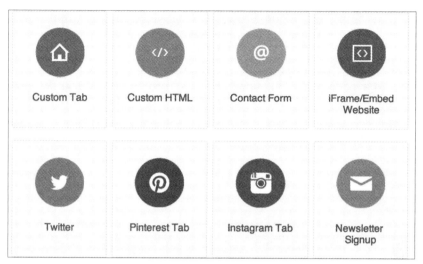

Figure 34 – Onglets Pagemodo

Une entreprise comme Pagemodo vous permet de créer de multiples onglets personnalisés dont plusieurs sont gratuits comme « Twitter », « Pinterest », « Instagram » ou un formulaire d'adhésion à votre infolettre.

Publication

Toutes les règles que nous avons vues auparavant s'appliquent également à Facebook : le contenu doit être de qualité, visuel et soit informatif, éducatif soit simplement le *fun* ! Il doit être publié réguliè- rement, avec modération et respect pour les gens qui ont aimé votre page.

Publiez toujours votre meilleur contenu et ayez du plaisir en le faisant. Ça se ressent de l'autre côté. Prenez des angles différents et n'oubliez pas de poser des questions de temps à autre. Le fait de varier, de surprendre et d'être ludique de temps à autre vous aidera à demeurer à la page et lorsque vos *fans* verront apparaître votre publication dans leur fil de nouvelles, ils auront le goût de cliquer et de lire.

Ne laissez jamais un commentaire sans réponse. Vous pouvez cliquer « J'aime » sur le commentaire afin de manifester à la personne qui l'a écrit que vous l'avez lu et aimé. Vous pouvez répondre, et allez plus loin dans la conversation. Vous verrez à quel point cela est important dans « Engagement » plus loin.

N'hésitez pas à demander de faire « J'aime » si les gens sont d'accord avec l'énoncé que vous venez de formuler ou de leur demander de commenter. Mais, rappelez-vous que l'on doit pouvoir répondre aux questions en quelques mots, idéalement un ou deux, car les gens sont souvent en train de faire autre chose !

Images

Les images qui comportent du texte à l'intérieur fonctionnent le mieux. Elles sont en couleurs, déclenchent une émotion et obtiennent des mentions « J'aime » beaucoup plus facilement que du simple texte. De plus, elles prennent plus de place dans le fil d'actualité et sont plus susceptibles d'être vues.

Si vous publiez un article sur votre blogue et que vous désirez en faire part sur votre page Facebook, faites une capture d'écran de la page de votre site afin d'en faire une plus grosse image pour qu'elle soit ainsi plus visible que le simple lien vers l'article et la petite photo qui y est souvent greffée. Ainsi, vous courez la chance que vos efforts passent moins inaperçus.

D'ailleurs, les photos devraient faire partie de 90 % de vos publications. Il a été prouvé à plusieurs reprises que cela fait plus que doubler l'efficacité de vos réponses sur Facebook.

Engagement

Portée naturelle

Selon Facebook, la portée naturelle d'une page varie de 12 à 16 %. Autrement dit, si vous avez 100 « J'aime » sur votre page et que vous publiez quelque chose, votre publication devrait être vue par 12 à 16 personnes en temps « normal ».

Mais, et c'est un gros MAIS, ce pourcentage varie en fonction de l'EdgeRank de votre page.

Qu'est-ce que l'EdgeRank ?

Il s'agit d'un algorithme que Facebook a mis en place afin de déterminer la visibilité des statuts Facebook dans le fil d'actualité d'un utilisateur. L'objectif est de donner à l'utilisateur la meilleure expérience possible en lui soumettant des actualités qu'il a effectivement le goût de lire. Voici quels sont les critères qui entrent dans cet algorithme :

Affinité

Plus un utilisateur clique sur « J'aime » dans vos publications, plus il les commente ou les partage, plus il démontre un intérêt pour votre page. Son score d'affinité est alors plus élevé qu'un autre qui n'interagit jamais avec vos publications. Votre page risque donc de s'afficher plus souvent dans son fil de nouvelles que la seconde personne.

Poids relatif selon le type de contenu

Une publication qui inclut une photo ou une vidéo aura un EgdeRank supérieur à une simple mise à jour de statut (texte seulement).

Poids relatif selon le type d'interactions

Une publication qui génère des partages et des commentaires aura, toutes choses égales, un EdgeRank supérieur à une publication qui génère uniquement des « J'aime », ceux-ci démontrant moins d'engagement, quoique toujours agréables à recevoir !

Fraîcheur de la publication

La règle d'or des médias sociaux et du Web est encore une fois respectée : plus récente = mieux. C'est dommage, mais c'est ainsi. Vos publications récentes auront plus de poids que celles qui datent de quelques jours ou quelques semaines.

Donc, comme vous pouvez le constater, il y a beaucoup de valeur incluse dans la participation des gens qui aiment votre page : elle détermine à quel point vos publications seront vues dans le fil d'actualité. Cela incite également à porter attention aux publications qui fonctionnent bien, à continuer dans le même sens et à tirer des leçons de celles qui n'engagent pas autant vos *fans* et à corriger le tir.

Publicité

Comme mentionné plus tôt, les revenus que Facebook tire de la publicité ne cessent d'augmenter. La publicité sur ce réseau n'est pas réservée aux multinationales. Il y a moyen de démarrer une campagne en contrôlant son budget de la même manière qu'avec Google.

Lorsque vous faites de la publicité sur Facebook, vous avez également un autre avantage indéniable : vous pouvez choisir si vous désirez qu'elle ne s'affiche que pour les hommes ou les femmes ; que pour les personnes d'un certain groupe d'âge, d'une certaine région, etc. Les critères sont nombreux, ce qui fait en sorte que votre publicité pourra être très ciblée.

De plus, si l'ami d'un ami a aimé votre page ou l'une de vos publications, cette information pourra apparaître dans la publicité, ce qui pourra avoir un effet incitatif (influence : preuve sociale).

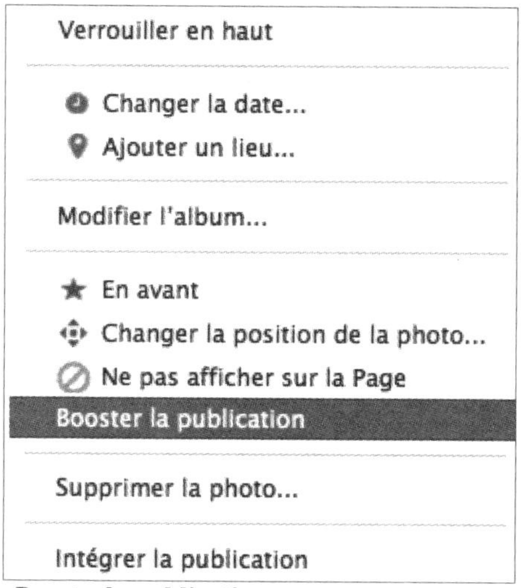

Verrouiller en haut

🕐 Changer la date...

📍 Ajouter un lieu...

Modifier l'album...

★ En avant

⊹ Changer la position de la photo...

⊘ Ne pas afficher sur la Page

Booster la publication

Supprimer la photo...

Intégrer la publication

Figure 35 – *Booster* **la publication**

À partir de l'une de vos publications, il vous suffit de cliquer sur la flèche en haut et à droite et de choisir « *Booster* la publication ». Par la suite, vous pouvez décider du budget (5 $ au minimum) et de la cible. Il peut s'agir des amis de ceux qui aiment votre page ou d'un autre marché que vous déciderez de conquérir.

Une façon simple de débuter est de choisir une publication qui a particulièrement bien fonctionné et qui a obtenu plusieurs mentions « J'aime ». C'est simple et relativement peu coûteux. La publicité sera diffusée parmi les amis de vos *fans* ou tout autre public de votre choix. Vous pouvez même cibler ceux qui aiment la page... de votre principal compétiteur !

Il s'agit d'une bonne stratégie à adopter, surtout lorsqu'un événement important est à vos portes et que vous désirez mettre toutes les chances de votre côté.

Offres

Tout le monde aime les promotions et les soldes. Facebook vous permet de faire une offre à vos *fans* et à leurs amis, mais il faut tout d'abord que votre page ait au moins 100 « J'aime ».

Cette publicité, peu dispendieuse si affichée pour les amis des *fans*, peut être pour votre magasin en ligne ou celui qui est au coin de la rue. L'avantage d'une offre est qu'elle est publiée dans le fil de nouvelles des membres Facebook que vous ciblez, donc elle peut être lue et on peut cliquer sur elle avec un appareil mobile.

Lorsqu'une personne la remarque et désire en profiter, elle « clique » et elle reçoit par la suite un courriel directement de Facebook. Par contre, vous, en tant qu'annonceur, vous n'aurez pas accès aux courriels privés de ceux qui recevront l'offre. Vous pourrez seulement créer le texte de l'annonce.

Fait à noter : 30 % des gens qui se prévalent des offres Facebook en magasin le font grâce à leur téléphone intelligent. Voyez le lien suivant pour plus de détails : bit.ly/VOUS-offreFB.

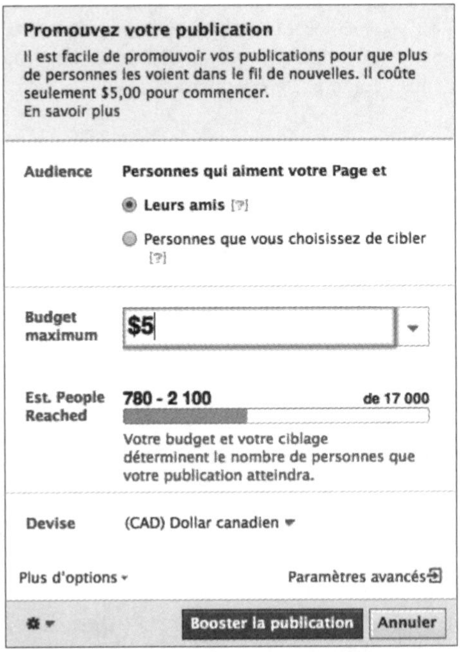

Figure 36 – Options pour publications Facebook

L'interface a été simplifiée, mais les options sont nombreuses lorsque vient le temps d'annoncer sur Facebook. Il convient d'y aller par petits pas afin de bien comprendre tous les rouages et d'optimiser chaque dollar dépensé.

Outil

Le premier outil que vous devriez utiliser est le créateur d'une boîte «J'aime» que vous pourrez inclure sur votre site. Elle est très efficace, car elle montre les visages des personnes que vous connaissez et qui ont déjà aimé la page. Sinon, elle vous affiche des visages inconnus, mais ça rassure tout de même de voir qu'il y a d'autres personnes qui ont déjà aimé. Voici le lien : bit.ly/VOUS-FBlike.

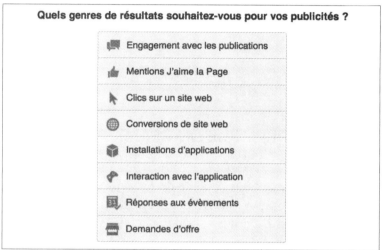

Figure 37 – Boîte «J'aime»

Une boîte «J'aime» permet de mettre en valeur vos *fans* et également de rassurer votre visiteur en lui montrant d'autres personnes qu'il connaît peut-être et qui ont déjà aimé votre page.

⚙ La fonction «Commentaires» de Facebook intégrée à votre blogue WordPress est une autre façon de profiter du caractère viral de Facebook. Voici le lien vers cette ressource : bit.ly/VOUS-WPfb.

⚙ L'outil professionnel tout-en-un Pagemodo.com vous permet de créer de multiples onglets personnalisés, de créer et de gérer des concours et des promotions ainsi que de créer de très belles photos de couverture.

⚙ Heyo.com est un autre outil professionnel et très puissant pour créer des promotions et des concours. Un essai gratuit est disponible. Par la suite, le service devient payant.

◠ Crowdbooster.com est un outil professionnel d'analyse de vos statistiques, des interactions de vos *fans*, etc. Si vous désirez aller encore plus loin que les statistiques de base de votre page, ce site est un endroit que vous devriez considérer.

◠ Amy Porterfield est LA référence Facebook aux États-Unis et elle a créé de très bons cours, dont l'un est essentiellement concentré sur la publicité sur Facebook. Son site, les services qu'elle offre au Fbadsinsider.com sont peu dispendieux et c'est une excellente ressource.

GOOGLE+ : LA RÉPLIQUE DU GÉANT

Google+ est la plus récente réplique du géant Internet Google. Celui-ci désire tellement que son site de réseau social fonctionne qu'il l'intègre à travers toutes ses différentes applications, dont Gmail. Le nombre d'utilisateurs est donc en croissance et a atteint 390 millions.

Ce niveau peut sembler intéressant, mais les chiffres peuvent s'avérer trompeurs. Selon une récente étude de Searchmetrics[70], il y a eu, en avril 2013, 29 milliards de partages sur Facebook contre seulement 2 milliards sur Google+, soit 15 fois moins. Le nombre de partages est une meilleure mesure que le nombre de comptes, car pour créer cette activité, il faut être présent sur la plateforme, y avoir des amis et avoir le goût de partager.

D'ailleurs, cette même étude révèle que seulement 24,9 % des comptes Google+ ont été actifs depuis leur création…

Alors, pourquoi faut-il s'occuper de Google+ ? Voici quelques raisons :

---

70. Source : www.searchmetrics.com/en/searchmetrics/press/social-sharing-google-overtake-facebook-2016-predi/.

⚘ Parce qu'il s'agit de Google et que ses produits seront privilégiés dans le référencement de votre site. Un «+1» de Google+ aura plus de valeur qu'un «J'aime» de Facebook[71] et aidera votre site à se démarquer dans le moteur de recherche.

⚘ Le site sera stable et continuera dans le temps vu l'omniprésence de Google. Certains optimistes prévoient que Google+ dépassera Facebook en 2016…

⚘ Il est possible de créer une page d'entreprise et d'y inclure toutes vos publications.

⚘ Vous pouvez lier votre page d'entreprise à votre compte Google Adresses et ainsi l'intégrer plus facilement à l'application «Cartes» de Google. Votre entreprise sera alors très bien représentée et tous vos mots-clés seront bien indexés.

⚘ Google HANGOUTS est une superbe application gratuite qui vous permet de créer une vidéoconférence avec 10 personnes, et ce, tout à fait gratuitement. Afin d'avoir accès à HANGOUTS, il vous faut un compte Google+.

⚘ Google+ propose une faible courbe d'apprentissage. Google+ est donc un compétiteur de Facebook et les mêmes éléments de base y sont présents. L'interface est plus épurée et plus simple à utiliser.

⚘ Google+ requiert un faible temps pour entretenir votre page. Grâce aux outils de consolidation que nous verrons dans le prochain chapitre, vous n'aurez pas à investir d'heures supplémentaires pour gérer une page d'entreprise Google+.

⚘ Sur Google+, on téléverse 1,5 milliard de photos par semaine actuellement. C'est peu en comparaison de Facebook, mais on ne peut pas dire que ce n'est rien. Qui sait où se trouvera Facebook dans cinq ans?

71. Source: Matt Lynley (30 avril, 2012). *Using Google+ Is The Best Way To Boost Your Website's Search Ranking With Social*. Business Insider.

À ce moment, il peut donc sembler peu utile d'investir du temps dans Google+. Par contre, le simple rendement du référencement supplémentaire avec l'intégration de Google Adresses en vaut la peine.

AUTRES MÉDIAS SOCIAUX À INTÉGRER DANS LA TROUSSE

Dans cette section «Autres», nous verrons deux réseaux sociaux très récents, en forte progression, qui ont comme but le partage de photos (Pinterest, Instagram), et un réseau axé sur le partage des… PowerPoint (SlideShare). Ne souriez pas trop vite, ça pourrait vous intéresser et vous être utile ! Et pour terminer, un réseau axé sur le télétravail d'experts à travers le monde (oDesk) et un réseau de financement collectif (Kickstarter).

Ils utilisent tous les principes de base que nous avons vus : les «J'aime», les commentaires et les partages. Où seront-ils dans cinq ans ? Bien malin qui pourrait le prévoir, mais une chose est certaine, leur existence atteste de la popularité et des différentes variations que peut prendre le Web social. Grâce à eux, j'ai fait de très belles découvertes, j'ai appris beaucoup et j'espère que vous irez au moins visiter l'un d'entre eux en continuant votre cheminement dans le merveilleux monde du Web 2.0 !

Pinterest

Pinterest.com est un site de partage de photos qui est devenu, en mars 2012, après seulement deux ans d'existence, le troisième réseau social le plus populaire aux États-Unis derrière Facebook et Twitter[72].

---

72. Source : www.cnn.com/2012/04/06/tech/social-media/pinterest-third-social-network/index.html.

Son nombre de visiteurs mensuels est évalué à 20 millions et ceux-ci (ou plutôt celles-ci puisque 80 % du trafic du site est féminin[73]) y passent en moyenne 90 minutes par mois. Le site et ses applications pour iPhone, iPad, Android et compagnie sont très bien conçus et très agréables pour l'œil.

Voici les principes à connaître :

⁐ Album (*board*) : la première chose que vous ferez en ouvrant un compte est de vous créer un ou plusieurs « albums » afin de classer vos trouvailles. Cela peut être « animaux drôles », « voitures de rêve », « mon futur voyage en Grèce », « idées déco-cuisine », etc. Les gens peuvent « suivre » vos albums et vous pouvez « suivre » les albums de certains utilisateurs. C'est très différent des autres réseaux sociaux où vous vous abonnez à l'utilisateur « au complet ». Dans Pinterest, vous pouvez ne suivre qu'un album d'un utilisateur si vous le désirez.

⁐ Épingler (*pin*) : lorsque vous désirez inclure une photo dans l'un de vos albums, on dit que vous épinglez (*pin it*) cette photo, d'où le nom *Pin*terest.

Photos : les photos partagées proviennent de deux sources. Elles ont été soit téléversées par un utilisateur directement de son ordinateur ou elles ont été épinglées à partir d'un site Web grâce au bouton de partage « Pin it » présent sur le site.

Note : Il existe également un plugiciel qui peut être ajouté aux différents navigateurs Web afin d'« extraire » facilement les photos présentes sur le site et de les épingler ensuite dans un album de son choix.

⁐ Vidéos : il est également possible d'épingler des vidéos provenant de YouTube ou de Vimeo.

⁐ Catégories populaires : voyage ; nourriture ; automobile ; film ; design intérieur ; sport, mode, art et animaux.

---

73. Source : www.pinterestinsider.com/2013/04/april-2013-by-numbers-some-amazing. html.

⌐ Hyperliens : l'intérêt, pour vous, en tant qu'entrepreneur est que les photos provenant de votre site ou de votre compte Pinterest conservent leur lien vers votre site. Cela fait en sorte que lorsqu'elles circulent à travers les utilisateurs et que l'un de ceux-ci désire en savoir plus sur sa source, tout ce qu'il a à faire est de cliquer sur la photo et il est immédiatement amené sur la page où la photo apparaît dans le site.

Note : Ces photos peuvent servir littéralement à faire du « lèche-vitrine », comme l'a découvert une récente étude : les visiteurs d'un site Web de vente en ligne d'articles de mode qui provenaient de Pinterest dépensaient en moyenne 180 $ comparativement à 85 $ pour ceux qui provenaient de Facebook, et ces mêmes utilisateurs passaient moins de temps sur le site, y allant plutôt pour choisir plutôt que juste pour naviguer et magasiner[74].

⌐ Bouton « Pin it » : Si votre produit est très visuel et que votre site Web contient de belles photos de vos produits, vous devriez considérer le fait d'ajouter le petit bouton « Pin it » afin de faciliter la tâche à vos visiteurs s'ils veulent partager leur contenu sur ce réseau.

Évidemment, ce ne sont pas toutes les entreprises qui bénéficieront de l'aspect rendement commercial que peut amener un site comme Pinterest. Les entreprises œuvrant dans la mode, les arts, le spectacle et le design intérieur ont assurément un avantage à tirer de l'aspect photo-rêve-magasinage-clic ! de Pinterest. C'est à vous de voir si cette plateforme répond à vos besoins.

⌐💻⌐

---

74. Source : www.washingtonpost.com/business/technology/pinterest-vs-facebook-whose-users-spend-more/2012/05/09/gIQATXkoCU_story.html.

Instagram

> « Sur Pinterest, je suis comme dans un centre commercial ;
> sur Instagram, je suis comme dans une galerie d'art[75]. »
>
> – HÉLÈNE LEGASTELOIS

Instagram est une application et un service de partage de photos et de vidéos disponible sur plateformes mobiles de type iOS et Android. Lancée en octobre 2010, cette application permet de partager ses photographies et ses vidéos avec son réseau d'amis, de noter et de laisser des commentaires sur les clichés déposés par les autres utilisateurs. Le service compte déjà plus de 100 millions d'utilisateurs actifs et a été racheté par Facebook pour environ 1 milliard de dollars américains en avril 2012.

⌐ Application : même si vous pouvez accéder à Instagram.com en tant que site Web, il s'agit d'abord et avant tout d'une application qui fait partie du phénomène de la « phonéographie », ou photographie avec un téléphone mobile. À preuve, Apple l'a désignée comme « Application de l'année » en 2011. L'avantage pour l'utilisateur est que cette application remplace la fonction « Caméra » de base des téléphones intelligents et permet de partager rapidement les photos qui sont prises avec quelques éléments en prime.

⌐ Photo « Polaroïd » : comme son logo l'indique, l'instantanéité des photos prises grâce à Instagram est inspirée des premiers appareils Polaroïd qui permettaient, pour la première fois, aux utilisateurs de voir rapidement le résultat de leurs prises. Pour cette raison, les photos prises par l'application ont un aspect carré au lieu de l'aspect 16:9 qui est maintenant la norme.

⌐ Filtres : directement dans l'application, il vous est possible d'appliquer de très beaux filtres sur vos photos afin de leur donner un aspect vieillot, surexposé, noir et blanc ou autre.

---

75. Source : www.monblogdefille.com/blog/pinterest-versus-instagram.

⌐ Vidéo : vous pouvez également filmer des vidéos de 15 s ou moins et les partager via l'application dans vos réseaux sociaux préférés ou directement sur Instagram.

⌐ Partage facile : lorsque vous téléchargez l'application, vous pouvez personnaliser votre compte et y entrer vos coordonnées Facebook, Twitter, courriel et Flickr. Vous ne faites cette opération qu'une seule fois. Par la suite, dès que vous prenez une photo, vos options de partage sont nombreuses et facilement utilisables.

⌐ Mot-clic : vous vous souvenez du concept de mot-clic que nous avons abordé pour Twitter ? Il est maintenant répandu à travers les différents médias sociaux, et Instagram ne fait pas exception. Il s'agit même d'une excellente stratégie afin d'identifier facilement vos photos et de permettre à ceux qui veulent vous suivre ou découvrir votre entreprise, vos produits et services de facilement vous trouver. Vous pouvez ajouter le mot-clic #votrecompagnie, #votreproduit, #qualitégagnante, #mothumoristique, en remplaçant les mots que j'ai inscrits par les vrais mots que vous inventerez, évidemment !

⌐ Description : un aspect important de publier des photos est de raconter leur petite histoire dans le champ de description. Le média est très visuel, les descriptions se doivent donc d'être brèves également, mais le plus imaginatives et « engageantes » possible.

⌐ Raconter une histoire : comprendre ce qui se passe ou ce qui s'est passé n'est pas l'apanage de la génération numérique. Nous avions des albums photos (et nous les avons encore !) lorsque nous étions jeunes. Nos parents prenaient des photos, les épinglaient dans de vrais albums et chaque fois que nous en ouvrions un pour le partager avec un ami, un frère, une sœur ou une nouvelle personne à qui nous voulions raconter « notre » histoire, les photos se chargeaient de raconter cette histoire pour nous, avec l'aide de notre narration.

Publier des photos grâce à Instagram (ou grâce à n'importe quel autre moyen) est une façon de raconter une histoire, de parler de qui vous êtes, en tant qu'entreprise, mais en tant qu'individu également.

Vous êtes en train de créer un microblogue photo qui raconte l'histoire de votre produit, de l'expérience de l'un de vos clients, et qui met en lumière, d'une certaine manière, vos valeurs et votre mission.

⁓ Créativité et émotion : l'application et son environnement vous permettent donc d'être inspiré, créatif et de transmettre des émotions. Cela peut vous paraître loin du marketing traditionnel, des annonces « pleines pages » dans les magazines, mais ce n'est pas si loin. La différence est que le média est plus près, moins altéré, plus vrai, plus vivant.

SlideShare

SlideShare, le « YouTube » du PowerPoint !

Si vous avez créé de très belles présentations assistées par ordinateur et que vous ne désirez pas en faire des vidéos, qu'en faites-vous ? Vous pouvez les envoyer par courriel, mais souvent ces présentations sont assez lourdes et les faire parvenir par courriel n'est pas très efficace. De plus, il y a de bonnes chances qu'elles demeurent enfouies et perdues au fond de la boîte de courriel.

Que faire alors pour partager votre présentation ? Utilisez un outil comme SlideShare.net. L'avantage qu'offre ce site est qu'il transforme votre présentation en format facile à visionner sur le Web et facile à inclure sur votre site. Aussi facile d'ailleurs que d'inclure une vidéo YouTube. Il offre également tous les boutons de partages sur les autres sites sociaux, donc si votre présentation est très appréciée, elle a plus de chances de se transformer en « phénomène viral ».

Ça devient un excellent moyen d'attirer plus de trafic sur votre site. Si, après une présentation, les participants vous demandent s'ils peuvent avoir votre présentation, vous pouvez ainsi les diriger vers votre site ou votre blogue où vous aurez intégré vos présentations avec vos commentaires. C'est une autre façon de démontrer votre expertise et de faciliter le partage de votre message par vos clients et clients potentiels. Si certains de vos transparents sont « sensibles » et que vous ne désirez pas les inclure, qu'à cela ne tienne : ne partagez que ce que vous êtes à l'aise de partager.

Si vous désirez enrichir votre profil LinkedIn, il y a même moyen d'ajouter une présentation SlideShare à votre profil directement de LinkedIn grâce à un petit bouton bleu vous permettant d'insérer des liens.

Vous pouvez également vous servir de SlideShare comme point de départ pour vos recherches : j'y ai fait de très belles découvertes grâce à des enseignants, à des professeurs d'université, à des créateurs de contenus qui y déposent leurs présentations afin de les partager avec tous. Qui eût cru que des présentations PowerPoint puissent faire l'objet d'un site social ? Et, comme tout site social, vous pouvez « aimer » les présentations, les commenter et les partager. Vous pouvez même les télécharger !

ODesk

Quand le travail à la pige devient social

ODesk, c'est le Facebook du travail à la pige. Ce site est énorme. Vous avez accès à des milliers de profils de gens qualifiés provenant de partout à travers le monde. Vous pouvez consulter leur fiche, voir leur photo, leur portfolio, leurs qualifications, les commentaires des clients qui les ont engagés et leur note globale qui varie de 1 à 5 étoiles, 5 étoiles étant la meilleure note de satisfaction possible pour un client.

Vous pouvez effectuer des recherches par catégorie (développement Web, développement, applications mobiles, graphisme, multimédia, etc.), sous-catégorie, note globale (par exemple, quatre étoiles ou plus), tarif horaire (par exemple, X $ de l'heure), endroit géographique, etc.

ODesk installe un logiciel témoin sur l'ordinateur des pigistes et grâce à des photos d'écran instantanées prises à intervalle régulier, vous êtes en mesure de suivre le travail qu'ils font pour vous à distance et d'ainsi apprécier la progression. Vous pouvez laisser des commentaires, des évaluations et, comme dans n'importe quel réseau, si quelqu'un ne fait pas l'affaire, il sera vite mis de côté.

Évidemment, je préférerai toujours donner du travail à des gens de *chez nous*, mais il y a des circonstances où vous aurez besoin de solutions de rechange. Ce genre de site, sur le Web, en est une.

Un autre site intéressant est Fiverr.com : grâce à ce site et à son concept à la « Dollarama », vous êtes certain de pouvoir engager un pigiste pour 5 $ l'heure (de là son nom *Five'rr*). C'est une façon très originale pour les concepteurs, artistes, graphistes et autres de se faire connaître : ils vous proposent une *gig* à 5 $. Leur espérance est que si vous êtes satisfait, vous les engagerez de nouveau pour un projet plus sérieux et qui demande plus de temps, d'attention… et d'argent. Malgré le prix presque ridicule de 5 $, les résultats sont surprenants ! J'ai obtenu ce dessin de mon merveilleux visage pour un maigre 5 $. Je peux donc m'amuser avec cet avatar de moi-même, être différent, me démarquer sur certains réseaux sociaux et cela ne m'aura coûté que la modique somme de 5 $ et n'aura nécessité que 10 minutes de mon temps.

Fiverr intègre également un côté réseau social. Vous pouvez voter, commenter et partager le contenu des différents profils et *gigs* offerts. Sur leur profil, vous pouvez donc, par le fait même, constater leur popularité, le nombre de commandes qu'ils ont en main, leur temps de réponse moyen, la satisfaction de leur client (notée en %) ainsi que le niveau ou le statut qu'ils ont atteint chez Fiverr. Les commentaires sont les bienvenus et c'est très drôle et intéressant de voir les commentaires que s'échangent les demandeurs et fournisseurs de service. Vous apprendrez beaucoup… pour seulement 5 $!

Figure 38 – Fiverr

Agissant comme des médias sociaux, des sites comme Fiverr permettent de découvrir des artistes de partout à travers le monde. Ainsi, on peut voir que «rinartdy17» a reçu 428 votes avec un taux d'appréciation de 99 % pour ses dessins effectués à partir de photo. Je me suis donc lancé avec confiance et voilà le résultat! Qu'en dites-vous?

Kikstarter

Kickstarter : le financement social

Kickstarter.com, c'est un peu comme l'émission «Dans l'œil du dragon[76]», mais en beaucoup moins stressant! Les individus ou les entreprises présentent leurs idées de produits et espèrent recueillir la somme demandée afin d'amorcer leur projet. L'argent que les participants investissent ne sert pas à acquérir

---

76. Émission de télévision diffusée à l'antenne de Radio-Canada dans laquelle de véritables entrepreneurs se présentent devant un *panel* de cinq investisseurs aguerris dans le but de présenter leur projet afin d'obtenir du financement participatif de la part de l'un ou de plusieurs «dragons».

une participation dans la société, mais plutôt à encourager et à soutenir un projet en émergence. C'est le concept de la finance participative (*crowd funding*).

C'est également un réseau social, en ce sens que vous pouvez vous ouvrir un compte (gratuitement), télécharger l'application sur votre téléphone intelligent et suivre les entreprises qui vous intéressent et que vous avez encouragées, financièrement ou par le partage de leur projet dans votre réseau d'amis (via Facebook, Twitter ou autres).

Je trouve ce site inspirant. Il y a de l'énergie positive, différente, qui permet de rêver à un futur où le capitalisme ne sera pas seulement axé sur la quête absolue de profits. Les dons débutent à partir de 1 $ et peuvent aller au-delà de 10 000 $. Au-delà du financement, Kickstarter est également un très bon moyen de se faire entourer et soutenir par des gens en plus d'obtenir des conseils.

Les projets sont classés selon les 13 catégories suivantes : Art | Comics | Danse | Design | Mode | Film et vidéo | Nourriture | Jeux | Musique | Photographie | Technologie | Théâtre | Édition.

Selon les projets, les investisseurs peuvent même commander les produits *en mode* prévente et être les premiers à recevoir le produit de leur financement. Si le projet n'atteint pas son objectif de financement, les sommes sont retournées aux investisseurs. Si le projet atteint le montant désiré au départ, les entrepreneurs ont alors accès aux sommes recueillies et peuvent commencer la réalisation.

Un bel exemple de réussite est Pebble, une montre numérique bien spéciale. Je n'en dis pas plus. Recherchez ce projet sur le site, car il y est archivé et toujours accessible, comme tous les projets d'ailleurs. Autre fait intéressant : depuis l'été 2013, Kickstarter est maintenant disponible au Canada.

Vendre par vidéo ? De classiques exemples à imiter

Lorsque je donne des conférences sur les médias sociaux, je vais toujours faire un tour sur le site de Kickstarter et je prends le temps de visionner une vidéo de promotion d'un projet avec les participants. Les vidéos de projet ne durent que 2 à 3 minutes, pas plus. C'est tout le temps qu'il faut pour que les entrepreneurs avertis vous présentent leur projet et ses avantages et qu'ils vous fassent la grande demande : « Voulez-vous participer ? Voulez-vous nous financer ? »

Une vidéo simple, réalisée avec peu de moyens, mais extrêmement brillante, est celle de Soccket. Encore une fois, allez voir et prenez des notes. Le projet est démarré et tout a été lancé grâce à cette vidéo, à Kickstarter et aux actions et communications dans les différents médias sociaux. Vous verrez qu'une bonne idée ne nécessite pas des moyens techniques sophistiqués afin d'être intéressante et bien expliquée.

OUTILS DE CONSOLIDATION

Les outils de consolidation visent à vous faciliter la vie lorsque vient le temps de créer et de gérer vos publications sur les médias sociaux. Il en existe plusieurs. Certains sont payants, d'autres sont gratuits. En voici quelques-uns qui sauront vous faire gagner du temps, sans trop entamer votre portefeuille.

Onglet

Vous connaissez la navigation par onglets ? Ce n'est pas la même chose que d'ouvrir plusieurs « fenêtres » d'un navigateur. Lorsque vous avez plusieurs fenêtres ouvertes, vous devez constamment vous promener de l'une à l'autre en cliquant au bas de votre écran afin de faire apparaître l'autre, ce qui n'est pas très efficace.

La navigation par onglet vous permet de visiter une autre page Web sans fermer la page sur laquelle vous êtes actuellement. Il suffit de cliquer sur l'onglet tout juste à droite de la page que vous visitez actuellement afin d'afficher une autre page.

Figure 39 – Multionglets

Souvent ignorée, la fonction permettant de travailler avec des multionglets est très efficace lorsque vient le temps de gérer vos médias sociaux. Pour ouvrir un autre onglet, cliquez simplement sur l'onglet juste derrière celui que vous utilisez actuellement. Vous pouvez également sauvegarder tous les onglets ouverts en un seul dossier *« Médias sociaux »* que vous ouvrirez lorsque vous ferez votre suivi régulier.

Donc, si vous jumelez le concept de la navigation par onglet et celui des marque-pages, vous pouvez obtenir un concept intéressant lorsque vous travaillez sur de multiples plateformes de réseaux sociaux en même temps. Ce que je vous suggère, c'est de vous créer un dossier marque-page intitulé *« Médias sociaux »* et de placer tous les marque-pages des sites de réseaux sociaux que vous utilisez.

Ainsi, lorsque vous déciderez de « faire du social », vous pourrez, en un seul clic, ouvrir tous vos sites de médias sociaux. Tant qu'à y être, pourquoi ne pas les placer en ordre chronologique de consultation ? Vous placez le premier onglet à gauche comme étant le premier que vous consultez, le deuxième, comme étant le deuxième, et ainsi de suite.

Si vous utilisez Internet Explorer actuellement, assurez-vous d'avoir la version la plus récente possible (10, au moment d'écrire ces lignes). Une version récente vous assure une plus grande rapidité d'affichage des pages, une meilleure compatibilité avec les standards (HTML 5, Javascript) et une plus grande sécurité.

Je vous suggère également un deuxième navigateur comme Firefox (Mozilla) ou Chrome (Google). Google a conçu son propre navigateur Web et il est très efficace. Il offre une particularité intéressante : vous pouvez synchroniser vos marque-pages à travers vos différents appareils. Ainsi, si vous possédez un ordinateur portable, une tablette, un téléphone intelligent et un ordinateur au bureau, vous pouvez avoir accès à vos marque-pages, peu importe sur quel appareil vous travaillez. Une option à considérer.

HootSuite

HootSuite.com agit comme un tableau de bord pour vos médias sociaux. Il s'agit d'un site à partir duquel vous pouvez, simultanément, écrire sur Twitter, Facebook, LinkedIn et Google+. Vous pouvez écrire afin d'être publié immédiatement ou plus tard. Imaginez : vous pouvez prévoir vos publications pour un mois, un trimestre ou même une année ! Vous pouvez être stratégique et tout faire en une seule fois le lundi matin ou le dimanche soir, tout écrire et tout programmer à l'avance. Vos mises à jour seront sur le pilote automatique.

Comme nous l'avons vu précédemment, il ne faut pas être « trop » programmé et se garder de la spontanéité, mais avouez qu'il est plus agréable et moins stressant si vous savez qu'au moins vous aurez des publications régulières sur vos médias et qu'ils ne resteront pas déserts trop longtemps.

Figure 40 – HootSuite

HootSuite vous permet de gérer jusqu'à 5 comptes de médias sociaux gratuitement. Vous pouvez décider, pour chaque publication, si vous désirez publier seulement sur Twitter, ou également sur LinkedIn et Facebook, etc.

Mais il n'y a pas que l'aspect publication qui soit intéressant. Vous pouvez également créer différents flux d'information et de recherche grâce à cet outil, et ce, pour cinq médias sociaux différents inclus dans leur compte gratuit. Bien sûr, vous pouvez opter pour les solutions professionnelles où tout est illimité, mais la solution gratuite, de base, saura, j'en suis certain, vous sauver beaucoup de temps et de maux de tête.

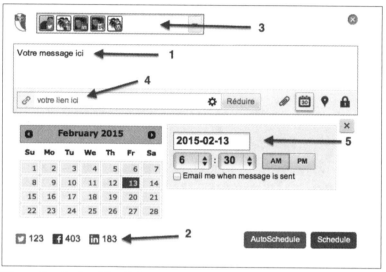

Figure 41 – Options HootSuite

Vous écrivez votre message (1). Vous vérifiez combien de caractères il vous reste de disponibles selon le média (2). Vous décidez dans quel média vous désirez que votre message soit publié (3). Vous incluez votre lien, s'il y a lieu, et HootSuite le raccourcira pour vous (4). Vous décidez quand (date et heure) vous désirez que votre message soit publié (5).

Si vous utilisez Chrome ou FireFox comme navigateur, vous pourrez ajouter une extension, « Hootlet », qui vous permettra, lorsque vous serez en train de naviguer sur le Web et que vous trouverez un article ou un site intéressant, de publier, via votre compte HootSuite, en un seul clic. Peut-être que vous serez à votre ordinateur à 22 h un dimanche soir et que vous ne voudrez pas publier à ce moment. Qu'à cela ne tienne, vous pourrez également déterminer la date et l'heure de la publication à votre convenance. C'est bien, non ? :)

Bitly

Bitly.com est un site à partir duquel vous pouvez raccourcir vos liens afin de les partager dans vos médias sociaux. L'avantage ? Vous en avez été témoin tout au long de votre lecture : l'outil permet de raccourcir des liens qui seraient autrement trop longs à écrire. Comme vous le savez, dans les médias sociaux, l'espace est précieux. Cent quarante caractères pour vos *Tweets*, deux cents caractères pour vos mises à jour LinkedIn et quatre cent vingt caractères pour votre page Facebook. Si votre adresse Web fait 60 caractères, il vous en reste beaucoup moins pour écrire.

Comme vous l'avez vu, HootSuite permet de raccourcir automatiquement vos liens, alors pourquoi utiliser un outil comme bitly ? Voici trois raisons :

1. Personnalisation : comme vous l'avez vu tout au long de ce livre, j'ai utilisé des liens bitly que j'ai personnalisés en ajoutant le titre de mon livre, *VOUS*, suivi d'un trait d'union et d'un mot-clé facile à se rappeler et à taper.

2. Statistiques : lorsque vous ouvrez un compte bitly (gratuitement), les liens créés sont permanents et vous avez accès, en tout temps, aux statistiques de clics. Vous pouvez ainsi analyser quels médias vous donnent le plus de clics en créant des liens bitly pour chacun des médias, même si c'est pour la même cible.

3. Groupement intelligent : lorsque vous créez beaucoup de liens, il devient difficile d'en faire le suivi. Avec bitly, vous pouvez créer des groupes de liens (*bundle*) qui ont quelque chose en commun. Un exemple ? J'ai créé un *bundle* pour tous les liens que j'ai inclus dans ce livre. Je pourrai ainsi, dans un an, deux ans ou plus, voir si les lecteurs visitent les sites que j'ai mis en référence.

SocialMention

SocialMention.com, c'est un peu le Google des médias sociaux. Bon, ce n'est pas aussi puissant que Google, mais disons que le site fait des efforts notables. Grâce à ce site, vous pouvez effectuer une recherche, en temps réel, sur les médias sociaux et plateforme d'analyse qui agrège le contenu généré par les utilisateurs à travers une centaine de médias sociaux, y compris Twitter, Facebook, FriendFeed, YouTube, Digg et Google+.

Il vous permet de suivre facilement et de mesurer ce que les gens disent de vous, de votre entreprise, d'un nouveau produit ou de tout sujet à travers le paysage des médias sociaux du Web en temps réel. SocialMention surveille plus de 100 propriétés médias sociaux, y compris Twitter, Facebook, FriendFeed, YouTube, Digg, Google, etc.

Klout

Klout.com est un site Web qui tente de mesurer votre influence en ligne. D'accord, vous pouvez sourire! Je vous le glisse comme ça, car de temps à autre, il se peut que vous en entendiez parler, surtout que Microsoft a annoncé, en septembre 2012, un investissement stratégique dans l'entreprise.

Le site fait une analyse de vos médias sociaux suivants: Twitter, Facebook, Google+, LinkedIn, FourSquare et Instagram. Il analyse le nombre de vos *fans*, adeptes, contacts ainsi que le nombre de leurs interactions avec vos publications. Le résultat d'influence est un score qui se situe de 1 à 100, 100 étant le plus influent, bien entendu. On nomme ce résultat le «Klout Score». Afin de continuer à vous faire sourire et peut-être afin de piquer votre intérêt, voici le Klout Score de quatre personnalités: Denis Coderre (67); Carey Price (80); Lady Gaga (72) et Paris Hilton (91). Comme vous pouvez le constater, l'«influence» peut prendre différentes formes!

Flipboard

Flipboard est une application pour téléphone intelligent qui vous permet de lire les nouvelles provenant des fils d'actualité de vos médias sociaux ainsi que des sites Internet auxquels vous êtes abonné.

L'application est tellement conviviale et réussie qu'Apple l'a nommée « Application iPad de l'année » en 2010[77]. Fait à noter : l'application avait été développée seulement pour le iPad au point de départ. À la suite de son succès, elle est maintenant disponible non seulement pour les iPhone, mais pour les téléphones fonctionnant avec Android (Samsung, Motorola), le BlackBerry 10 et, au moment d'écrire ces lignes, l'entreprise vient d'annoncer que son application sera également disponible pour les téléphones fonctionnant sous Windows 8.

L'installation est simple et rapide. À la suite du téléchargement, on vous demandera d'entrer vos différents identifiants de médias sociaux, de vous abonner, si vous le désirez, aux différentes nouvelles de sites spécialisés dans les affaires, l'économie, le marketing, la mode, le sport ou autres. Par la suite, Flipboard créera un écran d'accueil de type « magazine » juste pour vous et selon vos goûts. Un élément qui est apprécié par les utilisateurs : la mise en page de vos nouvelles : c'est élégant et beau !

De plus, si vous appréciez certains articles et ne voulez pas les perdre de vue, vous pourrez créer votre propre magazine à partir des articles que vous aurez lus et ainsi les garder bien rangés dans votre appareil mobile. Si vous ne connaissez pas cette application, je vous encourage à la télécharger. C'est gratuit.

---

77. Source : www.businessinsider.com/apple-calls-flipboard-ipad-app-of-the-year-2010-12.

CHAPITRE 10

LE WEB MOBILE

ÈRE MOBILE

Le Web mobile est en train de changer la façon dont nous interagissons via Internet. La progression a réellement commencé avec l'avènement du iPhone et s'est accélérée avec les produits Google-Android et compagnie. Afin de vous donner une idée où nous nous situons actuellement, voici quelques faits et statistiques :

En 2005 : il s'est vendu 200 millions d'ordinateurs contre « seulement » 50 millions de téléphones intelligents. En 2012, les ventes de téléphones intelligents ont dépassé celles des ordinateurs de table de... 200 millions d'unités. On prévoit qu'en 2015, il y aura un appareil mobile pour chaque personne sur terre[78].

Les recherches mobiles (c'est-à-dire les personnes qui utilisent un site comme Google, mais à partir de leur téléphone intelligent) ont augmenté de 500 % de 2011 à 2013.

---

78. Source : Gartner, 2010 ; GoogleMobile Optimization Webinar, 2011 ; Cisco, 2011.

Le pourcentage des internautes qui ont accès à Internet seulement via leur appareil mobile est en hausse. En Égypte, ils sont près de 70 %, en Inde et en Afrique du Sud, la proportion tourne autour de 58 %. Dans les pays émergents, l'appareil mobile est souvent le seul appareil que les consommateurs ont à portée de main afin d'accéder à des informations sur le Web. Si une entreprise veut être présente sur la scène internationale, elle se doit d'avoir une stratégie Web mobile forte.

Note : Seulement 2 % des sites actuels sont optimisés pour le mobile…

Prédiction : le trafic Internet via mobile surpassera celui des ordinateurs en 2015.

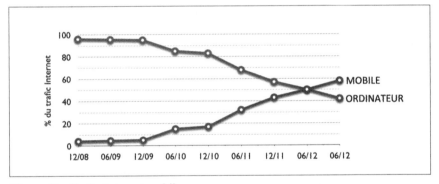

Figure 42 – Trafic Internet mobile

Évolution du pourcentage du trafic Internet mobile par rapport à l'ordinateur de table, en Inde, entre juin 2008 et décembre 2012. On se rend compte qu'en Inde, le mobile a déjà dépassé l'ordinateur de table traditionnel comme moyen d'accès au Web. Source : StatCounter (gs.statcounter.com).

DESIGN

Un site Web régulier est destiné à être visionné sur un ordinateur de table ou un portable. Un site n'est pas mobile pour la simple raison qu'il s'affiche sur votre téléphone, loin de là. Un site Web régulier, lorsque vu sur un appareil mobile, peut entraîner une expérience décevante pour l'utilisateur. Les icônes seront trop petites, le texte également. Il faudra faire un zoom avant ou un zoom arrière afin d'accéder à tout le contenu. La frustration s'installe rapidement chez l'utilisateur.

Un site optimisé pour le Web mobile permet également d'attirer plus rapidement vos clients potentiels grâce à des fonctions comme « cliquer et appeler » ainsi que « cliquer et visiter ».

Voici une liste de 8 qualités essentielles pour qu'un site mobile soit efficace et apprécié des mobinautes[79] avec, en prime, un exemple à la fin :

Rapide

Les mobinautes sont souvent pressés par le temps, essayant d'insérer des tâches supplémentaires dans leur journée déjà bien chargée. Afin de les aider, faites en sorte que votre site soit rapide à s'afficher et facile à lire. Pour y arriver, réduisez les gros blocs de texte, utilisez les listes à puces afin de faciliter la lecture et compressez les images afin que les fichiers soient plus petits et rapides à charger.

Simple (navigation claire et facile)

Personne n'aime se sentir confus. Une navigation claire et, sur les sites plus complexes, une fonction « recherche » aidera vos clients à trouver facilement ce dont ils ont besoin. Pour y arriver, faites ce qui suit :

⟡ Minimisez le défilement (*scrolling*) et gardez le tout vertical.

⟡ Utilisez une hiérarchie claire dans les menus et évitez les *rollovers*[80].

⟡ Aidez les mobinautes à naviguer entre les différents niveaux en offrant des boutons « Accueil » et « Retour » partout.

⟡ Utilisez sept liens ou moins par page pour la navigation.

---

79. Un *mobinaute* est un « internaute qui, lors de ses déplacements, a accès au réseau Internet à partir d'un appareil mobile intégrant un micronavigateur Web. (Source : OQLF)

80. Élément graphique qui change quand la souris passe dessus. Source : http://fr.wiktionary.org/wiki/rollover.

Ergonomique (bon pour le pouce)

Les gens utilisent leurs doigts pour opérer leurs appareils – surtout leur pouce. Il faut que votre site le prévoie afin que même ceux qui ont de grosses mains soient facilement en mesure d'interagir et de naviguer. Utilisez de gros boutons centrés et laissez de la place autour afin de réduire les clics accidentels.

Clair (bon pour les yeux)

Un site mobile efficace transmet son message sans pour autant créer de la fatigue pour les yeux. Faites que ce soit facile pour vos visiteurs de vous lire et rappelez-vous qu'ils peuvent être dans un endroit où l'éclairage est tamisé. Pour y arriver, faites ce qui suit :

- ⟡ Créez un contraste entre l'arrière-plan et le texte.

- ⟡ Assurez-vous que le contenu est compatible avec l'écran et qu'il peut être lu sans avoir à pincer et à zoomer.

- ⟡ Utilisez beaucoup d'espace vide.

- ⟡ Utilisez la grosseur et la couleur pour indiquer les priorités des liens et des boutons.

Souple (fonctionne sur tous les appareils mobiles)

Idéalement, votre site mobile devrait fonctionner sur tous les appareils mobiles et leurs différentes positions. Pour y arriver, faites ce qui suit :

- ⟡ Trouvez des solutions de rechange à Flash (ça ne fonctionne pas sur tous les appareils, utilisez HTML 5 pour l'interactivité et l'animation).

- ⟡ Adaptez votre site pour les orientations verticales ou horizontales.

- ⟡ Gardez les utilisateurs au même endroit lorsqu'ils changent d'orientation.

Efficace (conversion des visiteurs)

Peu importe l'objectif de votre site, vos clients-visiteurs doivent être en mesure de naviguer avec un clavier virtuel et sans souris. Faites que ce soit facile d'acheter ou de vous joindre !

✒ Réduisez le nombre d'étapes nécessaires afin de conclure une transaction.

✒ Gardez les formulaires courts et utilisez le moins de champs obligatoires possible.

✒ Utilisez les listes et menus déroulants afin de faciliter l'entrée de données.

✒ Utilisez un bouton « Cliquez pour téléphoner » au lieu de simplement inscrire votre numéro de téléphone.

Localisé (localisation géographique intégrée)

Les consommateurs sont continuellement en train de consulter leur téléphone intelligent afin d'obtenir des informations localisées en partant de la station d'essence la plus près à l'endroit où se trouve une pizzéria ouverte à 3 h du matin. Incluez des fonctionnalités qui les aideront à vous trouver. Pour y arriver, faites ce qui suit :

✒ Ayez votre adresse physique sur la page d'accueil.

✒ Incluez une carte et des directives pour se rendre chez vous.

✒ Utilisez le GPS intégré des téléphones intelligents afin de personnaliser le tout le plus possible.

Intelligent (redirection automatisée pour les appareils mobiles)

Une redirection automatisée pour appareils mobiles est un code qui peut automatiquement détecter si le visiteur utilise un appareil mobile et le rediriger vers une version adaptée à son appareil. Il faut que votre hébergeur actuel intègre ce code afin que vos clients aient la meilleure expérience possible.

⏱ Donnez aux utilisateurs le choix de revenir à la version *desktop* (bureau), mais faites également en sorte que ce soit facile de retourner à la version mobile.

⏱ Laissez aux utilisateurs le choix de la version qu'ils préfèrent pour leurs visites ultérieures.

Figure 43 : Site mobile : Offrir le choix

Lorsque vous arrivez sur le site de Radio-Canada.ca, on vous demande si vous désirez visiter leur site mobile au lieu de leur site conventionnel. Excellente initiative! Remarquez à quel point il serait difficile de naviguer dans ce site à partir de votre téléphone intelligent.

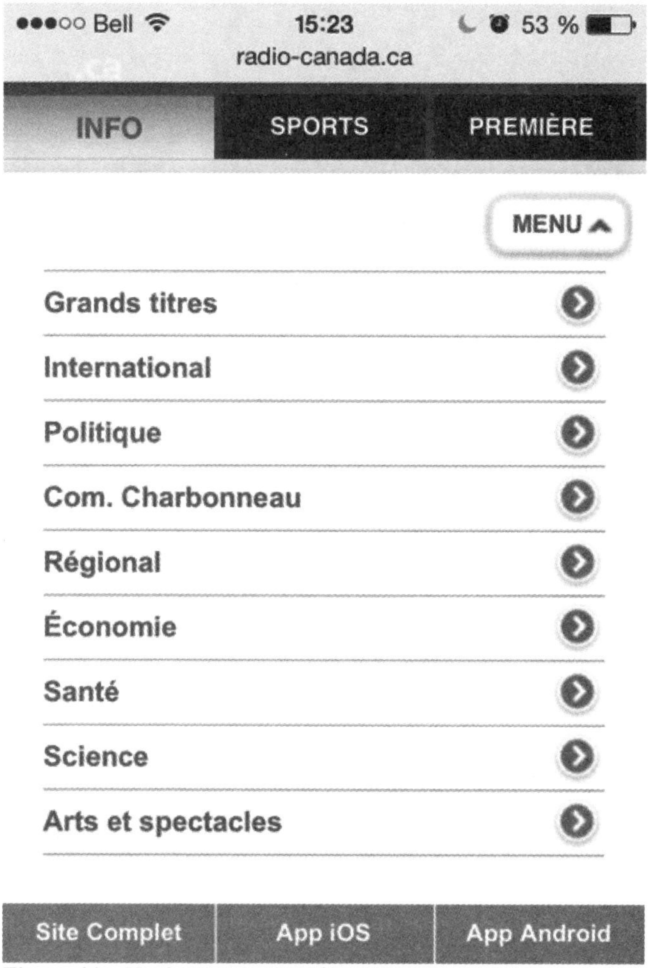

Figure 44 : Navigation optimisée pour votre pouce !

La navigation mobile du site de Radio-Canada est claire et facile d'accès. Étant donné la quantité énorme d'informations contenue dans ce site, deux niveaux de menus sont utilisés, l'un horizontal en haut de page (INFO, SPORTS, PREMIÈRE) et un autre vertical (GRANDS TITRES, INTERNATIONAL, etc.). On peut facilement naviguer dans ce site avec son pouce !

Figure 45 : Pensez à l'utilisateur en premier lieu

Les restaurants Mikes savent que si vous accédez à leur site web avec votre téléphone intelligent, ce n'est pas pour lire le dernier rapport annuel de la compagnie! Vous avez probablement faim et vous désirez commander. Qu'à cela ne tienne : la navigation sur leur site web mobile tient réellement compte des besoins des visiteurs et répond aux questions immédiates que peut se poser un internaute atteint d'une fringale : où est le Mikes le plus près et qu'est-ce qu'ils ont à m'offrir! L'information est présentée très clairement et, encore une fois, elle est très facilement accessible avec son pouce!

RESSOURCE

Donc, vous lisiez les notes sur le Web mobile et vous vous êtes dit : « Mais mon site n'est pas optimisé ! Je viens de le refaire, ou je m'apprête à le faire, est-ce que ça me coûtera encore plus cher ? » Soyez sans crainte, il y a des solutions qui existent et, dans 99 % des cas, l'une d'elles sera parfaite pour vous !

Création de sites Web réactifs (*responsive design*)

Si votre site est récent ou si vous envisagez une refonte, les chances sont très bonnes que votre webmestre vous ait parlé de la création de sites Web réactifs. Le site s'ajustera automatiquement à la grandeur de l'écran sur lequel il s'affichera, en rapetissant et en recadrant les photos, les vidéos, le texte et même en créant un menu mobile adapté aux téléphones intelligents. C'est la toute dernière mode.

La création de sites Web réactifs n'est pas tout à fait la même chose qu'un site optimisé pour le mobile. Les boutons cliquables ne sont pas aussi *cools* et efficaces que ceux que nous venons de voir, par exemple. C'est une solution très acceptable pour un site standard. Par contre, si vous êtes restaurateur, fleuriste, propriétaire d'une flotte de taxis, dentiste ou que vous offrez toute forme de service que les gens cherchent sur le téléphone et veulent visiter, appeler ou obtenir un rendez-vous sur-le-champ ou même acheter en ligne, ce n'est pas idéal, mais c'est une excellente solution au lieu d'avoir un site qui n'est pas réactif du tout.

Dudamobile.com

Un trésor caché ! Si vous avez un site, je vous propose une expérience : visitez Dudamobile.com et entrez l'adresse de votre site et laissez Duda faire le reste. Il lit le code html de votre site, importe les images, les couleurs, le menu et vous fait une version mobile en moins de 60 secondes.

Oh, la première version n'est pas parfaite, mais elle vous donne une excellente base de départ. Par la suite, vous pouvez changer les menus, les couleurs, ajouter ou enlever du texte, ajouter des boutons « Cliquer-Appeler » qui sont directement liés à votre numéro de téléphone ou un « Cliquer-Texter » qui est lié à votre compte texto si vous désirez communiquer avec vos clients ainsi, etc. Son offre ne cesse d'évoluer. Dudamobile.com travaille en étroite collaboration avec Google Mobile sur plusieurs projets. Bref, un coup de cœur.

L'outil de création de site Web mobile est gratuit, et afin de rentabiliser ses opérations, il a opté pour un modèle semblable à Wix : si vous aimez la version de votre site mobile et que vous désirez l'utiliser, les frais d'hébergement sont de 9 $/mois. C'est tout. Testez-le, amusez-vous, voyez si cela vous apporte de la valeur ajoutée. Pas de contrat, pas d'engagement.

Wix.com

Si vous avez commencé à vous construire un site grâce à l'outil dont je vous ai parlé, Wix.com, eh bien sachez qu'il offre maintenant l'onglet « Création de site Web mobile » directement dans son outil de création de site. Même icône, même style d'interface, vous ne vous sentirez pas dépaysé et vous n'aurez qu'un seul fournisseur avec le contrôle absolu de votre *look*, que ce soit sur un ordinateur de table, un iPhone ou n'importe quel autre appareil.

Figure 46 – Wix

L'éditeur Wix vous permet de concevoir un site Web de pleine grandeur et un site mobile avec les mêmes outils et la même plateforme, diminuant ainsi considérablement votre courbe d'apprentissage.

WordPress

Si vous avez décidé de vous créer un site grâce à WordPress, il y a trois possibilités :

1. Vous n'avez pas acheté un *thème responsive (réactif)*. À ce moment, vous pouvez changer de *thème* pour en acheter un qui soit réactif ou tout simplement aller dans le tableau de bord de WordPress et cliquer sur un bouton qui dit « Mobile On » et WordPress créera une version mobile de votre site. Ce ne sera pas optimal, mais ce devrait être plus facile de naviguer sur la version mobile que sur la version régulière.

2. Vous avez acheté un *thème réactif*, alors vous êtes « couvert » et votre site s'affiche bien sur les téléphones intelligents.

3. Vous n'aimez ni la version WordPress ni la *réactive* alors vous décidez d'y aller avec Dudamobile : cela fonctionne très bien ! Dudamobile *aime* les sites WordPress et peut très bien vous aider à en faire une version optimisée pour mobile.

SITE VS APPLICATION

Qu'est-ce qui est mieux, une application mobile ou un site mobile ?

Une application mobile est un logiciel qui peut être téléchargé et installé sur le téléphone d'un usager. Les applications mobiles peuvent contenir des fonctions intéressantes comme les notifications de type « push ».

Une application mobile peut être une solution marketing intéressante, car les applications peuvent comporter des fonctionnalités qui ne sont pas prises en charge par un site Web. Par contre, elles sont plus dispendieuses à développer et ne se substituent pas à un site Web mobile. Elles devraient être vues comme un outil de vente supplémentaire.

Un site mobile est une version optimisée de votre site actuel. Le site mobile contient de gros boutons de navigation sur lesquels il est facile de cliquer et du contenu qui est formaté pour être lu sur un plus petit écran. De cette manière, vos utilisateurs n'ont pas à faire un zoom avant ou arrière afin de trouver ce qu'ils recherchent.

Les clients recherchant de l'information sur un produit, un service ou une entreprise en naviguant à partir de leur téléphone désirent un accès rapide et simple à cette information. S'ils ne peuvent la trouver sur un site, ils iront rapidement vers un autre.

Une application doit être téléchargée et installée. Ce ne sont pas tous les clients potentiels qui voudront passer à travers ces deux étapes afin d'avoir accès à votre information.

CODE *QR*

Comme mentionné plus tôt, le code *QR* (*Quick Response*) est un type de code en deux dimensions (2D) dont le contenu peut être lu rapidement. Il fut publié originellement au Japon en 1999 sous un format de données libres. Donc, il n'y a aucun coût associé à la création de codes *QR* pour votre entreprise.

Le code *QR* peut être lu par un téléphone intelligent grâce à la caméra intégrée dans tous les téléphones et à l'utilisation d'une application gratuite comme Qrafter. Le fait de « lire » le code *QR* avec votre téléphone vous permet de faire ce qui suit :

- Visiter un site Web sans avoir à taper toute l'adresse dans votre navigateur Web.

- Visionner directement une vidéo YouTube sans avoir à ouvrir l'application YouTube ou votre navigateur.

- Obtenir une adresse et une direction grâce à Google Maps.

- Accéder directement à un compte Twitter, Facebook ou LinkedIn.

⁒ Télécharger une application directement de l'App Store d'Apple.

⁒ Afficher seulement du texte.

⁒ Obtenir les détails d'un contact (un peu comme une carte professionnelle numérique).

Utilité marketing

Traditionnellement imprimé en noir sur fond blanc, le code *QR* peut être créé en plusieurs couleurs, et même inclure un logo personnalisé au centre. Les possibilités sont nombreuses et variées. Vous pouvez ajouter votre code *QR* sur vos brochures, publicités, cartes professionnelles, véhicules de livraison, etc.

Le code peut mener à votre site en général ou à une section plus spécifique du site. Imaginez un code *QR* pour l'un de vos produits qui mènerait directement à une vidéo expliquant comment l'utiliser efficacement.

Défis

Étant donné que votre code *QR* sera lu par un téléphone intelligent, il est important que l'expérience de votre client potentiel soit des plus intéressantes. C'est pourquoi votre site Internet se doit d'être optimisé pour le mobile afin de livrer à l'utilisateur un contenu en fonction de ses attentes.

Je vous suggère ces deux sites comme ressources pour vos besoins en codes *QR* :

⁒ QrStuff.com (pour la création de codes *QR* et plusieurs autres choses !) ;

⁒ QrLicious.com : spécialisé pour « rehausser » en motifs et en couleurs vos codes *QR*. Il est très créatif. La visite vaut le détour.

En terminant, je vous laisse sur ce code *QR*. Si vous avez un téléphone intelligent, je vous suggère de le *scanner*. Vous pourrez visionner une vidéo, vraiment drôle, mettant en vedette les codes *QR* qui sont imprimés sur des… (je tiens à vous réserver la surprise) qui gambadent gentiment dans un champ. Il faut voir le visage des touristes qui visitent cette ferme !

Figure 47 – Code QR

Découvrez ce qui se cache derrière ce code *QR* en le scannant avec votre téléphone intelligent et une application de lecture de code *QR* comme Qrafter.

TROISIÈME PARTIE

AVANT DE TERMINER

UNE SIMPLE ACTION PEUT FAIRE TOUTE LA DIFFÉRENCE

Ouf ! Je vous avais prévenu que mes clients disent souvent « Ouf ! » à la fin de la journée ! J'imagine que vous faites en ce moment « Ouf ! » en terminant la lecture de ce livre, étant maintenant arrivé à la troisième partie.

Vous savez ce qui est important ? C'est que vous commenciez. Faites un pas. Puis un autre. Chaque action vous apportera un résultat. Prenez le meilleur, apprenez du pire et continuez. Dans trois mois, six mois, cinq ans, vous serez étonné d'où vous êtes parti et à quel endroit vous êtes rendu.

Vous avez le pouvoir de changer, de vous améliorer, d'apprendre. Vous avez de la détermination… sinon vous ne seriez pas si loin dans ce cours. Vous avez ce qu'il faut. Maintenant, il ne vous reste qu'à passer à l'action, mais avant de vous donner une liste d'actions à entreprendre, j'aimerais partager avec vous une belle histoire afin d'illustrer mon propos : « Un matin, un vieil homme se promenait sur une plage de sable fin en compagnie de sa petite-fille. Toutes les 2 minutes, le grand-père se penchait, ramassait quelque chose par terre, puis le jetait à l'eau. La petite fille, intriguée, demanda au vieil homme :

"Qu'est-ce que tu fais, papi ?

– Je rejette les étoiles de mer dans l'océan, répondit l'homme.

– Pourquoi fais-tu cela, papi ?

– Tu vois, ma petite, c'est la marée basse, et toutes ces étoiles de mer ont échoué sur la plage. Si je ne les rejette pas à la mer, elles mourront parce que dans quelques heures elles sécheront sous les rayons chauds du soleil.

– Je comprends, répliqua la petite fille, mais il y a des milliers d'étoiles de mer sur cette plage. Tu ne pourras pas toutes les sauver. Il y en a tout simplement trop. Et cela doit être la même chose lors de toutes les marées, sur de nombreuses plages de la côte. Tu ne pourras rien y changer."

» Le vieil homme sourit, se pencha et ramassa une autre étoile de mer. En la rejetant à la mer, il répondit : "Pour celle-là, ça change tout[81] !" »

Vous aurez souvent l'impression d'être devant une plage après la marée basse avec toutes ces étoiles de mer. Il y a des chances que vous vous sentiez dépassé. Pensez alors à cette histoire et faites un pas de plus, un geste de plus. Vous ne savez jamais quand vous faites une différence...

Afin de vous aider, je vous ai préparé une liste de 20 actions à entreprendre lorsque vous aurez terminé ce livre :

Sommaire exécutif

Répondez aux questions de la première partie concernant votre stratégie. Si vous vous êtes rendu jusqu'ici sans répondre à ces questions... retournez-y ! Prenez une feuille et écrivez vos réponses. Commencez le processus. C'est dur. Je sais. Je suis passé et je passe encore par là. Ce n'est pas parce qu'on ne veut pas faire quelque chose que ce n'est pas une bonne chose ! Mais, quelquefois, on procrastine. On remet au lendemain. Si vous vous êtes rendu jusqu'ici, ne remettez pas au lendemain. Prenez le temps de répondre à toutes les questions.

Faites un geste maintenant

Refaites le tour des chapitres du livre et faites un geste. Ouvrez-vous un compte YouTube si ce n'est pas encore fait. Décidez de créer une capsule vidéo et écrivez-en le scénario. Écrivez votre premier *Tweet*. Découvrez un influenceur dans votre industrie et communiquez avec lui. Sortez de votre zone de confort et passez à l'action. Ce sera inconfortable au début. Continuez. Vous grandirez.

---

81. J'ai entendu cette histoire à plusieurs reprises. Je n'ai pas réussi à retrouver l'auteur original, mais voici la source la plus plausible : https://docs.google. com/document/d/1JFUU3Yld3j_070IgA0xsNyZ3ukP8kbrsrEtVV6aRLCU/ edit ?pli=1. Si vous connaissez le véritable auteur, s'il vous plaît, écrivez-moi, et c'est avec plaisir que je l'inscrirai dans la prochaine édition.

Tenez un journal de vos progrès

Vous apprenez et vous continuerez d'apprendre chaque jour de votre voyage sur le Web. Ça ne cessera pas. Ne souhaitez pas que ça s'arrête... c'est impossible! Alors, pourquoi ne pas écrire, dans votre agenda ou un journal personnel d'apprentissage, les sites intéressants que vous avez visités et les idées qui ont jailli dans votre tête. Le Web est une mine d'or, mais afin d'en retirer le maximum, vous devez vous discipliner et bien emmagasiner les trésors que vous y découvrirez. Commencez un journal aujourd'hui. Et ce serait une bonne idée d'y noter tous vos mots de passe et vos noms d'utilisateurs. Vous verrez que ça deviendra difficile de tout garder en mémoire! ;-)

Faites l'inventaire de vos moyens de communication

Dépliants, cartes professionnelles, sites Internet, catalogues, annonces dans les médias, brochures d'entreprise, présentations PowerPoint, vidéos d'entreprise, photos d'événement, etc.

L'objectif de cette action est de vous faire prendre conscience de tout ce que vous avez à votre disposition pour communiquer en ce moment. Peut-être réaliserez-vous que vous avez beaucoup plus d'informations et de moyens de communiquer que vous ne le pensiez et qu'il vous suffit de partager ce qui est déjà là.

Qu'est-ce qui manque?

Une fois que votre inventaire sera fait, demandez-vous ce qui manque. Qu'est-ce que vous pourriez changer qui ajouterait un plus à votre entreprise? Avez-vous un slogan, un logo, des couleurs officiels? Vos titres d'annonces sont-ils adéquats? Vos textes de vente sont-ils suffisamment peaufinés? Utilisez-vous des mots puissants et des impératifs? Êtes-vous dû pour une transformation? Quelles sont vos ressources à ce niveau?

Sur une échelle de 1 à 10, comment évaluez-vous votre stratégie de communication? Le but est de mesurer votre degré de satisfaction en rapport avec votre situation actuelle. L'objectif est d'améliorer la note que vous aurez indiquée.

Devenez un observateur actif

L'objectif de cette action est de vous rendre conscient de la publicité et des communications qui vous entourent. Qu'est-ce qui vous interpelle ? Servez-vous de votre sens de l'observation et demandez-vous pourquoi vous préférez telle publicité plutôt que telle autre. Demandez-vous ce qui fait que tel texte a été plus agréable à lire plutôt que tel autre. Lorsque vous ferez un achat ou que vous serez *tenté* d'acheter un produit, demandez-vous quelles sont les motivations et les émotions qui vous animent, puis demandez-vous comment vous pourriez incorporer ce genre d'émotions dans vos communications.

Créez-vous une page Facebook (si ce n'est fait)

Vous hésitez ? Vous vous demandez si c'est une bonne idée. Pourquoi ne pas l'essayer ? Si vous avez lu tous les chapitres jusqu'ici, c'est signe que vous êtes passionné, sinon vous auriez mis ce cours sur une tablette il y a longtemps. Je vous dis de plonger ! Allez-y. Créez une page Facebook. Vous devrez le faire éventuellement, ne serait-ce que pour lier votre blogue à Facebook ! La croissance de Facebook est là. Vous ne vous trompez pas en y intervenant. Prenez le temps d'entrer les détails, de mettre de belles photos et de bonnes informations au sujet de votre entreprise. La page évoluera au fil du temps.

Ouvrez-vous un compte Twitter

Twitter est autant une source d'informations qu'un endroit pour diffuser vos propos. Si vous voulez continuer de vous « nourrir », Twitter représente une source intéressante. Abonnez-vous à trois ou quatre bons comptes Twitter, des personnes qui publient du contenu riche et intéressant, en relation avec votre domaine d'activité. Ce sera assez facile à déterminer. Si vous avez fait des recherches dans votre champ d'expertise sur le Web, vous êtes tombé sur des experts. Ces experts ont des blogues et, s'ils sont branchés, ils ont des comptes Twitter. Abonnez-vous à eux… et surveillez leurs propres abonnements ! C'est l'une des tactiques que je préfère. Lorsque je croise une personne pour laquelle j'ai beaucoup de respect, je regarde à qui elle est abonnée… et si ça concorde avec mes champs d'intérêt, je m'abonne également. J'ai découvert de petits bijoux de cette façon.

Créez-vous un dossier marque-page

Ouvrez votre navigateur favori puis visitez l'un de vos sites de média social. Créez un marque-page. Allez maintenant à votre deuxième site de réseau social en ouvrant un deuxième onglet (dans la même fenêtre) et créez un deuxième marque-page, et ainsi de suite. Puis, allez dans « Gérer marque-pages » et rassemblez tous les marque-pages dans un seul dossier que vous pourrez intituler « Mon marketing Web ». Vous serez ainsi prêt lorsque vous déciderez d'investir du temps afin d'avancer votre dossier de présence en ligne, car il vous suffira de cliquer sur le dossier afin d'avoir accès à tous vos outils.

Ouvrez-vous un compte Youtube

Même si vous ne prévoyez pas créer des vidéos très bientôt, je vous suggère tout de même de vous ouvrir un compte YouTube. La raison est simple : si vous commencez un tant soit peu à visionner des vidéos afin d'en apprendre plus sur les différents logiciels ou applications Web, ou si en naviguant vous tombez sur des vidéos intéressantes, vous aimerez pouvoir les inclure dans vos favoris ou même créer des listes afin de ne pas les oublier et d'y revenir de temps à autre.

C'est très utile à la longue et ça vous évite de surcharger les marque-pages de votre navigateur Web. De plus, vous pouvez vous abonner à des chaînes de vidéos qui fournissent du contenu de qualité. Ainsi, je me suis abonné à la chaîne Google (êtes-vous surpris ?). Je suis tenu au courant dès que Google met en ligne une nouvelle vidéo concernant ses produits et services.

Écrivez au moins une chose positive par jour

Nous avons beaucoup parlé de l'aspect création de contenu dans les médias sociaux, mais il ne faut jamais oublier que vos relations aiment votre *feedback*, votre attention. Évidemment, plus votre réseau sera volumineux, moins vous pourrez porter une attention particulière à chacun des individus.

Ça ne veut pas dire de ne jamais participer ! Prenez donc comme résolution d'émettre un bon commentaire (et même plus !) aux membres des différents réseaux sur lesquels vous participerez. Ça ne prend que quelques secondes pour cliquer sur « J'aime » dans Facebook ou pour écrire un commentaire positif sur une vidéo qui vous a ému. Pourtant, ces commentaires font toute la différence du monde. Participez. Ne demeurez pas silencieux devant la beauté, l'inspiration. Soyez sensible à votre réseau.

De plus, vous créerez ainsi un effet de réciprocité. Vous ne pouvez être sur les réseaux sociaux et constamment demander des « J'aime » sans en donner en retour. Vous ne pouvez demander de commenter, si vous ne commentez pas. Plus vous vous impliquez, plus vous créez des possibilités de réciprocité.

Identifiez vos champs d'intérêt et d'experise

Qu'est-ce qui vous passionne ? Quels sont les sujets sur lesquels vous auriez le goût de partager vos réflexions ? Prenez le temps de les écrire. Même si vous pensez que vous ne le savez pas, vous le savez. Il s'agit de la section que vous lisez en premier dans le journal, du courriel que vous lisez en premier, des sites que vous visitez le plus souvent, de ce qui vous intéresse le plus lorsque quelqu'un vient vous parler. Ce sont vos valeurs. Elles sont peut-être cachées sous la surface et vous ne les avez pas identifiées, mais elles sont là et elles guident vos champs d'intérêt et vous aident à maintenir votre expertise.

Abonnez-vous à deux ou trois blogues

Le but de cette stratégie est de vous faire lire… quelqu'un d'autre qui blogue. Idéalement, le sujet serait relié à votre industrie, à votre champ de compétence. Je ne sais pas si vous êtes un habitué de ce genre de communication, mais si vous ne l'êtes pas, je vous suggère fortement de dépasser votre zone de confort et de commencer la recherche de contenu de qualité. Lorsque vous tomberez sur un bon blogue, vous le saurez. Le ton sera à votre goût, les sujets seront variés, mais en même temps congruents. Et la beauté est que, si vous ne trouvez aucun blogue, en français, qui traite de votre sujet d'expertise… vous serez le seul lorsque vous le commencerez !

Réservez-vous une case horaire pour écrire

Si vous avez le goût de vous donner une chance d'écrire, allez-y ! Réservez-vous une case horaire dans votre agenda. Le matin, assez tôt, est une bonne idée en général. Ne mettez pas de côté plus de 30 minutes. Mais tenez-vous-y. Trente minutes à écrire sur un sujet qui vous passionne. Mettez vos textes de côté. Voyez combien vous réussirez à en écrire d'ici le prochain mois.

Vérifiez si vous pouvez ajouter facilement une portion à votre site actuel

Je tiens ici pour acquis que vous possédez déjà un site. Si oui, vérifiez auprès de votre webmestre si vous avez la possibilité d'ajouter facilement une portion blogue. Autant que possible, utilisez WordPress. L'installation de WordPress ne prend pas plus de 15 minutes. Le logiciel est gratuit. Vous ne devriez donc pas faire face à une « grosse » facture.

Ouvrez-vous un blogue gratuit

Si vous n'avez pas de site et pas de blogue, pourquoi ne pas essayer ? Allez sur WordPress.com ou Tumblr.com et ouvrez-vous un compte. C'est gratuit. Vous pourrez apprivoiser le principe du blogue. Prenez le temps qu'il faut pour vous amuser. Vous n'aurez pas votre propre nom de domaine, mais ce n'est pas grave à ce moment-ci. Le but de cette action est de vous faire sortir de votre zone de confort et de vous faire essayer quelque chose de nouveau.

Recherchez des thèmes wordpress

Allez visiter ThemeForest.com ou TemplateMonster.com et amusez-vous à aller voir les *thèmes* disponibles. Cliquez sur les images et visitez les différents sites. La plupart des *thèmes* que vous verrez coûtent moins de 100 $. Si vous ne connaissiez pas ce principe, vous découvrirez un univers parallèle rempli de possibilités. Le but de cette action est de vous faire découvrir ce qui est possible et ce qui est à votre portée.

Créez-vous une liste d'envoi

Possédez-vous une liste d'envoi (courriel) actuellement ? Vous avez sûrement des cartes professionnelles et des courriels en main. C'est l'évidence. La question est : « Est-ce qu'ils sont réunis dans une liste et facilement utilisables pour des envois massifs ? » Et votre dernière mise à jour de votre liste date de quand déjà ? Est-ce que vous vous êtes assis, à un moment donné, pour vous demander quelle était votre stratégie de communication avec votre « gang » pour la prochaine année ? Combien de fois allez-vous la joindre ? Quel genre d'informations allez-vous lui faire parvenir ?

Ouvrez un compte Bitly

C'est simple et gratuit. Commencez à vous habituer maintenant à suivre vos clics lorsque vous partagez des liens.

Créez-vous une liste de tous vos sites et mots de passe

Vous ouvrirez plusieurs comptes au cours des prochaines semaines. Peut-être avez-vous déjà commencé. Le piège est d'utiliser le même mot de passe partout. Quelquefois, il ne fonctionnera pas, car il sera trop long ou trop court. Vous en utiliserez un autre. Puis, viendra un temps où vous serez confus. « Quel est mon nom d'utilisateur pour ce compte ? C'est quoi, le mot de passe déjà ? Non, ça ne fonctionne pas. Zut ! » Et on vous enverra un lien afin d'inscrire un nouveau mot de passe, vous en inventerez un différent sur le coup, vous penserez vous en souvenir, puis vous l'oublierez de nouveau.

Souriez si vous voulez, mais c'est pas mal comme ça que ça se passe !

Je vous propose donc un truc : faites-vous une liste, sur une feuille 8,5/11 po (22 x 28 cm), et faites-la imprimer. Ainsi, si vous n'êtes pas sur votre ordinateur, vous y aurez accès. Si votre ordinateur plante à cause d'une panne ou d'un virus, vous y aurez accès également.

Vous craignez d'inscrire vos mots de passe sur papier ? Je vous propose de vous créer une légende et de n'inscrire que des codes que vous seul comprendrez comment déchiffrer.

Un exemple : l'un de vos films favoris est *Crazy*. Alors, lorsque vous inscrivez « C », dans la colonne « Mot de passe », cela veut dire que vous utilisez le mot *crazy*. Mais ça ne s'arrête pas là. Lorsque vous écrivez « CrAzY », vous variez les minuscules et les majuscules de sorte que votre mot est plus sécuritaire. Donc, une simple lettre comme « C » contient toute une signification que vous seul êtes en mesure d'interpréter et si vous vous faites voler votre feuille de papier, vous pourrez sourire et respirer en paix, car personne ne pourra déchiffrer ce code. Imaginez maintenant que votre artiste favori est Garou et que vous décidez d'écrire GARou. Donc, si vous inscrivez « CG », vous savez que c'est en réalité « CrAzYGARou ». Personne ne pourra deviner…

Le même principe s'applique pour les chiffres que vous voudrez inclure dans le mot de passe. L'idée de ce truc est que vous soyez en mesure d'avoir à portée de main, en tout temps, la liste de tous vos comptes et vos mots de passe, et que vous soyez capable de varier les mots de passe sur une base régulière (ce qui est une excellente habitude à prendre) et que lorsque vous avez besoin d'avoir accès à l'un ou l'autre de vos comptes, ce soit facile.

J'ai inclus un modèle de feuille à l'Annexe 2.

🖰💻🖰

ET SI...

Un dernier défi pour vous, ou comme le disait si bien Steve Jobs, « *one more thing* », et si vous décidiez d'écrire un livre ?

Pourquoi écrire un livre ?

La communication sur les médias sociaux vous obligera à écrire plus qu'à l'habitude. Le fait de vouloir utiliser les nouveaux médias et d'avoir à créer du contenu régulièrement peut, à certaines occasions, vous donner l'idée « qu'il y aurait un livre à écrire là-dessus ». J'ai observé cette réaction à plus d'une reprise chez plusieurs de mes clients, c'est la raison pour laquelle j'ajoute ces quelques paragraphes avant de terminer ce livre…

J'ai lu une anecdote savoureuse, sur un site d'autoédition, à propos d'un savant qui était spécialisé dans un domaine très rare. Il écrit : « Il y a 160 personnes qui sont impliquées dans ce champ de recherche. J'en connais personnellement 148. Je publie ce livre pour elles, car notre communauté a besoin de ce livre. » J'adore cette histoire, soit celle d'écrire un livre pour un groupe tissé serré de 160 personnes, juste pour elles, pour partager avec elles ses découvertes, ses réflexions. Il n'a pas envoyé un mémo ou des photocopies. Il a publié un beau livre en bonne et due forme.

Écrire un livre vous permet de démontrer du *leadership* dans votre industrie, de développer une certaine autorité, d'ancrer et de préciser votre message. Vous pourrez vous en servir à des fins de promotion ou de publicité. Il sera une source abondante de contenu pour vos comptes de médias sociaux… à moins que ce ne soit le contraire : à force d'écrire des articles et du contenu sur les plateformes sociales, vous vous direz que « ça » pourrait devenir un livre.

Trois approches à considérer pour votre prochain livre

Électronique

Vous pouvez créer un livre blanc ou un livre numérique en format PDF, une publicité en ligne (*ePub*[82]) ou autre. Cette option vous permet beaucoup de souplesse sur le plan de votre mise en page en ce qui concerne l'ajout de photos, d'images, de graphiques et même de vidéos ! Vous n'avez besoin que de votre ordinateur, de votre imagination et d'un logiciel comme iBooks Author (Mac) qui vous permet de créer, gratuitement, de merveilleux livres interactifs qui pourront être visionnés sur les iPad et iPhone de ce monde. Vous désirez y aller encore plus simplement ? Un simple logiciel de traitement de texte comme Word pourra également faire l'affaire. Pour plus d'informations, rendez-vous à bit.ly/VOUS-epub-tuto.

Autoédition (d'un livre papier)

Vous décidez de vous éditer sans intermédiaire. Les avantages de l'autoédition sont nombreux : contrôle absolu sur le contenu, contrôle sur le délai de sortie, possibilité de publier plusieurs produits, pas d'inventaire à maintenir, pas de contrats à signer, marges de profits très élevées, etc. Si vous en êtes à vos débuts, que vous désirez de la souplesse, que vous désirez publier plusieurs produits pour un créneau de marché que vous desservez, que vous pensez vendre de 10 à 1 000 exemplaires

---

82. « EPUB (acronyme d'*electronic publication* ou "publication électronique", parfois noté ePub, EPub ou epub) est un format ouvert standardisé pour les livres numériques. Proposé par l'IDPF (International Digitial Publishing Forum), ces fichiers ont l'extension .epub. EPUB est conçu pour faciliter la mise en page du contenu, le texte affiché étant ajusté pour le type d'appareil de lecture. Il est également conçu comme le seul format pouvant à la fois satisfaire les éditeurs pour leurs besoins internes et la distribution. Ce format englobe le standard Open eBook. Excepté l'Amazon Kindle5, toutes les liseuses sont compatibles avec le format EPUB. Diverses applications de lecture supportant l'EPUB sont également disponibles pour les ordinateurs personnels, les tablettes tactiles et les *smartphones*. » Source : http://fr.wikipedia.org/wiki/EPUB_(format).

et que vous voulez vous donner l'occasion de réviser votre contenu en cours de route, alors l'autoédition peut être une avenue pour vous.

La beauté de l'autoédition en ligne est qu'il s'agit d'un service d'impression sur demande. Vous commandez uniquement selon vos besoins. Vous avez un événement dans deux semaines ? Vous pensez pouvoir vendre une cinquantaine de livres ? Vous en commandez 50. C'est tout. Pas un de plus. La soirée se passe et vous en vendez plus que prévu ? Vous en recommandez une vingtaine d'autres le lendemain et le tour est joué. Et la qualité est excellente.

Les désavantages de l'autoédition sont également nombreux : vous devez être en mesure de bien contrôler votre contenu et vous assurer qu'il est de bonne qualité, car aucun éditeur n'en fera la révision ni le montage. Vous ne disposez pas du réseau de distribution des bons éditeurs (ce ne sont pas tous les éditeurs qui possèdent un bon réseau de distribution).

Autre désavantage des systèmes d'autoédition en ligne ? Tout est automatisé, robotisé. Pas de numéro de téléphone ou de *place d'affaires*. Tout est entièrement numérique. Vous devez donc savoir ce que vous faites, connaître les spécifications, lire les instructions… C'est un désavantage par rapport à un éditeur normal ou à une *place d'affaires* près de chez vous où vous pouvez dialoguer avec le personnel. Ce service n'est pas pour tout le monde.

Le premier site que je vous conseille de visiter si l'idée vous intéresse est Lulu.com. Son interface est maintenant disponible en « français canadien », ce qui aide ! L'offre est abondante et vous pourrez vous amuser à consulter tous les différents projets qui ont vu le jour grâce à ce site. Qui sait, peut-être serez-vous frappé par une inspiration !

Édition avec un « vrai » éditeur

Pourquoi pas ? Vous souriez ? Vous seriez peut-être surpris par l'accueil positif que pourrait avoir un éditeur en regard de votre idée de livre. Les avantages de faire affaire avec un vrai éditeur sont nombreux : il a accès à des ressources spécialisées pour la conception ainsi que la révision de vos textes. Il a, normalement, une bonne réputation et son logo ajoute un certain prestige à vos écrits. Il a accès à un réseau de distribution qui vous permet d'être présent dans toutes les librairies tant sur la scène nationale qu'à l'internationale. Votre titre figure dans son catalogue et profite d'une stratégie promotionnelle. Bref, je ne saurais trop vous recommander de tenter votre chance de ce côté en premier lieu, mais, si pour une raison ou une autre, vous ne réussissez pas à trouver preneur pour votre idée, votre manuscrit, je vous en supplie, songez aux deux premières options que nous venons de voir. Elles ne sont pas à négliger.

CONCLUSION

En vous avançant dans les médias sociaux, vous acceptez le change-ment. Vous acceptez que ça bouge autour de vous, que vous aurez à vous adapter. Vous acceptez qu'il est possible que vous soyez mal à l'aise, que vous sortiez de cette zone de confort dans laquelle vous êtes actuellement. En être conscient et y être préparé mentalement est une bonne affaire !

Il y aura la courbe d'apprentissage : apprendre le langage, le rythme, les applications, les essais et les erreurs. À certains moments, il se peut qu'il y ait des inquiétudes qui s'éveillent : « Vais-je y arriver ? Suis-je en train de me tromper ? Me dira-t-on des choses négatives sur les médias sociaux ? Suis-je en train de perdre mon temps ? Est-ce que je fais la bonne chose actuellement ?

Si vous arrivez dans cet environnement en croyant que tout sera magique et se passera exactement comme vous le désirez, vous risquez d'être déçu. Par contre, si vous avez l'attitude de l'explorateur, de l'aventurier, si vous êtes animé et habité par une attitude d'ouverture, de partage et d'enthousiasme, vous serez magnétique. Vous serez remarqué. Vous ferez une différence.

N'oubliez pas cette « recette », si vous désirez être vu, entendu et reconnu : « Vous devez voir, entendre et reconnaître les gens qui animent vos plateformes sociales. » Cherchez d'abord à voir avant d'être vu. Efforcez-vous de bien entendre ce que les autres ont à dire avant de vouloir être entendu et de reconnaître ce que les autres font de bien avant d'être reconnu. Tout passe par votre attitude, soyez-en averti !

Nous avons beau avoir inventé des tonnes d'outils technologiques, mettre à jour notre profil Facebook chaque jour, clavarder à tout moment en naviguant, *twitter* toutes les 5 minutes, derrière chaque message, chaque interaction se profile une personne, un être humain au fond duquel bat un cœur plein d'émotions.

Nous avons besoin de rester en contact, de dire qui nous sommes, d'échanger, de partager nos voyages, nos projets, notre famille, de faire rire, de faire réfléchir.

Nous aimons quand les gens s'intéressent à nous vraiment pour qui nous sommes. Nous aimons être entendus, écoutés, considérés. Nous aimons pouvoir rendre service, aider une autre personne.

Nous aimons pouvoir faire confiance, même si ce n'est pas toujours facile. Nous voulons faire confiance. Nous sommes des êtres sociaux. Ce n'est pas un hasard si le deuxième site le plus visité sur le Web est un site de réseau social. Ce n'est pas du tout le hasard, la publicité ou la technologie qui dicte ce facteur. C'est qui nous sommes.

« Les gens font affaire avec ceux qu'ils connaissent, avec ceux qu'ils aiment et avec ceux en qui ils ont confiance[83]... »

Au bout du compte, savez-vous ce qui est important ? Le soir, quand vous allez vous coucher, comment vous sentez-vous ? Êtes-vous satisfait de votre journée ? Est-ce que vous considérez que tout ce qui pouvait être fait a été fait ? Si votre réponse est oui, continuez ! Vous êtes sur le bon chemin.

Si votre réponse est : « Bof, ça aurait pu être mieux », demandez-vous alors : « Comment j'aurais pu faire pour que ma journée soit plus productive ? » Il vous viendra des réponses. Écoutez-les. Prenez-les en note. Les journées qui ne se déroulent pas à votre goût sont les meilleures afin d'apprendre. Elles vous montrent vos points à améliorer afin de devenir meilleur. Étudiez. Soyez vigilant.

---

83. Traduction libre d'un vieil adage souvent utilisé dans le monde anglophone, en marketing : « People do business with someone they know, like and trust ».

Vous connaissez l'histoire du vieux professeur de l'ÉNAP[84] ? Il y est dit qu'il s'est présenté devant une classe et qu'il avait très peu de temps afin d'expliquer les principes de la gestion de temps. Il leur a donc proposé une expérience.

Il sortit un vase dans lequel il plaça une douzaine de gros cailloux et il leur demanda : « Est-ce que le vase est plein ? » Et tout le monde répondit oui ! Puis, il sortit un sac de gravier et le versa tranquillement afin que le gravier puisse s'infiltrer à travers les gros cailloux et il leur demanda à nouveau si le vase était plein. La réponse fut non !

Il sourit et sortit un autre contenant dans lequel il y avait du sable. Il entreprit de verser le sable, et celui-ci se glissa à travers tous les petits espaces laissés libres entre les cailloux et le gravier. Puis, dans une dernière démonstration, il vida finalement de l'eau qui se glissa partout ailleurs !

La leçon que nous pouvons tirer de cette démonstration est que si vous ne placez pas les gros cailloux en premier, jamais ils n'entreront dans le vase après que tout le reste y a été placé. Des événements se glissent dans notre agenda comme le sable : ils viennent remplir tous les petits moments que nous laissons libres. Si nous avons choisi le genre de sable que nous voulons que ce soit, ça va, sinon, nous avons un problème sur les épaules !

Certaines tâches demandent plus de discipline et d'attention. Le fait d'écrire du contenu et de le publier demande cette discipline, et en ce sens doit représenter un gros caillou ou, à tout le moins, un bon niveau de *gravier* dans votre calendrier hebdomadaire ou mensuel.

Est-ce que votre présence sur Facebook, Twitter, YouTube ou LinkedIn fera qu'on vous aimera, qu'on vous reconnaîtra et qu'on aura confiance en vous ? Ce n'est pas écrit dans le ciel. Ce qui est certain est que votre absence ne vous aidera pas. Ce qui peut être affirmé, c'est que de ne pas participer aux débats et aux échanges prive votre communauté de la richesse de votre savoir.

---

84. Texte inspiré de l'extrait de *Priorité aux priorités* (Stephen R. Covey, Roger A. Merrill et R. Rebecca, Paris, Éditions générales, F1RST, 1995, p. 112-113).

Peu importe les moyens que nous utilisons, nous sommes humains et nous ne changeons pas. Nous sommes inondés d'émotions, jour après jour. Nous réagissons bien à ce qui soutient nos valeurs et nous défendons ce qui les attaque.

En tant qu'humains, nous cherchons à être en communication avec l'autre. Nous cherchons à recevoir, mais aussi à partager, à faire partie «de». Ferez-vous partie de? Partagerez-vous «avec»? Recevrez-vous de?

Dans le fond, la technologie nous force à redevenir comme avant dans les petits villages : il faut faire attention à notre réputation et à nos gestes, car tout le monde se connaît ! Plus ça change, plus c'est pareil. C'est l'échelle et la vitesse qui changent.

Le grand voyage dans le monde des médias sociaux et virtuels du Web nous rapproche ou nous éloigne de qui nous sommes. Nous pouvons décider de faire semblant, de créer une image, une illusion. Nous pouvons utiliser tous les moyens pour nous faire voir plus beaux que nous sommes, plus forts que nous sommes, plus intelligents que nous sommes.

Ou nous pouvons utiliser le pouvoir de la communication pour être qui nous sommes et communiquer, échanger, réfléchir ensemble afin d'être plus vrais, plus sincères, plus honnêtes. Comme pour le feu ou l'argent ou n'importe quelle invention humaine, le pire et le meilleur pourront en être tirés.

Je tiens à vous souhaiter un merveilleux voyage, une belle aventure. Si vous croyez que je peux vous être utile dans votre croissance, c'est avec plaisir que je serai un guide accompagnateur pour votre projet. Si nos chemins devaient ne plus se recroiser, je vous souhaite le meilleur des succès, je vous souhaite de faire partie d'une communauté que vous pourrez toucher et influencer positivement et qui vous le rendra bien en retour.

Je vous souhaite d'être vu, entendu et reconnu sur le Web afin d'atteindre les objectifs que vous vous êtes fixés et le succès auquel vous aspirez.

p.luc ;-)

ANNEXE 1

HISTORIQUE DÉTAILLÉ

La liste des événements, lancements et créations ci-dessous ne représente, en aucun cas, tout ce qui s'est passé sur le plan technologique au cours des 100 dernières années ! J'ai dressé cette liste sous forme chronologique afin que vous puissiez apprécier le chemin parcouru et que vous puissiez placer en contexte les entreprises comme Google, Amazon, Twitter et Facebook.

Grâce à cette source inépuisable que représente Wikipédia (fondée en 2001), j'ai également ajouté des éléments d'information que je trouvais amusants, pertinents ou intéressants... comme le fait que monsieur Bell ne voulait pas de téléphone dans son laboratoire. Trop drôle !

1876 : première parole prononcée au téléphone

Alexander Graham Bell (1847-1922) est un scientifique, ingénieur, inventeur britannique d'origine écossaise naturalisé canadien en 1882. Sa mère et sa femme étaient sourdes, ce qui l'a sans nul doute encouragé à consacrer sa vie à apprendre à parler aux sourds. Ses recherches sur l'audition et la parole l'ont conduit à construire des appareils auditifs, dont le couronnement aurait été le premier brevet pour un téléphone en 1876.

Bell considéra par la suite son invention la plus connue comme une intrusion dans son travail de scientifique et refusa d'avoir un téléphone dans son laboratoire.

(Source : http://fr.wikipedia.org/wiki/Alexander_Graham_Bell)

1900 : première transmission de la voix humaine par les ondes radio

Le 2 juin 1896, Marconi dépose son premier brevet de radioélectricité et réalise en 1899 la première émission de radiotélégraphie entre la France, l'Angleterre et l'Italie. Toutefois, ce premier succès qui marque vraiment la naissance de la radio ne fut pas divulgué.

La première transmission de la voix humaine est réalisée par l'inventeur canadien Reginald Fessenden le 23 décembre 1900. Celui-ci réalise la première transmission transatlantique bidirectionnelle. Puis, le 24 décembre 1906, il diffuse la première émission radio de voix et musique, soit la première radiotransmission publique.

(Source : http://fr.wikipedia.org/wiki/Radiodiffusion)

1952 : première station de télévision au Canada

1965 : premier courriel envoyé

Le courrier électronique existait avant Internet et fut un outil précieux durant la création de celui-ci. Il prit forme en 1965 en tant que moyen de communication entre utilisateurs d'ordinateurs à exploitation partagée. Le Q32 du SDC (System Development Corporation) et le CTSS du MIT furent les premiers systèmes de messagerie électronique.

En 1972, Ray Tomlinson proposa l'utilisation du signe @ pour séparer le nom d'utilisateur de celui de la machine. Ses premiers programmes de courriel SNDMSG et READMAIL jouèrent un rôle important dans le développement du courrier électronique. La première adresse de courrier électronique est tomlinson@bbn-tenexa.

(Source : http://fr.wikipedia.org/wiki/Courrier_électronique)

1981 : lancement de l'IBM PC

En 1981, IBM a produit l'IBM PC. Cet ordinateur personnel et ses descendants, les compatibles PC, ont progressivement dominé le marché, approchant les 100 %. Le dernier ordinateur personnel à occuper une place non négligeable dans le marché est le Macintosh d'Apple.

(Source : http://fr.wikipedia.org/wiki/Ordinateur_personnel)

1993 : premier navigateur Web

En janvier 1992, Internet Society (ISOC) voit le jour avec l'objectif de promouvoir et de coordonner les développements sur Internet. L'année 1993 voit l'apparition du premier navigateur Web ou butineur (*browser*), supportant le texte et les images. Cette même année, la National Science Foundation (NSF) mandate une entreprise pour enregistrer les noms de domaine.

(Source : http://fr.wikipedia.org/wiki/Internet)

1994 : Amazon est fondé

Amazon a été fondé en 1994 par Jeff Bezos. Celui-ci a déclaré avoir été encouragé à créer l'entreprise pour « minimiser [le] regret » qu'il aurait eu de ne pas avoir profité de la ruée vers l'or des débuts d'Internet. Amazon était à l'origine une librairie en ligne. Alors que les plus grandes librairies *brick and mortar* et catalogues de vente par correspondance pouvaient offrir jusqu'à 200 000 titres, une librairie en ligne pouvait aller beaucoup plus loin.

Bezos voulait que le nom de son entreprise commence par un A pour apparaître tôt dans l'ordre alphabétique. Il a commencé à regarder dans le dictionnaire et s'est arrêté sur *Amazon* (« Amazone ») parce que c'était un lieu « exotique et différent » et que le fleuve était considéré comme le plus grand du monde, destinée qu'il souhaitait à son entreprise.

(Source : http://fr.wikipedia.org/wiki/Amazon)

1995 : eBay est fondé

La société eBay a été créée en 1995 par Pierre Omidyar, sous le nom d'« Auction Web » (littéralement « Réseau d'enchères ») puis a pris en 1996 le nom d'eBay, raccourci d'Echo Bay Technology.

Le premier objet vendu sur eBay fut un pointeur laser défectueux, pour 14,83 $ US. Surpris, Omidyar joignit le gagnant de l'enchère et lui demanda s'il avait compris que le laser était défectueux. Dans son courriel de réponse, l'acheteur lui expliqua: «Je suis un collectionneur de pointeurs laser défectueux.»

(Source: http://fr.wikipedia.org/wiki/Ebay)

1996: Expedia est fondé

Fondée en tant que filiale de Microsoft en 1996, Expedia a été détachée en 1999, pour être achetée plus tard par TicketMaster en 2001, Expedia inc. est une entreprise américaine basée à Bellevue (Washington), exploitant plusieurs agences de voyages en ligne incluant Expedia.com, Hotels.com, Hotwire.com, Egencia (anciennement Expedia Corporate Travel), Venere, Expedia Local Expert, Classic Vacations et eLong. Les sociétés d'Expedia inc. exploitent plus de 90 marques de points de vente dans plus de 60 pays.

(Source: http://fr.wikipedia.org/wiki/Expedia)

1998: Google est fondé

Le nom de l'entreprise Google a pour origine le terme mathématique *googol* ou *gogol* en français, qui désigne 10100, c'est-à-dire un nombre commençant par 1 suivi de 100 zéros. Larry Page et Sergueï Brin demandèrent, en 1997, à d'autres étudiants en informatique, de l'aide pour nommer le fruit de leur travail.

L'idée serait venue de Sean Anderson, qui suggéra «googolplex», nom qui séduisit Larry Page. Il lui demanda d'aller enregistrer le nom de domaine «googol». Sean Anderson se serait alors trompé dans l'entrée du nom, en frappant google.com. D'autres affirment que le nom de domaine n'était pas disponible, car déjà attribué et que, par conséquent, le nom fut modifié volontairement.

Par cette faute, choisie ou subie, Google prend la place de googol, plus simple et plus facile à retenir pour un anglophone et deviendra célèbre dans le monde entier : en 2006, le nom du moteur de recherche, puis de l'entreprise, figurait parmi les 10 plus connus au monde et serait devenue, depuis, la première marque connue sur le plan mondial. Certains dictionnaires ont désormais inclus le verbe *to google* dans leurs pages, avec le sens « utiliser le moteur de recherche Google pour obtenir un renseignement sur le Web ».

(Source : http://fr.wikipedia.org/wiki/Google)

1999 : le terme *WiFi* est utilisé pour la première fois.

WIFI : La marque déposée « Wi-Fi » correspond initialement au nom donné à la certification délivrée par la Wi-Fi Alliance (Wireless Ethernet Compatibility Alliance, WECA), organisme ayant pour mission de spécifier l'interopérabilité entre les matériels répondant à la norme 802.11 et de vendre le label « Wi-Fi » aux matériels répondant à leurs spécifications.

Par abus de langage (et pour des raisons de marketing), le nom de la norme se confond aujourd'hui avec le nom de la certification. Ainsi, un réseau Wi-Fi est en réalité un réseau répondant à la norme 802.11.

(Source : http://fr.wikipedia.org/wiki/Wifi)

Netfix rend disponible la location de film en flux continu

Netflix est une entreprise proposant des films en flux continu sur Internet dans toute l'Amérique, aux Caraïbes, au Royaume-Uni, en Irlande ainsi que, depuis 2012, en Suède, au Danemark, en Norvège et en Finlande.

Elle propose aussi des locations de films par courrier aux États-Unis et au Canada. La société a été fondée en 1997. Aux heures de pointe, c'est-à-dire en soirée, Netflix est responsable en 2011 d'environ 29,7 % du trafic Internet en Amérique du Nord.

(Source : http://fr.wikipedia.org/wiki/Netflix)

Lancement du premier BlackBerry

C'est en 1999 que le premier BlackBerry est commercialisé. Il utilise la même technologie que l'Inter@ctive pager 950 et communique via le réseau Mobitex. En 2001, le premier BlackBerry avec téléphone cellulaire est introduit. Premier appareil vendu en dehors de l'Amérique du Nord, il s'appuie sur les normes GSM et GPRS.

(Source : http://fr.wikipedia.org/wiki/BlackBerry)

2000 : éclatement de la bulle technologique en Bourse

Les premiers symptômes de la bulle technologique apparaissent en 1995. La frénésie des investisseurs lors de l'introduction en Bourse de Netscape fait monter le cours de l'action de la jeune société de 28 à 75 $ en un jour. À la fin de sa première journée de cotation, la société atteint 2 milliards de dollars de capitalisation boursière.

Pendant environ cinq ans, les gains promis par les sociétés du secteur des technologies de l'information et de la communication (TIC) aiguisent l'appétit d'un nombre croissant d'investisseurs, grands et petits, ce qui se traduit par des volumes importants d'émissions d'actions, d'emprunts et de crédits bancaires. Les valeurs boursières des entreprises du secteur augmentent sans lien avec leur chiffre d'affaires réel ou leurs bénéfices.

Plusieurs événements conjugués sont à l'origine de ce phénomène. [...] les investisseurs ont largement exagéré l'importance du « très long terme » dans leurs estimations et négligé de calculer que certaines des sociétés consommaient trop vite leur capital pour espérer atteindre un jour le point d'équilibre. Sous la pression de la remontée des taux d'intérêt à long terme, la bulle finit par « éclater » à partir de mars 2000, sous forme d'un krach, s'étendant à l'ensemble des Bourses et provoquant une récession économique de ce secteur et de l'économie en général.

Tous les profits réalisés depuis 1995 (145 G$ US) par les 4 300 sociétés du NASDAQ se sont volatilisés par les pertes gigantesques de 2000-2001 (148 G$ US).

(Source : http://fr.wikipedia.org/wiki/Bulle_technologique)

PayPal est fondé

PayPal a été créée en 2000 par la fusion de deux entreprises Internet en démarrage (*startup*) nommées Confinity et X.com. Elle était spécialisée dans les paiements et la cryptographie via PalmPilot.

PayPal a été rachetée en 2002 par la société eBay pour 1,5 milliard de dollars américains, notamment parce qu'environ la moitié des transactions du site d'enchères utilisaient PayPal et que le système interne à eBay n'était pas aussi populaire. En 2012, PayPal lance PayPal Here, un système qui permet aux utilisateurs de payer via leur téléphone portable.

(Source : http://fr.wikipedia.org/wiki/PayPal)

2001 : Wikipédia est fondé

Wikipédia est un projet d'encyclopédie multilingue coopérative, universelle et librement diffusable. Depuis son lancement officiel par Jimmy Wales et Larry Sanger le 15 janvier 2001, elle est consultable sous forme de wiki sous le nom de domaine wikipedia.org, où elle est en grande partie modifiable par la plupart de ses lecteurs.

Plusieurs autres moyens de consulter l'encyclopédie ont ensuite vu le jour, tels que des sites Web miroirs, des applications pour téléphone intelligent ou un appareil électronique dédié. Les mêmes principes fondateurs de rédaction sont partagés par les différentes versions linguistiques, mais les pratiques d'écriture sont convenues indépendamment par les internautes pour chacune d'elles. Le site wikipedia.org est devenu en quelques années l'un des plus consultés au monde. Les serveurs hébergeant le site sont financés par une fondation américaine, la Wikimedia Foundation.

Lors du 5e Symposium international sur le journalisme en ligne, Jonathan Dee, du *New York Times*, et Andrew Lih ont mentionné l'importance de Wikipédia non seulement comme une encyclopédie de référence, mais aussi comme une ressource d'actualités très fréquemment mise à jour.

L'attention a cependant été attirée à de nombreuses reprises sur des problèmes éditoriaux internes à l'encyclopédie. Lorsque le magazine *Time* a reconnu « Vous » (*You*) comme personnalité de l'année 2006, en reconnaissant l'accélération de la collaboration en ligne et l'interaction de millions d'utilisateurs dans le monde, il a cité Wikipédia comme l'un des trois exemples de services Web 2.0, avec YouTube et Myspace.

Le terme *Wikipédia* est étymologiquement issu de la fusion de deux termes : *wiki*, type de site Web collaboratif (d'après un mot hawaïen qui signifie « rapide »), se référant au fait que l'encyclopédie a toujours la vocation de s'améliorer rapidement et d'être constamment active par son mode de fonctionnement, et *pédia*, dérivé du mot grec παιδεία, *paideia*, « instruction », « éducation ».

(Source : http://fr.wikipedia.org/wiki/Wikipedia)

Lancement du iPod et de iTunes

2002 : lancement du premier réseau 3G en Norvège

L'Universal Mobile Telecommunications System (UMTS) est l'une des technologies de téléphonie mobile de troisième génération (3G). Elle est basée sur la technologie WCDMA, standardisée par le 3GPP et constitue l'implémentation dominante, d'origine européenne, des spécifications IMT-2000 de l'UIT pour les systèmes radio cellulaires 3G.

L'UMTS est parfois aussi appelé « 3GSM », soulignant la filiation qui a été assurée entre l'UMTS et le standard GSM auquel il succède.

On l'appelle également et plus simplement « 3G », pour troisième génération.

(Source : http://fr.wikipedia.org/wiki/
Universal_Mobile_Telecommunications_System)

2003 : LinkedIn est fondé

LinkedIn est un réseau social professionnel en ligne créé en 2003 à Mountain View (Californie). Début 2013, le site revendique plus de 200 millions de membres issus de 170 secteurs d'activité dans plus de 200 pays et territoires.

(Source : http://fr.wikipedia.org/wiki/LinkedIn)

Skype est fondé

Skype a été fondé par Niklas Zennström et Janus Friis en 2003. Skype est un logiciel gratuit qui permet aux utilisateurs de faire des appels téléphoniques via Internet. Les appels d'utilisateur à utilisateur sont gratuits, tandis que ceux vers les lignes téléphoniques fixes et les téléphones mobiles sont payants. En 2005, eBay acquiert Skype pour un montant de 2,6 G$ US. Le 10 mai 2011, Microsoft annonce le rachat de Skype pour 8,5 G$ en numéraire.

(Source : http://fr.wikipedia.org/wiki/Skype)

Lancement du logiciel libre WordPress

WordPress est utilisé par 18,9 % des 10 millions de sites les plus populaires. Il est actuellement le logiciel de blogage le plus populaire de la planète, étant installé sur au moins 60 millions de sites mondialement.

WordPress est un logiciel de blogue qui présente toutes les fonctionnalités habituelles de ce type de logiciels. Du fait de ses nombreuses fonctionnalités, WordPress est un logiciel de blogue plutôt destiné à des utilisateurs avancés, ayant un minimum de connaissances des systèmes de gestion de contenus. Malgré la clarté de son interface, la profusion de menus et ses possibilités en matière de configuration peuvent rebuter des utilisateurs débutants. Les utilisateurs avertis trouveront, quant à eux, de multiples possibilités pour améliorer leur blogue en une véritable boutique de commerce en ligne, un portfolio, un site « statique », en l'optimisant.

2004 : Facebook est fondé

Le nom du site s'inspire des albums photos (« trombinoscope » ou *facebook*) regroupant les photos des visages de tous les élèves, prises en début d'année universitaire. Facebook est né à l'université Harvard : c'était à l'origine le réseau social fermé des étudiants de cette université, avant de devenir accessible aux autres universités américaines. La vérification de la provenance de l'utilisateur se faisait alors par une vérification de l'adresse électronique de l'étudiant. Le site est ouvert à tous depuis septembre 2006.

En octobre 2012, Mark Zuckerberg, fondateur de Facebook, annonce que le site regroupe plus de 1 milliard de membres actifs. Selon Alexa Internet, c'est au 13 août 2013 le deuxième site le plus visité au monde après Google.

(Source : http://fr.wikipedia.org/wiki/Facebook)

2005 : YouTube est fondé

YouTube a été créé en février 2005 par Steve Chen, Chad Hurley et Jawed Karim, trois anciens employés de PayPal. Le 23 avril 2005, à 20 h 27, a été téléversée la première vidéo par Jawed Karim, l'un des trois fondateurs du site. À partir de juin 2005, il est possible d'intégrer un lecteur vidéo YouTube sur n'importe quelle page Web.

En juillet 2006, une vidéo a atteint 1 million de visionnements pour la première fois. En octobre 2006, Google a annoncé qu'après avoir conclu un accord, il deviendrait le propriétaire de l'entreprise en échange d'actions Google d'une valeur totale de 1,65 milliard de dollars américains. En mai 2010, YouTube annonce avoir franchi le cap des 2 milliards de vidéos vues quotidiennement. Le 28 octobre 2010, l'ensemble des chaînes de YouTube atteint le milliard d'abonnés.

(Source : http://fr.wikipedia.org/wiki/YouTube)

2006 : Twitter est fondé

Twitter a été créé le 21 mars 2006 par Jack Dorsey et lancé en juillet de la même année. Le service est rapidement devenu populaire, jusqu'à réunir plus de 500 millions d'utilisateurs en février 2012. Twitter a été créé à San Francisco au sein de la jeune entreprise Internet Odeo fondée par Noah Glass et Evan Williams. L'idée de départ lancée par Jack Dorsey était de permettre aux utilisateurs de partager facilement leurs petits moments de vie avec leurs amis. Ouverte au public le 13 juillet 2006, la première version s'intitulait Stat.us puis Twittr, en référence au site de partage de photos Flickr puis Twitter, son nom actuel. Le 21 mars 2006, monsieur Dorsey envoyait son premier *Tweet* : « Just setting up my twttr » (« Suis en train d'installer mon twttr »). En juin 2012, les mots *Twitter* (nom propre), *twitt* ou *tweet*, *twitteur* ou *twitteuse* ainsi que *twitter* ou *tweetter* (verbes) font leur apparition dans *Le Petit Larousse 2013*.

(Source : http://fr.wikipedia.org/wiki/Twitter)

Wix est fondé

Fondée en octobre 2006, Wix.com est une plateforme en ligne qui permet de créer des sites Internet en HTML5, des sites mobiles ou encore de personnaliser des pages Facebook. En utilisant sa technologie de glisser-déposer (*drag and drop*) et son App Market, les utilisateurs peuvent intégrer différentes applications tierces sur leur site, entre autres solution de commerce en ligne, formulaires de contact, clavardage en ligne, bons de réduction, etc.

Wix.com offre l'occasion de créer des sites professionnels, et ce, sans aucune connaissance en programmation ou en design. Parmi les concurrents figurent WordPress, Jimdo, Weebly, Webs et autres hébergeurs et entreprises de création de sites. Depuis août 2013, le Wix est utilisé par plus de 35 millions d'internautes qui s'en servent pour créer leur présence en ligne.

(Source : http://fr.wikipedia.org/wiki/Wix.com)

2007 : lancement du iPhone

Le PDG d'Apple a présenté l'appareil le 9 janvier 2007 au discours d'ouverture du salon professionnel Macworld, à San Francisco. Après une importante campagne publicitaire aux États-Unis, près de 200 000 exemplaires du iPhone furent vendus durant trois semaines de vente.

Lors du discours inaugural d'Apple en date du 13 mars 2009, la marque annonce avoir dépassé son objectif de vente de 10 millions de iPhone en un an, déclarant avoir vendu 13,7 millions de iPhone dans le monde.

Le 2 mars 2011, durant le discours inaugural de présentation du iPad 2, Apple annonce avoir franchi le cap des 100 millions de iPhone vendus dans le monde. En juin 2012, les ventes de iPhone depuis 2007 montent à 250 millions d'exemplaires. En septembre 2012, 2 millions de iPhone 5 ont été vendus le jour du lancement (21 septembre 2012) et 3 millions la fin de semaine suivante (soit 5 millions en 3 jours).

(Source : http://fr.wikipedia.org/wiki/Iphone)

Lancement d'Apple TV

Disponible depuis la fin mars 2007, dans sa première version, Apple TV a été présenté sous le nom de « iTV » par Steve Jobs lors de l'événement spécial « It's Showtime ! », tenu par Apple le 12 septembre 2006.

L'appareil a été présenté avec l'introduction «*one last thing…*» («une dernière chose»), une variante du désormais traditionnel «*one more thing…*» («une chose de plus»), utilisé fréquemment dans le passé.

Il communique par réseau sans fil ou Ethernet, avec un appareil iOS ou avec un ordinateur (sous Mac OS X ou sous Windows) par le logiciel iTunes, permettant ainsi de diffuser le contenu vidéo et audio sur le téléviseur, via éventuellement un amplificateur audio-vidéo.

Les concurrents notables sont le *media center*[85] de Western Digital, Roku, Boxee, YouView, Sony SMP-N200 et Google TV, ainsi que des *smart TV*[86] de valorisation de sociétés telles que Samsung et LG.

Steve Jobs: «Vous pouvez sélectionner un film, le télécharger sur un ordinateur, le mettre dans votre iPod. Mais qu'en est-il de ce super gros écran plat que vous venez d'acheter la semaine dernière? Il vous faut une boîte pour utiliser ce téléviseur à grand écran. Mais comment la boîte va-t-elle communiquer avec votre ordinateur? Voulez-vous dérouler des câbles à travers votre maison? Elle communiquera donc en utilisant un réseau sans fil pour acheminer le contenu de l'ordinateur à la boîte, et de la boîte vers le téléviseur.»

(Source: http://fr.wikipedia.org/wiki/Apple_tv)

2010: lancement du iPad

Instagram est fondé

Instagram est une application et un service de partage de photos et de vidéos disponible sur plateformes mobiles de type iOS et Android. Instagram a été créé par Kevin Systrom de San Francisco et le Brésilien Michel Mike Krieger et lancé en octobre 2010.

---

85. Centre multimédia.

86. Télévision intelligente.

Cette application permet de partager ses photographies et ses vidéos avec son réseau d'amis, de noter et de laisser des commentaires sur les clichés déposés par les autres utilisateurs. Les applications telles qu'Instagram contribuent à la pratique de la « phonéographie », ou photographie avec un téléphone mobile.

Le service a rapidement gagné en popularité, avec plus de 100 millions d'utilisateurs actifs en avril 2012. Apple l'a désignée comme « Application de l'année » en 2011.

Le 9 avril 2012, Facebook a annoncé l'acquisition d'Instagram pour environ 1 G$ US dont une partie sous forme d'actions, en précisant vouloir garder l'indépendance du service. Ce montant laisse craindre l'éclatement prochain d'une bulle spéculative Internet.

(Source : http://fr.wikipedia.org/wiki/Instagram)

Pinterest est fondé

Pinterest est un site Web américain mélangeant les concepts de réseautage social et de partage de photographies, lancé en 2010 par Paul Sciarra, Evan Sharp et Ben Silbermann. Il permet à ses utilisateurs de partager leurs centres d'intérêt, passions, passe-temps, au travers d'albums de photographies glanées sur Internet. Le nom du site est un mot-valise des mots anglais *pin* et *interest* signifiant respectivement « épingler » et « intérêt ».

Experian estime, dans un rapport ne prenant pas en compte les visiteurs utilisant des téléphones intelligents et des tablettes tactiles, que Pinterest est devenu en mars 2012 le troisième réseau social le plus populaire aux États-Unis derrière Facebook et Twitter. En mai 2013, Alexa Internet classait Pinterest en trente-neuvième position parmi les sites les plus visités au monde, et à la seizième place sur le territoire américain.

(Source : http://fr.wikipedia.org/wiki/Pinterest)

2011 : lancement de Siri, l'assistant personnel à reconnaissance vocale

Siri est un assistant personnel intelligent pour iOS présenté le 4 octobre 2011. Il est compatible avec tous les téléphones d'Apple à partir du iPhone 4S, mais aussi avec le Nouvel iPad et le iPad Mini (à partir de la mise à jour iOS 6 sortie à l'automne 2012) et le iPod Touch 5. L'application repose sur la reconnaissance vocale avancée, le traitement du langage naturel (oral) et la synthèse vocale pour comprendre les paroles de l'utilisateur afin de répondre naturellement aux requêtes des utilisateurs.

(Source : http://en.wikipedia.org/wiki/Siri)

2013 : un taux de branchement de 81 % pour l'ensemble des foyers québécois est mesuré

(Source : www.stat.gouv.qc.ca/salle-presse/communiq/2013/mai/mai1330.htm)

Lancement de Google HANGOUTS

Google+ HANGOUTS parfois appelée « Vidéo-bulles » est une plateforme de messagerie instantanée et de visioconférence développée par Google et lancée le 15 mai 2013 lors de la conférence de développement Google I/O. Elle remplace trois services de messagerie que Google avait développés séparément : Google Talk, Google+ Messenger et HANGOUTS, un service de visioconférence intégré dans Google+. HANGOUTS permet aux utilisateurs de créer des visioconférences de 2 à 10 utilisateurs.

(Source : http://fr.wikipedia.org/wiki/Google_HANGOUTS)

2014 : lancement prévu de la lunette Google (Google Glass)

ANNEXE 2

LISTE DE SITES,
NOM D'UTILISATEUR,
MOT DE PASSE

ANNEXE 2 🖑 Liste de sites, nom d'utilisateur, mot de passe

N°	Site	Nom d'utilisateur / Courriel utilisé	Mot de passe / Légende	Description
1				Gestion nom domaine
2				Hébergement
3	Google/Gmail			Courriel médias sociaux
4	Analytics			Statistiques site
5	Adwords/AdSense			Publicité Web
6	Webmaster			Analyse site Google
7	Adresses (Places)			«Pages jaunes» Google
8	Facebook/Page			
9	Twitter			
10	LinkedIn/Corpo			
11	YouTube			
12	WordPress			
13	Wix			Création site WYSIWYG
14	ThemeForest			Thème Sites
15	Template Monster			Thème Sites
16	PayPal			
17				
18				
19				
20				
21				
22				
23				
24				
25				
26				
27				
28				

REMERCIEMENTS VOUS.COM

Je tiens à remercier…

Alain Williamson, mon éditeur et complice, qui a tout de suite cru à cet ouvrage et a été très « flexible » quant à la date à laquelle je devais être en mesure de lui livrer le manuscrit final!

Sonia Marois, « ma » directrice de production qui, par sa rigueur, ses suivis, ses courriels et… ses gentils rappels, a fait en sorte que ce projet voie enfin le jour.

Guy Verret, chargé d'enseignement à l'Université Laval, qui m'a invité dans ses classes afin que je puisse partager ma passion avec ses étudiants. Les questions qu'ils m'ont soumises – et qui m'ont beaucoup éclairé - et leur accueil enthousiaste à mon égard n'ont fait qu'aviver ma flamme du coaching et de l'enseignement.

Gilbert et André Aura de Corporation Six Continents, partenaires de premier plan avec lesquels j'ai le privilège de travailler depuis plus de trois ans : merci de la confiance accordée et de tous les merveilleux clients que vous m'avez référés. Quelques-unes de leurs histoires ont fait leur chemin jusque dans les pages de ce livre!

Pierre Giguère, merci pour cette invitation à une conférence sur le marketing Internet, un certain mardi soir du mois d'août 2006. Ce fut le début d'un grand voyage dans ce monde fascinant.

Prologue, merci pour votre merveilleux service de distribution qui permet à un livre papier d'être si bien distribué aux quatre coins du Québec. Chaque fois qu'un lecteur me dit qu'il est tombé sur un de mes livres par hasard dans une pharmacie ou une librairie, j'ai une petite pensée de gratitude pour vous. Oui, l'Internet est omniprésent et beaucoup de contenu est offert actuellement de façon digitale, mais je crois sincèrement qu'il y a encore de l'espace pour le livre papier et à ce niveau, la distribution fait vraiment toute la différence.

Keith Blount, de la compagnie Literature and Latte, nous ne nous connaissons pas, mais je suis allé vous faire un « J'aime » sur votre Page Facebook, en remerciement de votre formidable logiciel destiné aux écrivains : sans l'aide de votre outil, je ne sais pas comment je serais venu à bout de ce livre avec toutes les recherches, les pages web, les notes, les images qui étaient associées au texte. Votre logiciel a littéralement changé ma vie d'écrivain!

Brendon Burchard, Frank Kern, Mike Stewart, Mike Koenigs, merci pour votre générosité, votre enthousiasme et votre créativité dans le domaine du marketing en ligne. Vous êtes des modèles pour moi et vous m'inspirez à toujours m'améliorer et à donner le meilleur de moi-même.

Pour rejoindre l'auteur, vous êtes invité :

à écrire à l'adresse courriel info@pierrelucpoulin.com

ou à téléphoner au 1.877.PIER.LUC (1-877-743-7582)

ou à visiter le site pierrelucpoulin.com

MARQUIS

Québec, Canada